КРИМИНАЛЬНЫЙ ТАЛАНТ

АННА МАЛЫШЕВА

ЗЕРКАЛО СМЕРТИ

Роман

Москва
ЦЕНТРПОЛИГРАФ
2003

УДК 882
ББК 84(2Рос-Рус)6-4
М20

*Разработка серийного оформления
художника И.А. Озерова*

Малышева А.

М20 Зеркало смерти: Роман. — М.: ЗАО Центрполиграф, 2003. — 430 с.

ISBN 5-9524-0233-X

Наташа узнает, что ее младшая сестра покончила с собой. Но Анюта никогда не пошла бы на самоубийство, не таким она была человеком. Что же произошло за те полгода, пока они не виделись? Пытаясь найти истину, Наташа перебирается в дом сестры, и тут начинают происходить странные вещи: на чердаке заводятся давно испорченные часы, в комнатах явно орудуют посторонние, а самое подозрительное — загадочно исчезает крупная сумма, наследство покойной...

УДК 882
ББК 84(2Рос-Рус)6-4

ISBN 5-9524-0233-X

ЗЕРКАЛО СМЕРТИ

Роман

Поскольку я пишу о небольшом городе, где живу сама, должна предупредить — все персонажи вымышлены. Но все, что случилось в романе, вполне могло случиться на самом деле.

Глава 1

— Я всегда говорил, что место довольно глухое!

— В том-то и прелесть, — сказала женщина, стараясь перевести дух после крутого подъема в гору. — Жаль, что солнце уже село...

Остановившись у ограды, она снова прижала к глазам тыльную сторону ладони, пытаясь удержать слезы. Ее спутник терпеливо ждал, пока она отыщет в сумке ключи и ощупью найдет замочную скважину в калитке. Фонарика они не захватили, никто из них не курил, так что не было и зажигалки. Наконец, самый массивный ключ подошел — калитка дрогнула и со скрипом поддалась.

Двор встретил их шумной свежестью сирени. Деревьев не было видно, но цветы благоухали в темноте так, что начинала кружиться голова. С реки тянуло свежестью, поднимался ветер.

— В сто сорок солнц закат пылал, в июль катилось лето...

Он не видел ее лица, но в голосе слышалась грустная, будто заплаканная улыбка.

— Была жара, жара плыла, на даче было это. Пригорок Пушкино горбил Акуловой горою...

«Надеюсь, она не собирается читать все стихотворение наизусть...» Однако снова раздался звон ключей — теперь женщина пыталась отворить дверь, ведущую в дом.

— Ну вот, — послышался ее голос из темных сеней. — Наконец-то...

Под низким потолком вспыхнула лампочка. Он опустил веки — после густых сумерек свет нестерпимо резал глаза. Из мрака выступил массивный окованный сундук, замшелая вешалка, полускрытая под каким-то невообразимым тряпьем... Женщина прошла в комнату и зажгла лампу. Серое сумеречное окно мгновенно стало черным.

— Я никогда не думала, что вернусь в этот дом, — сказала она, обводя взглядом дощатые стены. — Вернусь вот так... Как захватчица!

— Ты недовольна?

Вопрос остался без ответа. Она даже не повернула головы, не пожала плечами. Подошла к стене, коснулась запыленных часов, протерла старомодный пластиковый циферблат без стекла. Золотистые стрелки показывали ровно час — неизвестно, дня или ночи.

— Подумай только, — продолжала она, переходя от кровати к комоду, от комода к столу и везде пробуя пальцем слой пыли. — Сколько было наследников, кроме меня! Я ни на что не рассчитывала. А дом все равно достался мне...

— Ты как будто огорчена?

На этот раз она обернулась. Ее узкое, желтое от света лампы лицо осветила слабая дрожащая улыбка. Женщина как будто опять собиралась заплакать. Она склонила голову, и волосы темно-рыжей волной упа-

ли на плечи, плотно обтянутые черной траурной косынкой. Прозрачный кусок черной, наспех скроенной материи придавал ей какой-то неряшливый деревенский вид. И ему вдруг показалось, что рядом с ним стоит какая-то чужая, незнакомая женщина.

— Не знаю, — ответила Наташа. — И нет и да. Когда-то я сбежала отсюда, как из тюрьмы... Потом иногда думала об этом доме... Приходилось! Но вернуться вот так, последней из всех... Этого я не хотела!

Они заночевали в одной из тесных комнаток, позади засаленной кухни, рядом с лестницей на чердак. На сам чердак не залезали — света там не было. Наташа то и дело улыбалась — грустно, робко, как будто про себя.

«Лучше всего продать этот дом как можно скорее, — твердил про себя Павел. — Не могу видеть эту улыбку! Она становится похожей на сестру, когда улыбается так странно!»

Богатое наследство свалилось на них неожиданно. Наташа любила повторять, что не рассчитывает на него, и вот... Большой деревянный дом в престижном месте — в Пушкине, на Акуловой горе, в сорока минутах езды от центра Москвы. Можно сказать, в историческом месте — по соседству со сгоревшей дачей Маяковского, где тот сочинил знаменитое стихотворение. Земля здесь ценилась очень высоко, да и сам дом чего-то стоил. Сперва она не поверила... Впрочем, мысли о деньгах в тот миг ее не посетили. Наташа была убита страшным известием и даже не думала о том, что разом разбогатела...

Она покинула этот дом пятнадцать лет назад. Все произошло само собой — но в то же время было подготовлено ею как заранее спланированный побег из тюрьмы. До школы Наташа добиралась полчаса: летом — по крутым пыльным дорожкам, осенью — по грязи, зимой — по обледенелым склонам. «Мы шли в школу, как филиппки, — шутила она, исповедуясь мужу. — Только головы из снега торчали. Посмотришь налево-направо — и хочется плакать. Черные фигурки через сугробы лезут в школу... За знаниями...»

На Акуловой горе было немало жилых домов, и в них жило немало детей, и все ходили в школу... Но одна Наташа уехала учиться в Москву — другие остались здесь. Пошли работать, спились, очертя голову повыходили замуж, слишком поспешно нарожали детей... Но для Наташи этот мир стал слишком тесен, так же как и старый дом, где жила ее семья. Она уезжала с твердой целью — не возвращаться. Не потому, что была здесь несчастна, а потому, что хотела чего-то иного. Она не ждала никакого наследства... Но наследство само ее дождалось. Дом был пуст.

Когда она уезжала, то оставляла здесь двух старших братьев и младшую сестру. И еще отца. Мать умерла давно, еще молодой, вскоре после того, как родила Анюту. Четвертые роды были трудными, и женщина после них так и не оправилась. Девочки не помнили лица матери, зная его только по фотографиям. Когда та умерла, братьям Наташи было десять и восемь лет, ей самой три года, Анюте едва исполнилось шесть месяцев. Ее вскармливали искусственно. С полинявших глянцевых карточек на детей глядела суровая худощавая женщина с крутой химической завивкой. Она казалась старше своих неполных тридцати лет. Заморо-

женный взгляд ее прозрачных глаз не выражал ничего, кроме подозрительности. Так смотрят хозяйки на рынке, заранее уверенные, что их обвесят и ничего с этим не поделаешь.

— Представь себе, — сказала как-то Наташа, задумавшись о возможном разделе наследства. — Все придется делить на четверых. Братья, Анюта, отец... Они передерутся между собой... Но я драться не буду. Все отдам. На пятерых делить не придется.

И в самом деле, наследство делить не пришлось. Однако дело обернулось совсем не так, как воображала молодая женщина, сбежавшая от скуки и однообразия здешней жизни.

Ее отец умер, выкупавшись восемь лет назад в холодной речке, протекавшей неподалеку. По его собственным словам, он прыгнул в Учу, увидев там громадную рыбу, запутавшуюся в водорослях, прямо под бетонированным спуском к воде. Ее можно было поймать голыми руками — она запуталась основательно и беспомощно била тяжелым хвостом, разгоняя по реке закатные рыжие пятна. Рыбак выбрался на берег мокрый по горло и без добычи — та вывернулась у него из рук и ушла в глубину. Отец Наташи после этого долго хворал, мучаясь от надрывного кашля, а зимой умер от пневмонии.

Павел на похоронах не был — тогда они с Наташей еще не были расписаны, и она сама попросила его не приезжать, чтобы не возбуждать среди соседей лишних слухов.

— Пойми, хотя официально это — город, но по сути — все-таки деревня, — внушала она ему. — Конечно, камнями меня не закидают, но пойдут слухи... Я этого не хочу.

Когда умер отец, Наташе было двадцать пять, Анюте — на два года меньше, Илье должно было исполниться тридцать лет. А старший брат, Иван, погиб вскоре после похорон, в возрасте тридцати двух лет, при несколько загадочных обстоятельствах. Это было в феврале. Он возвращался с работы вечером, когда над Акуловой горой стояли сумерки, а вокруг было безлюдно. По-видимому, мужчина поскользнулся на крутом обледеневшем склоне, поднимаясь к дому, и свалился в низину, где из-под снега острыми пиками торчали камыши. Если бы это случилось летом, он только бы наглотался болотной воды да раздавил бы пару лягушек... Может быть, ободрал бы локоть или колено. Но зимой болото замерзало, и Иван неудачно ударился виском об обледеневшую кочку. Его нашли спустя несколько часов, поздно ночью, когда младшие брат и сестра вышли с фонариком посмотреть, куда запропастился глава семьи. Предположили, что Иван упал с горы в пьяном виде — то же самое подтвердило и вскрытие. Однако обнаружились еще кое-какие факты. Удар, полученный Иваном, был не настолько силен, чтобы смерть наступила мгновенно. Эксперт предположил, что тот еще некоторое время — около двух часов — оставался в сознании, но был не в силах подняться. О том же свидетельствовал окровавленный измятый снег вокруг трупа — было очевидно, что Иван ползал взад-вперед, тщетно пытаясь выбраться из низины. Вероятно, он звал на помощь, но почему его криков не слышали обитатели домов на горе — оставалось неясным.

На эти похороны Павел пришел. Они с Наташей уже подали заявление в московский ЗАГС, а значит, были все равно что женаты. Тогда он впервые увидел этот дом и познакомился с оставшимися членами семьи.

Тридцатилетний Илья — младший брат — был удивительно похож на мать, исключая разве завивку. Его волосы были коротко острижены, но глаза смотрели с тем же холодным, подозрительным выражением, которое так не понравилось Павлу, когда невеста показала ему снимок покойной матери. Парень зарабатывал на жизнь частным извозом и практически не бывал дома, проводя большую часть суток на привокзальной площади, рядом с чисто вымытыми «Жигулями». Сколько он зарабатывал — оставалось неизвестным для всех членов семьи, включая младшую сестру, Анюту, которая получала от него деньги на хозяйство. Он всегда выдавал девушке определенную сумму, ни рублем больше, ни копейкой меньше. Илья руководствовался при этом собственными понятиями о справедливости. Он говорил, что в три горла все равно есть не сможешь, но и голодать понапрасну — глупо. Рыночные цены на продукты он знал не хуже сестры и требовал у нее полного отчета об истраченных деньгах. Двадцатитрехлетняя Анюта в его присутствии выглядела запуганным, не слишком сытым ребенком. На похоронах Павлу запомнился ее робкий, испуганный взгляд — она как будто даже плакать боялась.

Наташа же плакала, не скрываясь. Она призналась жениху, что любила Ивана, несмотря на то что в семье его считали неудачником и разгильдяем, да еще и пьяницей к тому же. Он пошел в отца.

— Но Илья, — говорила она, — в сто раз хуже, хотя много зарабатывает и не пьет. Почему, ты думаешь, он в свои тридцать лет до сих пор не женат? От скупости! Держит сестру впроголодь, дом не ремонтирует, ходит круглый год в одних и тех же джинсах... Даже телевизор у них еще родительский — показывает одни тени... И куда он деньги тратит — уму непостижимо! Копит, наверное, но на что?! Зачем?!

После похорон Ивана они остались в доме ночевать. На поминках, кроме них, присутствовали только самые ближайшие соседи. Анюта старательно постелила им в дальней комнате, холодной и пахнущей плесенью. Мешали спать незанавешенное окно, едва слышный шорох метели и полная луна, вставшая высоко над горой. Молодые люди всю ночь ворочались и шептались.

— Теперь они останутся вдвоем, — вздыхала Наташа. — Бедная Анюта, она совсем пропадет...

— Почему она нигде не учится? — спрашивал Павел. — Хотя бы в техникуме?

— Ну что ты, — тихо отвечала та, зябко пожимаясь под ватным одеялом. — Она школу-то с трудом закончила.

— Отсталая?

Наташа обиделась. Она резко перевернулась на бок и, не поворачивая головы к жениху, ответила, что Анюта — совершенно нормальная девушка. Ни о каком отставании в развитии и речи быть не может. Она очень любит читать и, хотя у нее никогда нет лишнего гроша, чтобы купить книжку, постоянно приносит книги из библиотеки, расположенной неподалеку, в зеленом деревянном бараке.

— Просто Анюта робкая. Даже если она хорошо знала урок, когда ее вызывали к доске, бедняжка со-

всем терялась... Тогда и впрямь стояла как дурочка... До слез доходило. Не знаю, что с ней такое! У нее замечательная память, а вот продемонстрировать ее она не может... Боится. Я даже представить не могу, как бы она сдавала какие-то вступительные экзамены! Она бы со страху умерла!

— Тогда почему не выйдет замуж? — настаивал Павел. — Симпатичная девушка!

— О, замуж, — проворчала Наташа, уходя под одеяло с головой. Ее голос прозвучал глухо и как бы нехотя. — Скажешь тоже! Парней она боится еще больше, чем экзаменов!

На другой день они уехали в Москву. Наташу ждали уроки в школе, Павла — обычный прием в больнице. Ни один из них не мог себе позволить отпуск за свой счет, хотя у Наташи было тяжело на сердце, когда она думала о младшей сестре, покинутой в заснеженном доме на горе. Та часто ночевала в одиночестве, потому что Илья предпочитал заниматься ночным извозом, дающим бо́льшую прибыль.

Через месяц они поженились официально. Свадьбу сыграли скромную, ограничившись несколькими гостями, и, конечно, были приглашены родители Павла. Те благосклонно отнеслись к невестке, несмотря на то что она не была москвичкой. Более подозрительные родители могли бы предположить, что девушка зарится на московскую квартиру. Однако Наташа втайне гордилась тем, что ее доля в подмосковном доме стоит намного больше, чем скромная двухкомнатная квартирка родителей мужа. Она как-то обронила об этом пару слов. Ее, казалось, не поняли или просто не услышали. Но девушке было приятно, что она все-таки это сказала, хотя мужу она твердила, что ни на какое наследство не рассчитывает.

— Какое наследство? — говорила она иногда. — Пустой звук! Там остались Илья и Анюта. Что — продавать дом и делить деньги на троих? Такой подлости я не сделаю. Хотя другая бы на моем месте...

Никаких денег от нее никто и не требовал. Молодая пара уютно устроилась в большой комнате, родители — в маленькой. С утра Наташа уходила в школу, возвращалась довольно поздно. Свекровь кормила ее ужином. Потом усаживались смотреть телевизор — Наташа умудрялась одновременно проверять тетрадки и жаловаться на распущенность учеников. Павел дремал, свекровь разгадывала кроссворд, свекор рассказывал какие-то длинные и, как правило, скучные истории, которые никого не интересовали, но и никого не раздражали. И порой, когда Наталья поднимала голову от тетради и вслушивалась в этот ровный домашний шумок — похрапывание мужа, голос свекра, поскребывание карандаша, шорох резинки над кроссвордом и бормотание телевизора, — ей казалось, что она вообще не приезжала в Москву и не покидала Акуловой горы, что стоит выглянуть в окно — и она увидит знакомый идиллический пейзаж — дорогу над обрывом, рослые березы, увитые плющом заборы, болото, где сизые утки учат летать подрастающих утят...

Так прошло пять лет. Наталья перешла в другую школу, где платили больше и можно было заниматься репетиторством с учениками старших классов.

— Слава богу, вступительные сочинения еще нигде не отменили, — говаривала она. — А Илья когда-то смеялся, что я поступаю в педагогический... Говорил, что умру с голоду!

Впрочем, Илья, убедившись, что сестра сумела устроиться в жизни, проникся к ней некоторым уважением. Постоянно курсируя между Пушкином и Москвой, он иногда заглядывал в гости — конечно, если привозил пассажиров в этот район. Наташа была уверена, что брат не истратит ни капли бензина лишь для того, чтобы с ней повидаться.

Эти визиты были ей в тягость. Илья вваливался без предупреждения, как будто был уверен — тут ему всегда рады. То, что полагалось выпить чаю, само собой подразумевалось. Он умудрялся оставаться еще и на ужин. Родители Павла против этого не возражали, несмотря на то что семья жила скромно, а родственник никогда не приносил с собой гостинцев — даже пачки печенья. Наташа говорила с братом сквозь зубы, в основном расспрашивала об Анюте. Она уже всерьез переживала за будущее сестры. Анюте грозило остаться старой девой. Ей было почти двадцать восемь — но у нее еще не было ни одного романа, даже самого невинного.

Брат же гордился тем, что Анюта никогда нигде не работала и целиком находилась на его содержании. Наташа, напротив, этим возмущалась.

— Что ее ждет? — говорила она. — Кто она — прислуга, что ли? Как она выглядит? Прямо оборванка! Почему нигде не бывает?

— А я ее дома не держу, — возражал Илья. — Пусть гуляет, развлекается.

— На это нужны деньги! Хотя бы для того, чтобы одеться...

Тот твердил, что у сестры есть все необходимое. А если Наташа так за нее переживает — пусть сама подкидывает сестре рубль-другой. Наташе каждый раз приходилось отступаться. Средств на это у нее не было. Муж продолжал работать в городской поликлинике, они все еще жили вчетвером в двух комнатах. Женщина нерешительно мечтала об одной роскоши — о ребенке... Но никак не могла на это решиться. Каждый раз, когда она начинала строить туманные планы, воображая себя матерью семейства, ее мысли неизбежно возвращались к деревенскому дому.

— Если его продать и разделить деньги на три части, — говорила она мужу, — то мы могли бы разменять твою квартиру на большую... Или даже на две однокомнатные. Но куда я дену Анюту? Она такая дикарка... И так привязана к дому!

Анюта и впрямь почти нигде не бывала. Москвы она попросту боялась, и даже в родном Пушкине не ходила дальше рынка. Как-то она призналась сестре, что чувствует себя спокойно только на Акуловой горе, на самой окраине города. В любом другом месте ей мерещатся какие-то опасности.

— Ей бы нужно показаться психиатру, — заявил Павел. — Это ненормально!

Наташа снова и снова заступалась за сестру. Та — просто тихая девушка, с детства привыкшая кого-то слушаться — сперва отца, потом брата.

— У нее просто покладистая натура, — утверждала она. — Анюту все соседи любят, но ей не везет с парнями... На дискотеку она не пойдет, знакомиться на улице не будет... А вокруг живут сплошные алкоголики. Лучше без мужа, чем с таким...

Наташа готовилась отметить свой тридцатилетний юбилей, когда до нее дошла ошеломляющая новость — брат решил жениться! Ему недавно исполнилось тридцать пять, и она привыкла считать его закоренелым

холостяком. И вдруг... Она познакомилась с будущей невесткой — и была потрясена еще больше. То была тощая, высокая, какая-то иссохшая женщина с птичьим носом и таким скрипучим голосом, что от него сводило скулы, как от кислятины. Приехавшая в гости Людмила высокомерно оглядывала скромную обстановку московской квартиры, говорила о ценах на жилье и новостях светской жизни — тех, которые можно было почерпнуть из бульварной прессы. Но она сплетничала о знаменитостях с таким азартом, что казалось, лично знает всех поп-певцов, политиков и артистов. Все были оглушены и как будто отравлены этой пустой недоброй болтовней, которую никто не решился оборвать.

— Он сошел с ума! — кричала Наташа, когда гости церемонно удалились. — Что это за чудище?! Наверняка женится на ней из-за денег! Наверняка!

Через минуту ей пришла в голову другая мысль, и она даже застонала:

— Что теперь будет с Анютой?!

Вечером она всерьез задумалась о разделе отцовского наследства на три части. Наташа строила дальние планы — она заберет свою долю, Анюта — свою, они объединят деньги, Павел добавит к этому свою долю московской квартиры, они разменяются с родителями... Анюта будет жить с ними.

— Ты же говорила, что она умрет без своей деревни! — удивлялся Павел.

— С такой невесткой она умрет еще скорее! Я даже представить их вместе не могу!

Наташа отправилась домой, на разведку. Ей удалось тайком переговорить с сестрой. Они уединились в саду — Людмила уже вовсю хозяйничала в доме, хотя до свадьбы оставалось больше месяца. Анюта казалась еще более забитой и нерешительной. Теперь она говорила шепотом, старательно отводя взгляд и часто отделываясь коротким: «Не знаю...» В свои двадцать восемь лет она все еще выглядела совершенным ребенком — казалось, сыроватый воздух дома законсервировал ее, не дал вырасти, обезволил.

— Нет, я не могу, — сказала она, выслушав предложение старшей сестры. — Как я отсюда уеду?

— Очень просто! — убеждала ее та. — Как я когда-то уехала! Паша тебя любит, будешь жить с нами.

— Нет... Как это так! — нерешительно твердила она. — А как же Илья? Все-таки он мой брат...

— А что Илья? — вспылила Наташа. — Хватит, покомандовал! Пусть разбирается с супругой, нам до нее дела нет! В конце концов, я тебе сестра, тоже не чужая!

— Не могу, — обреченно бормотала та. — Никак не могу.

— Предпочитаешь, чтобы они тебя со свету сжили?!

— Что ты! — испугалась Анюта. — Он меня не обижает! И она тоже!

— Погоди, это до свадьбы! А вот потом — увидишь!

Анюта твердо стояла на своем. При всем своем безволии она порой становилась невыносимо, глупо упряма, и переубедить ее было невозможно. Девушка замыкалась в себе и даже закрывала глаза, будто хотела показать, что дальнейший спор бесполезен — она ничего не видит и не слышит. Наташа уехала, бросив в сердцах, что сестра об этом пожалеет! Ее звали на свадьбу, она неопределенно ответила, что постарается быть. Про себя женщина твердо решила не ехать, ограничиться поздравительной телеграммой, благо телефона в деревенском доме не было.

А уж потом, когда до Анюты дойдет, какую ошибку она совершила, можно будет настоять на своем и забрать ее в Москву.

Однако свадьба не состоялась. За несколько дней до своего юбилея, сбившись с ног, разрываясь между работой и подготовкой к приему гостей, Наташа узнала еще одну весть, которая окончательно ее подкосила. Илья погиб — убит в собственной машине неизвестно кем, ограблен, брошен на обочине дороги...

Это случилось в одной из его ночных поездок, когда он возвращался из Москвы. Таксисты, дежурившие ночью у станции, видели, как Илья посадил к себе двух пассажиров — парня и девушку. Те были нарядно одеты и явно ехали развлекаться в столицу. Обычно Илья оборачивался за два-три часа — именно столько времени ему требовалось, чтобы доставить пасажиров в нужное место и найти других — обратно. Часто он вообще не возвращался, предпочитая колесить по Москве и подвозить случайных попутчиков. Он ненавидел ездить порожняком и предпочитал не поспать еще час-два, чтобы заработать лишние двадцать долларов на обратном рейсе. На этот раз ему не повезло...

Его «Жигули», стоявшие неподалеку от шоссе, за поворотом, заметил милицейский патруль. Машина привлекла внимание и была осмотрена. На передних сиденьях лежал мужчина с разбитой головой. Его карманы оказались вывернуты, часы и бумажник отсутствовали, из машины исчезла автомагнитола. Орудие убийства лежало тут же, на полу, рядом с паспортом, раскрытым и выпачканным в крови. Это была короткая железная палка, которой Илья когда-то запасся, чтобы обороняться от ночных хулиганов, если таковые на него нападут. Эту подробность сообщила приехавшим представителям власти дрожащая от ужаса Анюта.

Наталья срочно отменила юбилейные торжества и вместе с мужем бросилась в Пушкино. Сестра забилась в дальний угол и, казалось, была близка к помешательству. О чем бы ее ни спрашивали, она только прикрывала глаза и начинала сотрясаться от мелкой, но очень заметной дрожи. Павел дал ей сильное успокоительное, которое привез с собой, и девушку удалось уложить в постель.

Людмила от таблетки отказалась. Она тоже была потрясена, но не так, как Анюта. Ее горе носило громогласный и какой-то обличительный оттенок. Казалось, она твердо решила обвинить кого-то из родственников в несчастье, только пока не выбрала — кого именно.

— Мы должны были пожениться через две недели, — твердила она. — Я и следователю так сказала. Всю ночь мы провели здесь, он уехал шоферить. Аня подтвердит.

— Я вас ни о чем и не спрашиваю, — отвечала Наташа. Хотя она никогда не была особенно привязана к брату, но его смерть — такая страшная, внезапная, накануне свадьбы — была для нее сильным ударом. «Остались одни мы с Анютой, — думала она. — Вся семья уже на кладбище!»

Людмила не изъявила никакого желания удалиться из дома. Впрочем, ее никто не гнал. Она помогала готовиться к похоронам и поминкам, охотно обсуждала с соседями страшное происшествие и у всех вызывала сочувствие. Похороны вышли многолюдные — в процессии участвовали все таксисты, с которыми Илья

был знаком. Они скинулись на венок и закупили несколько ящиков водки. Людмила плакала, Анюта до того убивалась, что ее снова пришлось напоить снотворным. Наташа еле держалась на ногах. Она ломала себе голову, как быть дальше с младшей сестрой... И, собственно говоря, что теперь делать с Людмилой?

На другой день после похорон она осторожно затронула эту тему, спросив, где та живет. В Пушкине? В области? Или в Москве? Людмила очень насторожилась и нехотя сообщила, что живет в Пушкине. Работала она в продуктовом магазине возле станции, там-то и познакомился с ней Илья.

— Мы с Анютой решили продать этот дом, — решительно солгала Наташа. — Я забираю ее в Москву. Теперь она одна, так жить нельзя.

Людмила слушала, заметно темнея лицом. Ее глаза стали положительно страшны — она прекрасно поняла, что ей обиняком указывают на дверь. Наташа знала, что поступает жестоко. В конце концов, откуда ей знать, какие отношения были у брата с этой неприглядной, вульгарной особой? Может быть, настоящая любовь? Но еще более жестоким ей казалось оставить сестру наедине с этим зловещим существом.

— Значит, я не в счет? — медленно проговорила Людмила.

— Извините, но вы и сами должны это понимать.

— Чего понимать! — неожиданно закричала та, и ее голос так резанул слух, что Наташа инстинктивно зажала уши. — Очень кстати его убили, очень-очень! Теперь делиться не придется, так думаешь?! Я все следователю сказала, все-все!

— Что — все?!

— Что вы все были против меня! Прямо накануне свадьбы взяли и убили!

Наташа помертвела. Она вспомнила об Анюте — но та, слава богу, спала, напичканная снотворным. Павел ушел на реку, проветриться. Ему всегда было неуютно в этом большом сыром доме.

— По-вашему, мы с сестрой его убили, так? — сипло переспросила она. — Я или Анюта? А может, обе вместе? Вы понимаете, что говорите?

Людмила продолжала кричать. Она несла уже сущую чепуху, перемежая нелепые обвинения с прямыми угрозами. Но, как ни странно, слушая ее, Наташа успокаивалась все больше. Она уже понимала, что Людмила сходит с ума от мысли, что ей придется уйти из дома, где она так прочно обосновалась, где в шкафу уже висели ее яркие платья, на полках стояла посуда — аляповатый сервиз, которым явно никогда в жизни не пользовались... А двухспальная кровать, когда-то принадлежавшая отцу и матери Наташи, была застелена ее собственным бельем — таким пестрым, что начинали слезиться глаза...

— Я тоже говорила со следователем, — сдержанно сказала Наташа, когда та слегка поутихла и начала истерически всхлипывать. — И между прочим, какая у меня могла быть причина, чтобы мешать вашей свадьбе? Женится он или нет — все равно, дом в любом случае делился бы на троих. Не на четверых, как вам, может быть, мерещится. — Она говорила подчеркнуто вежливо, упорно не переходя на «ты». — А в ту ночь, когда убили Илью, я была дома — у меня трое свидетелей. И хватит об этом! Даже слушать ваши глупости неприятно! Если хотите, я помогу собрать вещи...

— Я все равно что его жена! — предприняла последнюю атаку Людмила.

— Теоретически, — разбила ее наголову Наташа. — Бывает, что и в день свадьбы жених не является в ЗАГС. И невеста тогда не считается его женой. О чем вы говорите?

— Сейчас гражданская жена тоже имеет право на имущество, по закону...

Она говорила еще долго, особенно упирая на то, что уже некоторое время жила в этом доме на правах жены и вела с покойным совместное хозяйство. Наташа больше не слушала. Она встрепенулась лишь, когда та заявила:

— А если будет ребенок, то я и вовсе имею все права! И ты мне не указ!

Такого оборота Наташа не ждала. Возражать она не стала. Людмила, поскандалив еще немного и напоследок склонив на свою сторону почти всех соседей, все-таки собрала свои вещи и уехала. Это удивило Наташу — та думала, что борьба будет более длительной и трудной.

Зато Анюта оказалась несгибаема. Вот этого уже никто ожидать не мог! Теперь, когда девушка осталась в доме совсем одна, жить в нем становилось попросту страшно. Правда, со всех сторон ее участок окружали жилые дома, здесь зимой и летом были рядом соседи. И в конце концов, это был все-таки город — в пяти минутах располагались жилые микрорайоны, магазины, предприятия... Но это только на первый взгляд. На самом деле место было глухое.

Акулова гора была маленьким обособленным мирком, состоящим из нескольких десятков домов с крохотными, вкривь и вкось нарезанными участками.

Собственно говоря, это была уже не та гора, о которой писал Маяковский, а ее остаток — основную массу земли срыли, чтобы насыпать вверху на реке плотину для водохранилища. На этом месте сперва устроили пруд, где, как говорили старожилы, когда-то разводили карпов. Потом пруд обмелел, зарос камышами, образовалось болото, которое облюбовали дикие утки, каждый год прилетавшие сюда, чтобы вырастить потомство. Но «улица Акуловой горы» все еще существовала и значилась на плане города. Она проходила над болотом, по крутому склону. Попасть сюда можно было тремя путями. Через болотистую низину, по тропинке, через мелкий веселый ручей — это был самый короткий и красивый путь. Либо через гаражный кооператив — то уже было довольно неприятное путешествие по закоулкам, между длинных рядов гаражей. И наконец, вдоль берега реки. Анюта предпочитала ходить там, делая большой крюк, когда возвращалась из походов за продуктами. Ей нравился тихий шум воды, сбегающей вниз по бетонированному ребристому ложу, поросшие цветным мхом набережные и крики детей, нырявших в реку ниже по течению.

— Я никуда отсюда не поеду, — твердила она. Теперь даже соседи в один голос уговаривали ее переехать в Москву. — Мне дома не страшно. Я останусь.

— Летом, конечно, здесь хорошо, — убеждала ее Наташа. — Просто рай! Но зимой? А осенью, когда вокруг грязь? И ты всегда одна! У тебя ведь даже подруг нет!

— А мне не скучно.

Уговорить сестру не удалось. Заводить речь о продаже дома и разделе наследства при таких условиях

было бы просто жестоко. Наташа начинала понимать, что сестра привязана к этому месту всей душой, и, возможно, вовсе не робость и диковатый характер мешают ей покинуть Акулову гору. Анюта казалась чем-то безоговорочно принадлежащим этому пейзажу — вроде березы, криво выросшей над обрывом, ночного лягушачьего хора на болоте, знаменитых летних закатов или памятника Маяковскому, который стоял совсем рядом с их домом, в тени сосен.

— Ее отсюда не вырвешь, в Москве ей не выжить, — пришла к выводу Наташа. — Ну что ж... Пускай живет как хочет. Страшно за нее, но что делать?

Павел посоветовал Анюте завести большую собаку — пусть охраняет дом и хозяйку. Та отказалась — она боялась собак и держала только тощую полосатую кошку. Остромордый диковатый зверек ловко ловил мышей и спал вместе с девушкой, забравшись под одеяло.

— Я и на ее замужество больше не надеюсь, — грустно размышляла Наташа, когда вернулась в Москву. — Раньше мне казалось, что это Илья ей жить не дает... Не хочет терять бесплатную прислугу. Она же, как рабыня, его обслуживала, даже машину ему мыла каждый день... Работала за старую одежду, за харчи... Но кажется, Анюта сама ничего менять не желает... Мне как-то трудно представить, что она начнет с кем-то встречаться!

— С кем ей нужно бы повстречаться, так это с хорошим психологом, — гнул свое Павел. О психиатре, впрочем, он уже не заговаривал. Родственница больше не казалась ему ненормальной — разве что чересчур робкой и впечатлительной. — Ей нужно немного прийти в себя, приобщиться к жизни, к обществу.

— А зачем? — задумчиво возражала жена. — Если ей так лучше...

Намного больше тревожило ее другое. Прежде Анюту содержал брат. Как бы скуп тот ни был, но девушка всегда была накормлена и одета — пусть неважно. Впрочем, она никогда не была кокеткой и не обращала внимания на свой внешний вид. Все, что нужно было ей для счастья, — это книги, которые она брала в библиотеке. Но кто будет кормить ее сейчас?

Сама Анюта, казалось, вовсе не задавалась этим вопросом. Она даже не упомянула о нем, снова вызвав у Павла сомнения в нормальности. «Прямо блаженная какая-то, — думал он. — Как будто ей ничего, кроме воздуха, не нужно!»

— Мы ее содержать не можем, — раздумывала вслух Наташа. — Самим едва хватает. С огорода она не прокормится — участок маленький, да и невозможно питаться одной картошкой с яблоками. Ей бы пойти работать... Но она что-то совсем не думает об этом.

Муж уговаривал ее не принимать все так близко к сердцу. Анюта давно не девочка, хоть и выглядит сущим ребенком. Пора ей стать немного самостоятельней. В конце концов, найти какую-нибудь работу попроще она сможет — хотя бы пойдет в уборщицы...

Но Анюта ни на какую работу не устроилась, а между тем не было заметно, чтобы она голодала. Сперва соседи жалели одинокую девушку и обсуждали ее тяжелое положение. Потом заметили, что Анюта, вместо того чтобы высохнуть от голода, как будто выпрямилась и порозовела. Она по-прежнему покупала на рынке мясо, фрукты, сыр и творог — все как

при брате. Но если раньше большую часть он съедал сам, а сестру держал на кашах, то теперь Анюта готовила себе все, что заблагорассудится.

Наташа, приехав навестить сестру и заодно отметить в тесном кругу сорок дней после смерти Ильи, была поражена цветущим видом сестры. Та впервые выглядела не как заморенный ребенок, а как взрослая девушка. У нее, казалось, даже грудь налилась и взгляд стал яснее. Анюта расцветала на глазах.

— На что ты живешь? — недоумевала Наташа. — Неужели на сто рублей, которые я тебе оставила?!

— Я же говорила — твоих денег мне не надо. — Анюта вынула из стола сторублевку и отдала сестре. — У меня у самой есть.

— Откуда?

— Илья оставил.

— Илья?! — оторопела женщина. — Погоди... А Людмила об этом знает?!

— Она — нет. Он на самом деле не так уж ей доверял... Меньше, чем мне.

Наташа так и села, потрясенная житейской мудростью сестры и ее умением хранить важные тайны. Она никак не предполагала в простоватой Анюте таких черт. Знать, где Илья хранит свои сбережения — а ведь он должен был немало накопить, — и никому не сказать! Даже ей — любимой родной сестре!

— Сколько же он скопил? — спросила она, переведя дух.

Вместо ответа, Анюта отвела ее на чердак и простодушно показала тайник. В бездействующих, давно сломанных часах, откуда когда-то вылетала кукушка, хранилась жестяная коробка из-под печенья, стянутая резинкой. В коробке оказалась толстая пачка стодолларовых купюр. Наташа, не веря своим глаза, пересчитала деньги. Ей снова понадобилось присесть — ее просто ноги не держали. Этот запущенный чердак, эта бессребреница-сестра — и такие деньги!

— Бог ты мой, — пробормотала она. — Ты у нас богатая невеста! Двенадцать тысяч долларов!

Анюта вновь проявила удивительное знание жизни и даже некоторых ее законов. Она сказала, что поскольку наследниц у Ильи двое, то и эту сумму тоже нужно поделить пополам. Наташа сперва отказывалась — что-то мешало взять деньги, которые были протянуты ей с таким невинным, простодушным видом, с такой готовностью. Потом она заколебалась. Вспомнила о своих мечтах — отдельная квартира, маленький человечек... Настоящая семья. Если постараться, то на половину этой суммы все это можно осуществить...

— Шесть тысяч я возьму, — сказала она, чувствуя себя почему-то воровкой. Отсчитав деньги, Наташа отдала сестре остаток. — А эти спрячь получше.

— Я сюда же положу...

Жестяная коробка исчезла в часах. Анюта сияла — ей, как всегда, доставило огромную радость кому-то что-то подарить. «А может, Паша прав и она и впрямь — блаженная? — внезапно подумала Наташа, спускаясь вслед за сестрой с чердака. — Как бы я поступила на ее месте? Смогла бы поделиться? С Анютой — да, конечно! Пожалуй, Ивану тоже дала бы немного... Но он пропил бы! Нет, ему бы ничего не дала. И самому Илье — никогда и ничего». Её мысли лихорадочно скакали, она все еще не верила в то, что произошло, и деньги, которые она держала в руках, почему-то казались фальшивыми. «Како-

ва Анюта! Какова выдержка! Все знать и так долго молчать! Да, это характер... Людмиле-то она ничего не сказала! Значит, понимала разницу... Да что это я в самом деле думаю о ней как об идиотке! Она умница!»

— Сколько лет он их копил? — спросила она у сестры.

— А всегда!

— Кто еще знает о деньгах? — беспокоилась Наташа. — Я к тому, что теперь ты живешь одна, и если пойдут слухи... Это опасно! Понимаешь?

Последовал кивок.

— Никому не говори — поняла?

Анюта снова тряхнула головой и вдруг залилась тихим, немного странным смехом, из-за которого ее многие напрасно принимали за дурочку. Это был наивный, детский смех.

— Никто не узнает! Раньше же не знали!

— Илья велел тебе молчать или ты сама догадалась? — допытывалась Наташа.

— Сам велел. Да ты за меня не бойся!

На этот раз, возвращаясь в Москву, Наташа вовсе не знала, на каком она свете. Наследство, свалившееся так неожиданно... Тревога за одинокую сестру... Сперва она боялась, что та пропадет без денег, теперь — что деньги делают ее опасной приманкой для воров — при ее-то образе жизни, беззащитности, даже без сторожевой собаки во дворе...

Но мало-помалу женщина успокоилась. Деньги и в самом деле дали им с мужем возможность произвести размен квартиры. Родители Павла поселились в однокомнатной хрущевке. Наташа с Павлом — в квартире чуть получше, правда на самой окраине. Все были счастливы и только недоумевали, что все так складно получилось — будто само собой. Наташа теперь часто навещала сестру и убеждалась, что та вполне справляется с хозяйством и как будто ни о чем не жалеет.

Анюта по-прежнему жила одиноко. Был слух, что к ней пытался захаживать какой-то вдовец, живший неподалеку, в полуразвалившемся доме. Неизвестно, что его привлекло — скромная, неяркая красота девушки или ее дом с участком... Но Анюта ему отказала. Рассказывая об этом предложении руки и сердца, она очень возмущалась и даже начинала плакать, как будто ее незаслуженно оскорбили, закидали грязью. Сама мысль о том, что о ней могли подумать как о чьей-то невесте и жене, причиняла девушке страдание, была глубоко чужда и даже противна — будто ее выставили на всеобщее обозрение, сорвав одежду. Соседи удивлялись, как она выкручивается с деньгами, но, судя по всему, никто о тайнике в часах не узнал.

Еще одна новость успокоила Наташу окончательно. Людмила, несостоявшаяся жена Ильи, стремительно вышла замуж. Она больше не появлялась в доме на горе и забыла обо всех своих претензиях. «Жигули» Ильи охотно купил один из его приятелей-таксистов. Машина была в идеальном состоянии, и за нее удалось выручить приличную сумму. Наташа специально приезжала из Москвы проследить за тем, чтобы сестру не обманули при сделке. Все деньги достались Анюте — они-то и оправдывали в глазах соседей ее безработность. Наташа наотрез отказалась от своей части, хотя Анюта настойчиво пыталась поделиться.

— Ты и так сделала для меня достаточно, — уверяла ее старшая сестра. — Не всякий поступил бы подобным образом! Ты хоть понимаешь это?

Анюта наивно удивлялась ее словам. Она не понимала... Соседка по секрету рассказала Наташе, что ее младшая сестра часто ходит в церковь и все больше становится похожей на монашку. Наташа вздохнула — этим все и должно было кончиться. Хорошо, что хоть так... Хоть какая-то отдушина для одинокой девушки, которая незаметно для всех превратилась в старую деву.

Примерно в то же время Наташа обнаружила, что беременна. Она скрывала это от всех, удивляясь и радуясь новым тревожным ощущениям, которыми наполнилось ее тело. Рассказала лишь мужу, когда сомнений не оставалось. Она родила сына — крикливого и крепкого рыжего мальчика, который целиком занял все ее время, вытеснив из головы мысли о сестре, о погибшей семье, о доме на горе. Все это стало казаться каким-то далеким и почти ненастоящим.

Ребенка назвали Иваном — Анюта, узнав об этом, страшно обрадовалась. Она любила доброго и беспутного старшего брата, который жалел ее при жизни и с каждой получки обязательно дарил пакет карамелек, самоотверженно лишая себя лишней чекушки водки. Для него это было большим расходом, чем для человека побогаче и поздоровее — крупная сумма денег. Возможно, Анюта не вдавалась в такие рассуждения, но каждый подарок делал ее счастливой на несколько дней — и, конечно, не только из-за конфет. Постоянное чтение романов обострило ее чувства, сделало тайной мечтательницей и фантазеркой. Старшая сестра часто удивлялась тому, как неожиданно тонко Анюта понимает человеческие отношения.

Летом сестры виделись чаще — Анюта умоляла приехать, и сестра провела у нее все теплые месяцы вместе с грудным ребенком. Павел приезжал по воскресеньям и отсыпался на веранде, в брезентовом шезлонге. Вечером шел на реку с удочкой, а рано утром уезжал в Москву. Женщины хозяйничали, копались в огороде, Анюта нежно возилась с племянником, не помня себя от счастья. Ее, стареющую девственницу, все поражало в этом крохотном мальчике, все приводило в восторг — пальчики, ресницы, уши... Она, едва дыша от волнения, прижимала ребенка к груди, и в такие минуты Наташа с тяжелым сердцем думала о том, какой чудесной матерью могла бы быть Анюта, как нужен ей ребенок... И как это невозможно.

Осенью мать с сыном вернулись в Москву. Стало прохладно, река за соснами посерела, сады наполнились яркими и жесткими осенними цветами, которые казались сделанными из накрахмаленной ткани и совсем не пахли. Анюта не провожала родственников на станцию — боялась расплакаться.

— Приезжай к нам, — уговаривала ее Наташа. — Мы найдем, где тебя уложить. У нас такая большая прихожая, там стоит диван. Ты как раз поместишься.

— Нет, — бормотала та. — Лучше ты приезжай с Ваней весной.

— Боюсь, что я тогда пойду работать, — призналась Наташа. — Деньги нужны. А летом опять буду искать частные уроки.

— А ребенок останется один?!

— Бабушка за ним присмотрит. Она на пенсии.

Анюта тревожно заметалась. Она лепетала что-то, совсем сбившись с толку, вдруг метнулась на чердак — хотела принести и предложить оставшиеся деньги, потом стала уверять, что ребенка можно оставить ей на все лето — она ни на шаг от него не отойдет... Сестра дала ей слово — в следующем мае все решится окончательно. Может быть, ребенку действительно лучше провести лето за городом. Сама-то она не беспокоилась, что Анюта не усмотрит за малышом, но вот Павел мог возражать... Он по-прежнему считал золовку блаженной особой, только чудом не подожгшей дом и не упавшей в речку.

Зимой сестры почти не виделись. Только раз, под Новый год, молодая семья навестила Анюту в ее домике, живописно занесенном снегом. Стояла оттепель, и девушка, вся розовая, полураздетая, колола дрова для бани. Сам дом отапливался газом — об этом позаботился еще Илья. Она взмахивала топором, и старая черная кофточка чуть не лопалась на груди — некоторые пуговицы отсутствовали, другие болтались на ниточках. Увидев остановившихся за калиткой гостей, она с криком бросила топор и побежала к ним, расцветая чудесной, яркой, совершенно детской улыбкой, на глазах становясь красавицей...

Такой и запомнила ее старшая сестра. Она не хотела помнить ее другой — какой увидела в мае, несколько дней назад. Уже в морге.

Особенно ее поразил Анютин цвет лица. Как всегда, нежный, чуть смугловатый от постоянного пребывания на воздухе... Но с каким-то голубым отливом — как будто ей в лицо светили синей лампой. О смерти Анюты Наташу известили соседи. Они вспомнили о девушке только три дня спустя после ее смерти, когда обратили внимание на то, что ее любимая кошка, как обезумевшая, мечется и истошно орет в закрытом кухонном окне. Дверь взломали. Кошка выбежала наружу, стремглав промчалась через двор, юркнула под забор и бесследно скрылась.

Анюта лежала у себя в комнате, поверх стеганого ватного одеяла. В комнате стоял тяжелый дух, и соседи поспешили отворить окна. На тумбочке у кровати стояли два пустых стакана и бумажная коробочка от лекарства. Павел, услышав название препарата, запоздало схватился за голову. Анюта отравилась тем самым сильным успокоительным средством, которое он когда-то на свой страх и риск давал ей, чтобы облегчить муки, причиненные смертью брата. Лекарство без рецепта не отпускалось, и он собирался, конечно, забрать его с собой... Но забыл.

В коробочке оставалось еще шестнадцать таблеток. Анюта, улегшись в постель и привычно положив рядом кошку, выпила их все до единой. Записки она не оставила.

Глава 2

— Я не верю в самоубийство.

Наташа произнесла эти слова, даже не повернув головы. Рано утром муж застал ее на веранде, пока еще находящейся в тени. Солнце освещало ее ближе к полудню. Женщина сидела в шезлонге и сосредоточенно разглядывала старательно возделанный участок.

— Ты будешь завтракать? — спросил он, натягивая майку. — Я не знаю, где тут что. В шкафах ничего не найдешь, все стоит вперемешку.

Наташа выбралась из шезлонга и молча прошла на кухню. Ей удалось найти пару яиц, немного масла и серую крупную соль в пакетике. Молодую зелень принесли с огорода. Супруги съели скромный завтрак в молчании. Жена без аппетита отщипывала кусочки черствого хлеба и запивала их чаем. Яичница досталась Павлу целиком.

Поминки по Анюте справили вчера в кафе. Наташа была слишком потрясена смертью сестры, чтобы заниматься стряпней. Были соседи, всего несколько человек, знакомых ей с детства. Пришла еще какая-то худощавая миловидная женщина, которая не произнесла ни слова и почти ничего не съела и не выпила. Молодой рыжий священник довел всех до слез, произнося при погребении надгробное слово. Он хорошо знал Анюту и старался сделать вид, что та не была самоубийцей. Наташа, равнодушная к религии, даже не оценила его подвига, за который священник мог получить изрядный нагоняй. У него у самого глаза были на мокром месте, он всячески старался утешить сестру покойной. И это были все гости.

— Как она могла... — Наташа убрала посуду в раковину и остановилась у окна. Все утро она как будто разговаривала сама с собой. — Ведь мы с Ваней должны были приехать на лето!

Сын остался в Москве, у бабушки.

— У нее не было никаких причин умирать... — твердила Наташа. — Она жила так многие годы и никогда, никогда не думала о смерти! Она была счастлива и, во всяком случае, спокойна!

Павла занимали другие мысли. Он подозревал, что пустая коробка из-под лекарства привлекла внимание следователя, который занялся самоубийством. И проклинал себя за неосмотрительность.

— Это может нам повредить, — повторял он. — Ты — единственная наследница дома, и теперь, когда Анюта умерла, на тебя посмотрят косо.

Наташа, казалось, не слышала. Она продолжала смотреть в окно, как будто не знала наизусть этого участка, сплошь занятого грядками с пышными всходами.

— У этого препарата почти закончился срок годности, — продолжал он. — Еще бы пару месяцев — и твоя сестра отделалась бы рвотой.

— Что ты говоришь? — обернулась та.

— Я говорю, что у Анюты не было рецепта на это лекарство. Его может выдать только лечащий врач, а в больницу она не обращалась. Единственный врач в семье — я! Провалиться мне, если нас не заподозрят!

Жена, казалось, не поняла. Открыла кран горячей воды, и из сеней донесся гул заработавшего АОГВ. Павел вздрогнул — он никак не мог привыкнуть к этому зловеще-утробному звуку. Вымыв посуду, Наташа расставила ее на полках. Она двигалась медленно, но ее движения были автоматически точны — как у лунатика, пробирающегося по карнизу.

— Ты заметила, как вчера на нас смотрели соседи? — настойчиво продолжал муж. — Тебе не показалось, что нас в чем-то подозревают? Правда, они ничего не сказали, но, может, подумали...

Тут она как будто проснулась. Окинув мужа изумленным взглядом, женщина ответила, что мнение соседей ей глубоко безразлично. И Павел, и она сама прекрасно понимают, что не имеют никакого отношения к смерти сестры. Поймет это и следователь, если дело действительно ведется.

— Ну да, — пробормотал Павел. — Тем более у нас с тобой абсолютное алиби... Мы были в Москве, с ребенком, ходили на работу. И потом, как это можно насильно накормить человека снотворным? Шестнадцать таблеток — это не шутка! И никаких следов насилия, никакой борьбы! Я нарочно обратил внимание на Анюту — ни единого синяка на руках, и лицо такое естественное! Не думаю, что она с кем-то боролась!

— Перестань! Меня волнует другое, — сказала Наташа. — Почему Анюта это сделала? Ты же знаешь, как она была религиозна!

— Самоубийство, кажется, — самый страшный грех?

— Я в этих вопросах не сильна, но, кажется, да. Но главное — не было для него никаких причин!

Неожиданно Наташа засуетилась. Она пожелала подняться на чердак. Павел догадался, почему у нее возникла эта мысль. Конечно, он знал о чудесной находке в сломанных часах и о том, как благородно поступила Анюта, поделившись деньгами с сестрой. Они взобрались по шаткой лестнице, прихватив с собой свечу. Наташа распахнула дверцу часов и некоторое время смотрела внутрь, освещая рыжим пламенем пыльную нишу с неподвижным механизмом.

— Тут пусто, — сказала она наконец.

— Она потратила все деньги?

— Ты не понимаешь. — Ее голос прозвучал както безжизненно. — Потратить деньги она не могла, Анюта жила так скромно... И потом, не забывай, что все деньги за машину достались ей одной, а это почти четыре тысячи долларов. В тайнике была кругленькая сумма, и ее должно было хватить еще на несколько лет, как минимум.

— Но у нее могли быть какие-то расходы...

— Брось! Коробка исчезла — этого я не понимаю.

Он тоже не понимал, и жена объяснила. Анюта была сущим ребенком и, как все дети, обожала, чтобы вещи годами оставались на своих законных местах. Когда она предъявила коробку с деньгами и Наташа посоветовала спрятать наследство понадежнее, Анюта сунула ее на прежнее место. Ей и в голову не пришло ничего другого.

— Я ее знала лучше тебя, — сказала жена. — Если бы коробка опустела или почти опустела, она бы все равно осталась тут — в часах.

— Что за фантазия!

— Это не фантазия, — оборвала его Наташа. — Это реализм! Моя сестра поступила бы так, и только так. А коробки нет.

— Ты полагаешь, что...

Он не договорил — жена снова ушла в себя и перестала его слушать. Она обошла весь чердак, пробуя пальцем запыленную рухлядь, вдыхая затхлый запах прогнившей мебели. Коснулась полуразвалившегося старинного кресла, стоявшего в углу.

— Какая вонь! Я сто раз говорила Анюте, что нужно устроить большую уборку, но разве она послушается...

Она все еще говорила о сестре как о живой, и это несколько пугало Павла. Сам он был не слишком удивлен самоубийством свояченицы. Будучи врачом, он свято верил в законы наследственности и давно выстроил про себя генеалогическое древо семьи его жены. «Их мать — крепкая женщина, не выдержавшая частых родов и тяжелой работы. Здоровая практичная натура. Илья явно унаследовал ее

основные черты характера, так же как и внешность. Никогда не пил, копил деньги, собирался жениться на женщине, немного похожей на мать. Старший брат, Иван, пошел в отца. Слабовольная натура, алкоголик, довольно добрый, ленивый, никаких честолюбивых устремлений. Они с отцом даже умерли в один год. Наташа... Пожалуй, она ни в мать, ни в отца. И слава богу — хоть она-то разумна и здорова, никакой патологии, которую можно было заметить даже в Илье. Анюта... Бедняжка! Вот на ком все отразилось в самой большей степени! Может быть, девочка была зачата в пьяном виде — кто это может отрицать? Слабовольная еще больше, чем Иван, восторженная, не от мира сего. Вполне могла покончить с собой из-за какой-нибудь нелепой фантазии, начитавшись книжек. А деньги сжечь. Но как сказать об этом Наташе? Она мне горло перегрызет из-за сестры!»

— Я хотела бы понять, что случилось и почему, — упрямо твердила его жена. — Анюта не была дурочкой, как ты, возможно, думаешь...

— Я вовсе так не думаю, — поспешно солгал муж.

Она гневно повела плечами:

— Разумеется, думаешь! Даже после того, как она сумела сохранить деньги и поделилась со мной, ты считал ее сумасшедшей!

— Но...

— Не возражай! Ты презирал ее!

— Никогда! — с горячностью воскликнул Павел. И в этот миг он сам верил в то, что говорил. — Она поступила очень расчетливо и благородно!

— Нет, только благородно, а вовсе не расчетливо — поэтому ты стал ее презирать!

— Кажется, ты хочешь поссориться, — отступил он. — Хорошо, говори что хочешь.

— Поссориться?! Я пытаюсь докопаться до правды!

Она явно ждала новых возражений, но муж благоразумно молчал. Тогда Наташа, кипя от негодования, бросилась вниз по лестнице с такой быстротой, которая могла обернуться падением. Павел шел осторожно, не доверяя ни этим гнилым ступеням, ни своенравному характеру жены. Он повторял про себя, что иногда бывает лучше промолчать — потом легче будет настоять на своем. Рано или поздно Наташа опомнится.

— Никакой записки, — бормотала женщина, нервно расхаживая по кухне. — Я бы еще поняла, приди ей в голову какая-нибудь фантазия... Могло что-то померещиться, зимой тут так тихо, что можно сойти с ума! Но ведь уже пришла весна, приехали дачники, мы тоже собирались в гости... Вот так, без всякой причины...

— А не могла она сделать это случайно? — осторожно спросил Павел. — Может быть, Анюта просто не понимала, что пьет?

— Ну да! Если она прибрала твое успокоительное, а не выбросила, то, уж конечно, помнила, зачем ты его ей давал! Еще раз повторяю — не считай ее дурочкой!

— Но она могла забыть! Я привез лекарство три года назад. За такое время...

— Анюта никогда не жаловалась на здоровье. Насколько я знаю, она и в больнице в жизни не бывала.

— Она могла перепутать таблетки с конфетами, — предположил Павел. — Они же были такие яркие, розовые...

Он сказал это и перепугался — жена взглянула на него такими страшными, яростными глазами, что Павел поклялся про себя не выдвигать новых версий.

— По-твоему, моя сестра не отличила бы таблетки от конфетки? — медленно, угрожающе переспросила женщина. — Чудесно. Знаешь, в нашей семье никто еще ложку мимо рта не проносил!

— Наташа, я вовсе не хотел...

— Нет, хотел! — взорвалась она. — Замолчи и не мешай мне думать!

Он и сам рад был замолчать. Наташа выбежала из кухни, и в окно было видно, как его жена носилась взад-вперед по участку, будто надеясь обнаружить ответ на свои вопросы между ровных грядок. Потом неожиданно вернулась в дом.

— Соседи в один голос говорят, что дом был заперт, все окна закрыты. Иначе кошка смогла бы выбраться наружу, а ведь она чуть с ума не сошла, провела три дня в доме... Рядом с трупом.

Павел только кивнул. Он боялся, что все, сказанное им, может быть использовано против него.

— Значит, Анюта заперла дверь, закрыла все окна — при такой-то жаре!.. И приняла твое лекарство. Рядом стояло два пустых стакана. Этого количества воды хватило бы, чтобы запить оставшиеся таблетки?

Он мог бы сказать, что таблетки в оболочке можно проглотить вовсе без воды, но сдержался. Жена была так возбуждена, что спорить ему вовсе не хотелось. Однако Наташа как будто услышала его безмолвный ответ.

— Тебе тоже кажется, что все это как-то недостоверно? Особенно ее расчетливость. Если бы Анюта захотела покончить с собой... — Ее голос начинал прерываться от сдавленных слез. — Она бы кинулась в реку... Повесилась бы! Но вот так... Отыскать старые таблетки, запастись водой, выпить все до единой... Это не похоже на нее!

— Наташа, ведь дело не закрыто, — решился он. — Ты же знаешь. Будь еще записка, тогда ладно, но в нашем случае смерть будут расследовать.

— Небольшое утешение!

Она уже плакала.

— Беспокоюсь только, что могут задеть тебя. — Он вернулся к больной теме. — Ведь таблетки привез я.

— Какие глупости!

— Вовсе не глупости. Пока были две наследницы, дом с участком пришлось бы делить. Но когда ты осталась одна...

Наташа отняла руки от опухшего лица:

— Что ты болтаешь!

— Уверяю тебя, многим пришла в голову эта мысль. — Павел обнял жену и почти насильно усадил ее за стол. Заставил выпить остывшего чаю. Наташа все еще всхлипывала, но уже тихо, будто по привычке. — Это дико и, конечно, неправда... Но многие так подумали.

— Чудовищно!

— Сколько стоит дом?

Этот вопрос совершенно осушил ее слезы. Она посмотрела на мужа, будто не веря своим ушам. Потом обвела взглядом стены, взглянула в окно...

— Наверное... немало.

— А конкретнее?

— Земля здесь стоит около двух тысяч долларов за сотку. У нас их семь с половиной. Прибавь само строение, подведенный к дому газ, АОГВ, канализацию...

— Тысяч двадцать?

— С ума сошел? — обиделась женщина. — Около тридцати, не меньше.

Сумма его ошеломила. Он никак не думал, что жена когда-нибудь окажется владелицей столь внушительного, на его взгляд, состояния. Некоторое время супруги молчали.

— Никто не посмеет обвинить меня в том, что я убила сестру из-за дома, — наконец твердо сказала Наташа. — И ты тоже за себя не переживай. Не о том думаешь... Меня беспокоит одно — почему она на это решилась?

Павел мог бы назвать несколько причин, но предпочел сделать это про себя. Дурная наследственность — раз. Одиночество, которое может свести с ума, — два. И наконец, могла быть еще какая-то причина, о которой не подозревали даже соседи. Жена тем временем расхаживала по кухне, время от времени выглядывая в окно, будто ожидая гостей. Она всегда смотрела в окно, когда нервничала, и теперь Павел понимал, что она привезла эту привычку отсюда, из дома на горе, где из окна можно было увидеть всю улицу за оградой и всех, кто подходит к дому. В Москве эта привычка была совершенно бессмысленной — окна их квартиры выходили на рынок, и Павел, глядя с десятого этажа вниз, не различил бы среди прохожих даже собственных родителей.

— Только не сейчас, только не в мае, — шептала она, оглядывая возделанные грядки. — Она ждала, что мы с Ваней снова проведем здесь лето. Я обещала... Она никогда бы так не поступила!

— Ты говоришь, что пропали деньги. И твоя сестра не успела бы потратить такую сумму. — Он старался говорить как можно спокойнее и рассудительнее. — А если бы потратила, то все равно не убрала бы жестянку из старых часов?

Наташа нервно задернула занавески.

— Наконец-то понял! Битый час тебе это втолковываю!

— Не злись. Я просто не хочу, чтобы ты ломала голову над тем, что все равно не сможешь решить сама. Об этом нужно поговорить с человеком, который ведет дело о самоубийстве.

— Да, обязательно. — Женщина все еще стояла у окна, придерживая края полинявших занавесок, будто стараясь удержать солцне, рвущееся в дом. Мужу почудилось, что в ее голосе снова слышатся слезы. — Если Анюта погибла по чьей-то вине, я хочу хотя бы взглянуть в глаза этому типу!

Павел не понимал, что проку от взгляда в глаза «этому типу», и пожал плечами. К счастью, жена ничего не заметила. Иначе его могла ожидать еще одна сцена.

— Говорят, где-то здесь, на горе, у нее был жених, — продолжала женщина. — Это меня тоже беспокоит.

— Но ведь Анюта его прогнала?

— Он мог настаивать на своем. А ты помнишь, в какое отчаяние она пришла, когда ей сделали предложение? Мне рассказывали соседи... Они-то посмеивались, но Анюта была в отчаянии. Если этот тип ее преследовал, то... Могло случиться все, что угодно.

Павел не мог отпустить ее одну — жена так горячо рвалась докопаться до истины, что он за нее боялся. Пришлось переодеться в спортивный костюм и отправиться вместе с женой. Он совершенно не пред-

ставлял, как они объяснят цель своего визита, каким образом намекнут на то, что их волнует... Жена, казалось, никаких сомнений не испытывала.

Она отлично знала, где жил неудачливый жених, и, стукнув в калитку, громко окликнула его по имени:

— Дядя Егор? Вы дома?

За серым покосившимся забором раздался лай собаки. Судя по голосу, это была мелкая истеричная шавка, готовая облаять собственную тень.

— Домик-то не ахти какой, — заметил Павел, оглядывая владения несостоявшегося жениха. — Похоже на какую-то трущобу. Однако у него губа не дура! Ваш дом куда симпатичнее, да и участок больше раза в два! Здесь всю землю раскроили на носовые платки!

— Потому что она тут дорогая, — ответила жена и тут же дернула его за рукав, призывая к молчанию. Она первая заметила хозяина, который как раз показался на крыльце.

То был краснолицый приземистый человечек в грязно-голубой рубахе и бесформенных спортивных штанах. Он босиком прошел к калитке и после секундного колебания узнал Наташу.

— Заходите, — пригласил он, явно смутившись.

Наташа вошла, потянув за собой мужа. Хозяин позвал было в дом, но женщина его остановила:

— Не беспокойтесь, мы на минуту. Я хотела бы поговорить с вами об Анюте.

— Ну что же... — Тот смутился еще больше. Его морщинистая шея побагровела. — Тогда тем более нужно присесть. Может, по рюмочке?

— Мы не пьем, — отрезала Наташа.

Этим невежливым отказом она окончательно выбила Егора из колеи — тот не знал, что сказать, куда деть руки и глаза. В конце концов устроились на врытой перед домом скамейке. Наташа критически оглядела участок. Всюду были следы запустения — кое-как перекопанные грядки, старая яблоня с засохшими ветвями, дыры в заборе. Шавка угомонилась, увидев, что хозяин сидит спокойно, и подошла поближе. Это была рыжая, чудовищно разжиревшая собачонка с черными глазами навыкате.

— Значит, ее похоронили, — подвел итог хозяин. Он так и не дождался, чтобы гости заговорили сами.

— Да, вчера, — ответила Наташа. — Почему вы не были?

Тот тяжело вздохнул:

— А кто меня звал?

— Могли бы и сами прийти. Это само собой подразумевалось. Мы всех звали.

Снова установилось молчание — еще более тягостное. Рыжая собачка, удивленная таким странным поведением гостей, вопросительно их оглядела и нерешительно тявкнула. Хозяин отогнал ее ногой:

— Пошла! Надоела!

Собачка даже не отошла в сторону. Было видно, что живется ей хорошо и гнев хозяина она всерьез не воспринимает.

— Так вот о чем я хотела с вами поговорить, — продолжила Наташа, собравшись с духом. — Вы ведь сватались к Анюте?

Егор слегка испугался. Он что-то промямлил, пряча глаза, и, наконец, признался, что так оно и было. Но тут же уточнил, что никаких дурных мыслей у него при этом не было. Наташа не поняла:

— Вы это о чем?

— Да я насчет вашего дома, чтобы вы чего не думали... Зачем он мне? Я не потому к ней заходил... У меня все свое есть, я сам могу жену содержать.

— Ах, вот вы о чем. — Она снова обвела взглядом его владения — еще более неодобрительно. — Что ж вы так запустили хозяйство!

— Я же тут один, — оправдывался Егор. — Уже пятый год! А дети разъехались.

— У вас и дети есть? — Наташа смутно припомнила двух здоровенных парней, которые как будто когда-то мелькали на Акуловой горе и имели какое-то отношение к Егору. — Где же они?

— Старший — в Москве, а младший — на другом краю Пушкина... У него продовольственный магазин. — Последние слова были произнесены с немалой гордостью.

— Помогают?

— Нет. — Это было сказано без всякой горечи. — Я еще и сам справляюсь.

— Зачем же вы решили жениться?

Павлу стало неловко за жену. Он решил про себя, что какие бы намерения ни были у этого краснолицего вдовца, но в любом случае нельзя так копаться в его душе. Однако Егор не смутился. Он пояснил, что жить одному скучно, он, слава богу, всем обеспечен и вполне может содержать близкое существо. Он так и выразился, причем почему-то посмотрел на жирную собаку, которая своим видом как будто доказывала — да, в этом доме не голодают.

Наташа фыркнула:

— Неужели не нашлось ровесницы? Сколько вам — под пятьдесят?

— Сорок три. А зачем мне старая баба? — возмутился тот. — Знаешь, Наташа, твоей сестре ведь тоже не шестнадцать лет было...

— Все равно, для вас она была слишком хороша, — фыркнула Наташа. Она окончательно перестала с ним церемониться. — Давно виделись?

— Ну, с тех пор, как она меня отшила, — только случайно.

— А когда вы ее видели в последний раз?

Егор старательно припоминал, но в конце концов не смог дать точного ответа. Он полагал, что было это недавно — ведь тут, на горе, все постоянно сталкиваются.

— А что это ты ко мне пришла? — полюбопытствовал он наконец. Павла, как чужака, он в расчет не принимал и даже как будто не замечал. — Ты что думаешь — она из-за меня?..

Наташа резко его оборвала:

— Размечтался! Нужен ты ей был, как...

Павел с изумлением услышал в ее голосе совершенно незнакомые, деревенские интонации. Казалось, еще секунда — и жена начнет «выражаться»... Однако женщина сдержалась и снова перешла на более спокойный тон:

— Конечно, она это сделала не из-за вас. Я хотела спросить, может, у нее был кто-то другой?

Егор не обиделся. По-видимому, этот мужик вообще не отличался ранимостью. Он ответил, что, может, Анюта втайне от всех с кем-то гуляла. Но все-таки — вряд ли. Ведь перед тем, как зайти к ней «насчет семейной жизни», он навел справки у ближайшей соседки. И та со всей определенностью утверждала, что Анюта живет одна и никакого парня на горизонте нет. Только поэтому он и решился...

— Лучше бы у соседок спрашивали, а не у меня, — хмуро ответил он, внезапно погрустнев. — Жалко девчонку... Я же помню ее маленькую, она все тут бегала...

Павел боялся, что жена, неудовлетворенная его скупыми ответами, заговорит о пропавших деньгах, но Наташа неожиданно распрощалась. Жирная собачка проводила их до калитки уже молча, как своих.

— И чего ты добилась? — высказался Павел, беря ее за руку и уводя подальше от дома. — Он черт знает что о нас подумал!

— Все равно, — устало бросила она. — Мне этот тип не нравится.

— Но какое отношение он может иметь к ее смерти? — осторожно спросил Павел. Ему не нравились эти разговоры, сама эта тема, этот дом, так неожиданно доставшийся жене в наследство... Вообще все, связанное с Акуловой горой. Он чувствовал себя здесь настолько чужим, что с трудом мог провести тут несколько дней подряд. Все его давило, все мешало, раздражало или смешило. «Я не деревенский человек и никогда им не стану, — твердил он жене. — У нас на работе, когда узнали, что у моей жены дом в Подмосковье, то стали завидовать страшно... А мне все равно — хоть бы его и не было».

Смерть свояченицы тоже его потрясла, но он никак не мог понять, почему жена не может принять самого простого объяснения: что Анюте просто надоело влачить свое одинокое и бессмысленное существование?

— Он мог ходить к ней, сидеть на кухне часами, действовать на нервы. — Наташа остановилась на берегу реки, глядя на купающихся вдали ребятишек. Слегка поежилась, подумав о том, что вода, должно быть, все еще очень холодна. — Хотя мне бы уже все рассказали соседки. И потом, не в том он возрасте и не так выглядит, чтобы приставать после того, как ему отказали...

— Даже если бы он не оставил ее в покое, это еще не причина глотать таблетки.

— Да. — Она продолжала смотреть на реку. — Просто я на него злюсь из-за того, что он расстроил Анюту. Конечно, он тут ни при чем. Мне кажется, нужно искать того, кто взял деньги. Тогда многое станет ясным.

— Ты не веришь, что твоя сестра могла их потратить или перепрятать?

Наташа была категорична. Потратить столько денег Анюта не могла ни в коем случае. Если бы ей пришло в голову сменить тайник, она бы обязательно известила об этом сестру, прежде чем покончить с собой. Павел в этом усомнился — подобная расчетливость не вязалась для него с образом покойной.

— Это Илья мог бы, назло всем, унести деньги на тот свет, — настаивала Наташа. — Анюта — никогда. Она бы скорее отдала их в церковь...

— Слушай, а это мысль!

Они повернулись друг к другу. Женщина была изумлена тем, что такое простое решение до сих пор не пришло ей в голову.

— Неужели она отдала все? — испуганно спросила Наташа. — О господи! Она даже не понимала, что можно ограничиться половиной! Я уверена, что она отдала их в церковь!

— Нужно было еще вчера спросить священника.

— Что — прямо на похоронах? — Наташа резко отвернулась от реки и принялась взбираться на гору,

в клочья изрезанную огородиками. Из-за хлипкой изгороди на них заблеяла коза. — Узнать-то можно, не думаю, что там делают из этого тайну... Но почему он сам об этом не сказал, этот рыжий батюшка?

Павел с трудом дождался обеда — Наташа совершенно потеряла интерес к хозяйству и была одержима одной мыслью — каким-то образом напасть на след пропавших денег. Она даже сходила к соседке, ближе всех знавшей Анюту, и обиняками спросила, не жертвовала ли ее сестра на церковь? Вернулась она с неутешительным ответом — соседка ничего ни о каких пожертвованиях не знала и страшно удивилась, услыхав, что Анюте было что жертвовать.

— Обязательно зайду к следователю, — решила она.

— Ты, кажется, забыла о ребенке, — вздохнул Павел. — Сколько он должен оставаться у бабушки?

— Еще пару дней. — Наташа брезгливо принялась чистить старую картошку, заросшую хрупкими лиловыми рожками. — Не могу я этого так бросить!

* * *

Она настояла на своем — впрочем, как всегда, если приходилось спорить с мужем. О здоровье полуторагодовалого Вани беспокоиться не приходилось. Он ел все, что давали, капризничал не больше положенного и давно уже сделал первые шаги и произнес первые слова. Павел, довольно поздно ставший отцом, трепетал над мальчиком, с маниакальным упорством находя у него разные хвори. Мать только смеялась. Она уверяла, что малыш совершенно здоров, а если порой капризничает, то лишь для того, чтобы вызвать к себе повышенное внимание. Ее, выросшую в многодетной семье, никогда особенно не опекали — особенно после смерти матери. Дрожать над здоровым, вполне обеспеченным ребенком казалось ей верхом глупости.

— Ну ладно, — почти угрожающе говорил ей муж, ближе к полудню собираясь в город. — Если что-то случится, я пошлю тебе телеграмму. Черт-те что! У вас даже телефона нет!

— Ничего не случится, — отрезала она. — Мне нужно кое-что выяснить, а раз ты устранился, я займусь делами одна. Буду звонить от соседки каждый вечер. И ты ей звони, если что-то случится.

Муж насторожился:

— Каждый вечер? Ты же говорила о двух днях!

— Ну да, — согласилась она, отпирая калитку. — Два-три дня, не больше. В конце концов, я тоже взяла отпуск за свой счет, а скоро у меня в школе — выпускные экзамены. Не беспокойся — не задержусь.

Проследив за тем, как муж спускается с горы и исчезает в зарослях майской зелени, она вернулась в дом. Сейчас, оставшись в одиночестве, женщина была уже далеко не уверена в своих силах. В какой-то миг Наташа пожалела, что осталась. Что она может сделать? И как это будет выглядеть со стороны? Она вспомнила слова мужа о том, что их непременно заподозрят в каких-то корыстных устремлениях, и ее щеки запылали от гнева.

Но она ведь ничего не хотела, ни на что не рассчитывала! Единственное, что она действительно получила, были шесть тысяч, которые отдала сестра! Но разве она просила о них? Нет, почти отказалась... Взяла лишь потому, что это доставило радость

сестре, да еще потому, что эти деньги были так необходимы! Ей было совершенно достаточно этого дара судьбы, свалившегося будто с неба, этого наследства от человека, от которого она никогда не ждала добра, — от Ильи... Беря эти деньги, Наташа говорила себе, что истратит их на дело, ничтожное в глазах окружающих, но великое для нее самой, — попытается родить ребенка. И сделала это! Анюта же, вырвавшись из застарелой нищеты, из вечных тисков недоедания, тоже должна была стать счастливее. Эти деньги пошли им обеим на пользу, а о доме Наташа не думала, никогда не думала всерьез!

Она вошла в родительскую спальню и остановилась у большого тусклого зеркала, занимавшего всю стену от пола до потолка. В доме было немало старинной мебели, и Наташа, пожив в Москве и кое-что повидав, уже понимала, что могла бы выгодно распродать родительскую обстановку, получив не меньшую прибыль, чем Анюта — от продажи «Жигулей». Откуда к ним попали все эти вещи? Ореховое кресло рококо с гнилой обивкой, пахнущее затхлостью, как парализованная старуха... А рядом топорно срубленный в тридцатых годах табурет. Кровать с точеными столбиками по углам, с фантастическими животными на передней спинке... И панцирная сетка, на которой спала Анюта. Наташа никогда не думала об этом прежде, воспринимая каждую вещь как нечто предопределенное, ни в чем не сомневалась, ничего не обсуждала. Но сейчас все ее ставило в тупик.

«Это мое? — спрашивала она себя, разглядывая отражение в тусклом зеркале, которому было лет двести, не меньше. — В самом деле мое и больше ничье? Как же это вышло?»

Она была болезненно потрясена. Значит, люди и впрямь могут подумать, будто она строила какие-то далеко идущие планы... Павел боится, что его привлекут к ответственности из-за таблеток. Может, он и прав... Пока никто не сказал ни слова, но, может быть, все еще впереди...

Будь у сестры подруги, они бы наверняка знали о том, что у нее на душе. Но подруг не было. Соседи знали лишь то, что могли увидеть из-за забора, или то, что слышали от самой Анюты. А она, несмотря на свое простодушие, вовсе не любила откровенничать с чужими.

Наташа снова прошла в Анютину комнатку и осмотрела все, что попалось на глаза. Аккуратно застеленная постель вызывала у нее тягостное чувство — как будто упрекала в чем-то и безмолвно сообщала о том, что никогда не выдаст тайны. Маленький столик, за которым Анюта читала или рукодельничала, был плотно придвинут к окну и пуст — даже пыли на нем не было. Топорно сколоченные стенные полки также были пусты.

«Пустые? — Наташа остановилась перед ними, глядя на гладко оструганные доски. — Но почему? Тут всегда стояли книги. Когда был жив Илья — библиотечные. Потом Анюта решилась покупать свои собственные. Где же они?»

Она пошарила под кроватью, нашла пару старых ботинок и сломанную корзинку, с которой Анюта ходила по грибы. Из-под стола появилась кошачья миска с присохшим ко дну рыбьим хребтом. Анюта кормила кошку у себя в комнате, потому что Илья не любил животных и запросто мог пнуть бедняжку, если та показывалась в кухне. После смерти брата Анюта не из-

менила старой привычке и продолжала держать миску у себя в комнате — вот почему сестра и полагала, что та ни за что не сменила бы тайника с деньгами.

Кошка... Мысль о ней тоже не давала покоя женщине. Если бы Анюта решила покончить с собой, она бы обязательно позаботилась перед этим, чтобы животное не пропало с голоду. Вернее всего, кошку бы выпустила на двор, оставив на крыльце внушительный запас еды. А вышло так, что обезумевшее от страха и голода животное оказалось взаперти и провело здесь трое суток. Разве это вязалось с Анютиным нравом?

«Нет, — ответила себе женщина. — Эти мелочи не насторожат посторонних людей, но мне-то они подозрительны, и от них не отмахнешься!»

Она подумала, что неплохо бы сходить в церковь. Но мысль об этом смущала женщину, которая не была религиозна и почти ничего не знала о церковных обрядах. Как посмотрят на ее приход? Разрешат ли вообще задать какие-то вопросы? Неожиданно ей захотелось домой, в Москву, подальше от вопросов, от этого дома, который, как будто насупившись, ждал ее дальнейших действий.

«Что я смогу выяснить, да и нужно ли выяснять? — спрашивала она себя. — Возможно, Паша прав, и Анюта покончила с собой в припадке отчаяния. Кто знал, что творится в ее душе? Она была затворницей — и физически и душевно. Внешне спокойна, но внутри могли происходить страшные бури. Кто их видел? Кто мог помочь? Она бы могла обратиться ко мне — у соседки есть телефон, стоит только зайти и попросить позвонить. Но она не позвала на помощь... Кто мог понять Анюту? Даже я никогда ее не понимала».

Она вспомнила сестру, когда та была маленькой. Первые воспоминания относились к поре, когда Наташе исполнилось шесть и она собралась идти в школу. Младшей сестре не было и четырех. Братья-подростки часто не бывали дома — Иван прогуливал школу с регулярностью, которая внушала отцу мысли о том, что парень пропащий. Илья тоже вечно слонялся по городу с друзьями. Девочки росли на воле, копаясь в огороде, бегая по болоту, вспугивая уток и ловя головастиков. Анюта один раз чуть не утонула в ручье. Наташа вывихнула ногу, упав с крутого склона, на который пыталась взобраться с разбегу. Но девочки были счастливы и свободны, как маленькие зверьки. Тогда они не очень отличались — это Наташа помнила отчетливо. Обе были вполне веселыми, здоровыми и добродушными детьми, всегда готовыми на шалость и на ласку. Им не хватало матери, но заботливость соседок, заходивших постирать для детей или приготовить борщ, в какой-то мере окупала отсутствие женщины, которой девочки совсем не помнили.

«Мы были так похожи, а потом вдруг стали разными — и это усугублялось с каждым годом, будто кто-то расширял между нами пропасть. Анюта все больше дичала. Кто впервые назвал ее дурочкой? Не помню. Но это было как раз в то время, когда меня стали звать умницей. Может быть, это случилось по контрасту, ведь я делала успехи в школе, а Анюта никак не могла ответить у доски? Но дурочкой она не была, я ведь помню, сколько она читала!»

Наташа снова оглядела пустые книжные полки. Куда делись книги? Она обшарила дом, думая, что полсотни томов никак не могут пропасть бесследно, но не

нашла ни единого. Тогда Наташа озадачилась всерьез. Чтобы сестра устроила себе книжную голодовку? Немыслимо! Она не могла прожить без книги и дня. Часто она перечитывала по десятому разу одно и то же. Что — было все равно, главное — читать, причем читать хорошую книгу. Она помнила, что во время последнего визита к сестре видела на полке коричневую подписку Эмиля Золя — двадцать шесть увесистых томов в коленкоровых переплетах. Зная, с какой скоростью читает младшая сестра, Наташа пошутила, что этого хватит как раз до их приезда в мае. Когда тут станет плакать ребенок, будет уже не до чтения. Павел же пошутил, что Анюте нужно сразу же начинать с эпопеи о Ругон-Маккарах — это-де интереснейшая картина наследственности.

— Алкоголики, ханжи, преступники, святоши, проститутки, — увлеченно говорил он. — Тебе будет интересно.

Анюта, не подозревая, что таким образом он пытается намекнуть на ее собственную семью, согласилась, что это все страшно интересно. Она давно мечтала прочитать что-нибудь из Золя, кроме «Нана», а ничего больше в соседней библиотеке не оказалось. А вот теперь у нее будет вся подписка — хватит на зиму. А что еще делать зимой, когда огород занесен снегом, в лес не пойдешь и остается лишь кормить кошку да изредка прибираться в доме?

Золя тоже исчез. Наташа заперла дом и решительно стала спускаться с горы. Библиотека — двухэтажный деревянный барак, выкрашенный зеленой краской, располагался в пяти минутах ходьбы — по ту сторону болотистой низины. Она часто бывала там, когда училась в школе, но после того — ни разу.

Глава 3

Большую часть барака занимали жилые комнаты, населенные вечно пьяными и враждующими семьями. Но в библиотеку вход был отдельный — с торца. Наташа переступила через порог — и сразу почувствовала себя в детстве. Небольшая уютная комнатка, уставленная стеллажами с потрепанными книгами, стол для занятий, и в углу, перед дверью, ведущей в крохотное хранилище, — сама библиотекарша. Только уже не та, что была раньше. Изменилось только это.

Наташа почти не удивилась, узнав в этой женщине ту самую миловидную особу, которая была на похоронах и не сказала ни слова. В самом деле, кто еще мог прийти попрощаться с Анютой? Ее тоже сразу узнали. Женщина поднялась из-за стола, откладывая в сторону карточки:

— Это вы! Присаживайтесь. Я как раз хотела выпить чаю.

Наташа взяла кружку и снова оглядела знакомые стены. Она часто твердила себе, что не склонна к ностальгии, вовсе не грустит о том, что оставила в доме на горе... Но библиотека пахла и выглядела так знакомо, что женщина невольно улыбнулась и потихоньку вздохнула.

— Кода-то я тоже была здесь записана, — сказала она. — Давно... Теперь даже не верится.

— Ведь вы постоянно живете в Москве? — спросила библиотекарша, придвигая к гостье сухарики в жестяной вазочке. — Анюта рассказывала, что вы звали ее к себе.

Упоминание о сестре вернуло Наташу к прежним мыслям. Прежде всего она осведомилась об имени

собеседницы. Ту звали Татьяной. Определить ее возраст было трудно. Тонкая нежная кожа как будто говорила о том, что Татьяне — не больше тридцати, но сухие, небрежно причесанные волосы и слишком умудренный взгляд заставляли добавить еще лет десять. Она выглядела как женщина, далекая от жизненной суеты, безмятежно существующая в сухом воздухе библиотеки, среди книжной пыли и тишины.

— Спасибо, что были на похоронах, — сказала Наташа. — Надеюсь, на девять дней тоже придете?

Наташа сказала это и осеклась. Она уже и сама не знала, удастся ли оторвать Павла от работы и снова залучить сюда. И потом, как быть с ребенком? Упоминание о поминках вырвалось у нее невольно, по инерции.

— Хотя у нас у обоих работа, времени нет, — уклончиво продолжала она. — Я, собственно, редко сюда приезжаю, а он — еще реже.

— Да, Анюта по вас очень скучала.

В этой фразе, сказанной тихо, без нажима, все-таки прозвучал упрек. Наташа снова взглянула в темные глаза библиотекарши и вдруг, на миг, ей показалось, что между Анютой и этой женщиной есть некое сходство. «Это из-за книг, — подумала она. — И ручаюсь, Татьяна тоже никогда не была замужем».

— Я скучала по сестре не меньше, чем она по мне, — ответила Наташа после неловкой паузы. — Но ведь не всегда удается бросить все дела и приехать. Анюте это было бы легче, ведь она нигде не работала, у нее было больше свободного времени. Она-то не приезжала, потому что не хотела. Совсем здесь одичала!

Татьяна полностью с ней согласилась, но Наташе все еще мерещилось нечто неодобрительное в складке этих тонких губ, в легком движении бровей. Она даже рассердилась — кто имеет право ее судить? Легко говорить, глядя со стороны!

— Я хотела кое-о чем с вами поговорить, — сказала она, наконец решившись. — Ее смерть меня потрясла. Анюта была не из тех, кто пойдет на самоубийство без всяких причин. Должна быть причина — а ее нет. И записки она не оставила.

Татьяна отодвинула чашку с остывшим чаем. Ее лицо стало суровым, и она мгновенно постарела. Теперь было видно, что женщине — далеко за сорок.

— Я тоже не знаю, что думать, — призналась она. — Как она могла на это решиться? Зачем?

— Вы ведь не верите, что она могла это сделать в припадке помешательства?

Татьяна ответила резким жестом, как бы зачеркивая эти слова:

— Безусловно, нет! Какие приступы, откуда? Анюта была разумна, дай бог каждому! Но меня смущает кое-что... Я хотела вам об этом сказать, но не на похоронах же... И так ее отпевали из одолжения, потому что она была постоянной прихожанкой...

Наташа насторожилась. И услышала то, что окончательно сбило ее с толку. Оказалось, что за несколько дней до смерти Анюта пришла сюда с двумя тяжелыми сумками и подарила библиотеке все свои книги. Этот дар, все еще неразобранный и не занесенный в каталог, стоял в хранилище — несколько аккуратно сложенных стопок.

— Она избавилась от книг перед самой смертью?! — воскликнула Наташа. — А я-то думала — куда они делись?! Потому и пришла к вам!

— Я бы и сама к вам зашла сегодня же, — кивнула собеседница. — Мне это покоя не давало, думала, вы сможете мне хоть что-то объяснить. Я так удивилась, когда Анюта принесла свои книги и попросила их взять! Безвозмездно, разумеется. Я ничего не поняла! Для нее было так важно составлять свою библиотечку... Я ей советовала купить то, другое... Хотя она и сама прекрасно ориентировалась в литературе. Такой поступок... Он меня насторожил. Но конечно, я не подозревала, что она задумала...

— Вы считаете, она поступила так, потому что готовилась умереть?

— А вы как думаете? Как еще можно расценить этот шаг?

— И совсем ни на что не намекнула? Может, выглядела как-то странно? — допытывалась Наташа. — Ну, должно же быть что-то необычное в человеке, который решился на самоубийство!

Татьяна со вздохом вытерла стол и перенесла пустые чашки на подоконник, застланный клеенкой.

— Ничего путного она не сказала, да и выглядела как всегда. Ну, может, немного запыхалась — сумки-то тяжелые. Я допытывалась, в чем дело, а она твердила, что это ей доставит радость. Я даже знаете что подумала? Что она решилась переехать к вам в Москву, только пока не хочет этого никому говорить.

— Анюта так бы и сделала, если бы решилась уехать, — прошептала Наташа. — Она бы все раздарила, раздала.

— Вот и я подумала, что это вполне в ее духе. Такая бессребреница! Но сейчас это выглядит как завещание... Или как предсмертная записка.

Внезапно Наташа вскочила:

— Вы не осматривали книги? Может быть, записка — там?!

Татьяна тоже встрепенулась — жестяная вазочка чуть не выпала у нее из рук. Женщины прочли в глазах друг у друга такой страх, что испугались еще больше. Наташа больше не сомневалась, что сестра каким-то образом подготовила свою смерть.

— Давайте посмотрим, — предложила она срывающимся голосом.

Здесь был весь Золя, собрание сочинений Достоевского, Чехов, Виктор Гюго и Метерлинк. Последний удивил Наташу — трехтомник в матерчатом переплете явно был издан до революции. Она раскрыла одну книгу. Татьяна улыбнулась:

— В самом деле редкость. В местном масштабе, конечно. Анюта прочла несколько его пьес в популярном издании, в БВЛ. И так загорелась! Я нашла одного старичка, который продавал кое-что из своей библиотеки, и Анюта купила у него дореволюционного Метерлинка. Бедняжка, ей казалось, что она приобрела нечто бесценное!

Она добавила, что не слишком поощряла увлечение своей подруги мистическими пьесами экзальтированного бельгийца.

— Анюта и так была слишком впечатлительна, а от чтения Метерлинка могут присниться кошмары. К тому же она совсем не смотрела телевизор, а у таких людей восприятие более обостренное... Телевизор все притупляет.

Женщины рылись в толстых томах, переворачивали пожелтевшие страницы, ощупывали переплеты. У Татьяны дело шло быстрее. Она касалась книг уверенны-

ми, точными движениями и вскоре, покончив со своими пачками, помогла Наташе.

Они не нашли ничего.

Наташа медленно вытерла руки, стряхивая приставшую к ним пыль. Кончики пальцев стали сухими и как будто безжизненными.

— Всегда так — надеешься на что-то, и впустую, — загадочно произнесла Татьяна.

Наташа хмуро подняла глаза. Теперь библиотекарша начинала ее раздражать. Несколько минут назад ее охватила странная надежда, которая так и не оправдалась. И она чувствовала себя обманутой.

— Глупо было думать, что в книгах найдется записка, — сказала Наташа. — Это не в духе моей сестры. Уж очень замысловато. Она бы просто оставила записку на столе.

Женщины опять переглянулись. Татьяна аккуратно сложила книги и выпрямилась, привычным движением оправляя юбку на узких бедрах.

— Знаете, мне бы хотелось поговорить с вами откровенно, — решилась Наташа.

И она все рассказала — о пропавших деньгах, о неудачном сватовстве, о запертой в доме голодной кошке. Татьяна слушала с непроницаемым лицом — как будто не решаясь составить окончательного решения. Когда гостья замолкла, библиотекарша вздохнула:

— Я знаю этого горе-жениха. Грустно, что эти типы так высоко себя ценят. Он всерьез посчитал, что осчастливит Анюту!

— Анюта и вправду была оскорблена этим сватовством?

— До глубины души, — отчеканила Татьяна. — Когда она отказала, он позволил себе намекнуть, что на старых дев спрос невелик.

— Ах, сволочь! Но он хотя бы не преследовал ее после?

Татьяна пожала плечами. Во всяком случае, она ничего об этом не слышала — Анюта не жаловалась. Да и Егор — не такой человек, чтобы приставать после того, как его отвергли. У него своя гордость.

— Он, конечно, полное ничтожество, но все-таки не идиот, — с прежним презрительным оттенком проговорила она. — Не нужно его недооценивать. Я думаю, что предложение было сделано не без задней мысли — конечно, принимались в расчет и дом, и участок, да и Анютина внешность его привлекала... Потом, ему просто нужна была женщина в доме, хотя бы для того, чтобы готовить и копать огород... — Она снова усмехнулась — коротко и недобро. — Но Анюта отбрила его так, что повторных попыток он, конечно, не делал. Я в этом уверена.

А вот о деньгах, спрятанных в жестяной коробке, библиотекарша ничего не знала, хотя не слишком удивилась, узнав, что Илья оставил внушительное по местным меркам наследство. Заметила только, что всегда подозревала — парень копит на черный день. Скупость Ильи и его любовь к деньгам были известны всем и каждому. Кто-то подсмеивался над ним, но большинство соседей его уважало.

— Я рада, что Анюта хоть получила какую-то компенсацию за все свои мучения. — В голосе Татьяны опять послышался упрек. Только вот в чей адрес? Наташа начинала ежиться — ей казалось, что в комнате

становится все холоднее. «Она как будто все время намекает, что я могла больше делать для сестры», — подумала женщина. И, как будто отвечая на ее мысли, библиотекарша продолжала:

— Понятно, что Анюта могла переменить свою жизнь, уехать к вам... Но только теоретически. А на самом деле каждый человек действует только в тех рамках, в которые сам себя поставил. Теоретически Анюта могла уехать в любой момент. Но на практике никогда не смогла бы покинуть дом и оставить брата — вот в чем беда.

— Меня удивляет, что деньги исчезли, — повторила Наташа.

— Меня тоже.

Библиотекарша хотела сказать что-то еще, но тут появились посетители — две девушки лет шестнадцати. Они спросили что-то из школьной программы, и Татьяна принялась рыться на полках. Наташа отошла к окну.

Какая знакомая улица! И какие знакомые лица мелькают за окном, за оградой маленького палисадника! Вот эту женщину она как будто знает — или нет? А эта молодая мать с коляской — неужели одна из ее бывших одноклассниц? Даже пробежавшая мимо рыжая собака показалась ей неуловимо знакомой. Все казалось таким милым, домашним и родным, но Наташе почему-то было неуютно, как будто ей снился много раз повторявшийся сон, каждый миг могущий обернуться кошмаром.

Девушки ушли, получив желаемые книги. Татьяна виновато улыбнулась обернувшейся гостье:

— Сейчас я выдала им кое-что из Анютиного наследства. У нас в наличии этих книг не оказалось, ну и вот... пришлось. Я даже карточек еще не оформила.

Снова вошли посетители — на этот раз пожилые женщины. Они сдали какие-то романы, получили что-то взамен. Наташа проследила за ними, поймала на себе внимательные взгляды и подумала, что пора уходить. Что еще она могла здесь выяснить? Того, что она уже узнала, хватило, чтобы окончательно потерять покой. Сестра все-таки готовилась к смерти...

— Еще один вопрос, — сказала она, когда женщины удалились, беззастенчиво кидая на нее изучающие взгляды.

— Вы насчет запертой кошки? Да, это тоже странно...

— Нет, насчет денег. Она не могла пожертвовать их на церковь?

Татьяна замялась. Было видно, что вопрос ей крайне не понравился.

— Да как вам сказать, — неохотно произнесла она. — Анюта бы все отдала, если ее попросить... Но вряд ли отец Николай просил.

— Тот, рыжий? — уточнила Наташа и тут же осеклась.

Лицо ее собеседницы разом потемнело, напряглось — будто сжалось в кулак.

— Да, это он ее отпевал, — отчеканила она. — Но я никогда ни о каких пожертвованиях от Анюты не слышала.

«Еще одна богомолка! — грустно подумала Наташа. — Все старые девы, видно, к этому склонны. Уж не она ли обратила Анюту? В нашей семье никто религиозностью не отличался. Когда я уезжала в Москву, Анюта еще и понятия не имела, как надо креститься».

— И все-таки мне хотелось бы с ним поговорить, — упрямо сказала она. — Нет — так нет, тем хуже для меня. Я хочу знать, куда делись деньги. Уверена, это связано с ее смертью!

Татьяна снова разложила на столе библиотечные карточки. Не поднимая головы, она ответила, что повидать отца Николая проще простого. Священник живет неподалеку и в этот час должен быть дома, обедать. Если гостья может немного подождать, она отведет ее к нему.

— Мне только нужно закрыть библиотеку и забрать ребенка из детского сада, — сказала она. — Сегодня у нас короткий день, работаем до двух.

Наташа смутилась и присела, безмолвно выражая свое согласие. «Значит, я ошиблась, она не старая дева. — Женщина уже не знала, что и думать. — Я как будто иду на ощупь, в темноте... Но вот богомолка — точно, иначе откуда ей знать, где живет батюшка? Похоже, она бывает у него запросто!»

Библиотеку закрыли через полчаса. Посетителей больше не было. Детский садик тоже был неподалеку — в соседнем дворе. Наташа с улыбкой взглянула на крохотную пухлую девочку, удивительно серьезную для своих лет. Та подошла к матери чинным шагом и вложила в ее ладонь короткие толстые пальчики. Татьяна ее поцеловала.

— Я хочу есть, — требовательно заявил ребенок.

— Сперва мы пойдем к дяде, — сказала она.

— Тогда я пойду домой сама, — заявило самостоятельное дитя и немедленно вырвало руку.

Наташа уже не знала, что и думать. К какому еще дяде? Кто — дядя? Татьяна развеяла ее сомнения, изловив дочь и твердо взяв ее за руку. Она объяснила, что отец Николай — ее родной брат, младший. А дочка не любит у него бывать, потому что привыкла своевольничать, а у него дома детям этого не разрешают.

— Когда растишь ребенка одна, да еще отдаешь в детский сад, трудно за всем уследить, — доверительно сообщила она, направляясь с Наташей вниз по улице. — В садике их не очень-то воспитывают — просто присматривают, и на том спасибо.

Они шли к Акуловой горе, только по другой стороне болотистой низины. Повернув голову, Наташа увидела вдалеке свой дом — такой маленький, почти скрытый сиренью.

— Да, — сказала она. — Я бы тоже не хотела отдавать ребенка в ясли... Но что поделаешь? Мне надо идти на работу.

И тут поняла, что в принципе на работу ей идти уже не нужно. А вот что действительно необходимо сделать — это вступить в право наследования и продать дом. К тому же сейчас — самый сезон, летнее время — можно получить хорошие деньги. После этого она сможет позволить себе воспитывать ребенка так, как ей хочется, забыв о чужих детях, о школе, о вечной нехватке средств... И может быть, даже родить второго ребенка — почему нет?

«Какое мне дело до того, что скажут люди? — снова подумала она, покорно следуя за Татьяной. Они все ближе подходили к лесу. — Мы с Пашей ни в чем не виноваты. Наследство достается тому, кто пережил остальных родственников... Это и страшно, и справедливо одновременно. Я не добивалась этого, просто всех пережила».

Ей вдруг расхотелось идти к священнику, расспрашивать, уточнять, делать какие-то выводы. В Москве

ее ждали сын и муж, которым она была действительно нужна. Здесь же у нее не осталось ничего, кроме опустевшего дома и нескольких могил на кладбище. Зачем же она так упорно цепляется за это отмершее прошлое? Кого этим можно воскресить?

— Сюда, — сказала Татьяна, сворачивая во двор.

То был последний многоквартирный дом на самой окраине города. Белый, панельный, давно облезший от ветров и дождей, он производил жалкое впечатление. Наташа как-то побывала тут в гостях у подружки и знала, что квартирки в этом доме — тесные и душные, с невероятно низкими потолками. Правда, вид из окон — превосходный: на закат, на Акулову гору...

— Ваш брат живет здесь? — изумилась она.

— Ну, что Бог дал, — заметила та, открывая дверь подъезда. — Он ведь не богач.

Отец Николай жил на втором этаже, в трехкомнатной квартире. Навстречу гостям выбежали дети — две девочки, почти точные копии Татьяниной малышки, только чуть постарше. Они тут же занялись кузиной, которая смотрела на них с явным неудовольствием. Отец Николай обедал — его пришлось поднять из-за стола.

Он тоже сразу узнал Наташу. Вопрос разрешился мгновенно. Никаких пожертвований ее сестра не делала, даже упоминаний об этом не было. Он был крайне удивлен, что такой вопрос вообще мог возникнуть.

Наташа, чувствуя себя страшно неловко, поспешила удалиться. Она почему-то представляла себе быт священнослужителей не таким, как у обычных людей. Более возвышенным, что ли... Но запах стирального порошка из ванной, где явно было замочено белье, шум воды на кухне, визг расшалившихся детей и звук включенного телевизора в дальней комнате... Все это было настолько обыденно, что ей захотелось сбежать куда подальше. Она даже не была уверена в том, что простилась с хозяевами должным образом.

«Ох и дура же я! — думала она, спускаясь в низину по крутой тропинке. — Набросилась на невинных людей с какими-то идиотскими вопросами... А ведь это явно с Татьяниной помощью Анюту отпели, как положено! Кто бы еще похлопотал за самоубийцу! Деньги — какие там деньги! Как он живет, этот отец Николай! Мы с Пашей — и то лучше. А я думала, священники богатые... По крайней мере, необычные какие-то... И он совсем еще молодой — почти мальчик!»

Она легко и привычно перепрыгнула через ручеек, пересекавший низину. На минуту остановилась под липой, слушая, как надрываются лягушки.

Ей припомнилось, как в детстве они с Анютой выдумали сказочный персонаж — Великого Лягуха, который живет в глубине болота и повелевает всеми остальными лягушками. Конечно, это Великий Лягух, и никто другой, кричал по ночам громче всех и дирижировал общим хором. Среди ночных лягушачьих трелей легко было выделить его сочный басовитый голос. Если все остальные были в этом оркестре гобоями и тромбонами, то он — басом-геликоном. Про Лягуха сложилась целая мифология, которую сестры пополняли чуть не каждый день. «Кто откусил кусочек луны?» — спрашивала Анюта, глядя в вечернее

светлое небо, где луна казалась половинкой разрубленной серебряной монетки. «Великий Лягух, конечно!» — немедленно отвечала Наташа. «Наверное, он подавился, — притворно горевала Анюта. — Надо бы найти его и похлопать по спине...» Тут сестры начинали смеяться. Найти его? Великий Лягух ненаходим! Он — волшебное, заколдованное существо, которое можно только слышать, но никак не видеть и не осязать!

Наташа грустно улыбнулась. Великий Лягух... Здесь ли он еще? Она прислушалась и, кажется, различила в нарастающем хоре его бас. «Ничего не меняется, — сказала она себе. — Вот и Анюта умерла, да и я тоже не вечна... Род приходит и род уходит... Почему я вспомнила эту фразу? Ах да, я же была в гостях у священника. А Великий Лягух и сто лет спустя будет так же кричать на болоте, и луна будет такой же, и гора, и сосны на горе... Что я делаю здесь? Чего ищу? Пора возвращаться в Москву».

Она чувствовала себя невероятно разбитой, когда поднялась на гору и вошла в дом. Чтобы как-то занять время и отвлечься, Наташа включила приемник и взялась за уборку под сопровождение музыки и выпусков новостей. Подмела полы, вытерла пыль, навела порядок в кухонных и бельевых шкафах, даже вымыла окна. Она закончила уборку, когда уже вечерело, и теперь она в самом деле устала до изнеможения. Выключив приемник, Наташа налила себе чаю и, усевшись на кухне за стол, сжала виски ладонями.

«Уеду завтра же, с утра, — твердила она себе. — Нечего тут делать. Паша прав — нужно все продать, все забыть. Как я смогу привезти ребенка сюда, где умирала вся моя семья? Никогда. Никогда больше я не проведу здесь лета!»

Ей показалось, что в висках застучала кровь, и она отняла ладони. Странно. Погода стояла ясная, теплая, совершенно летняя. Никаких признаков близкой грозы не замечалось, а в висках у нее давило только перед грозой... И все же этот противный отчетливый стук, эта пульсация...

Женщина замерла, прислушиваясь. Теперь она отчетливо различила, что стук доносится не из ее головы, а откуда-то из глубины дома. Что-то негромко стучало там с удивительной механической размеренностью — будто метроном.

«Что это? АОГВ? Нет, ничего похожего. Форточка стучит?» В самом звуке не было ничего пугающего, но ей вдруг стало не по себе. Она встала, осторожно выбралась из-за стола. Выглянула в другую комнату. Еще не стемнело, и женщина с порога разглядела, что комната пуста, чисто вымытое окно закрыто. Тогда она обошла весь дом. Окна были закрыты, даже в комнате Анюты, которую пришлось долго проветривать...

Вечер был настолько тих, что, казалось, слышался скрип прорастающей на грядках капусты. Других звуков не было — только заливистый хор лягушек, в котором все яснее различался голос Великого Лягуха. Но женщина больше не улыбалась. Стук повторялся, он шел откуда-то сверху. Она подняла голову, стараясь определить его источник, и увидела лестницу, ведущую на чердак. Люк был открыт — так его вчера бросил Павел, спустившись последним.

«Это кошка вернулась, — поняла она. — Как же ее звали? Марго? Маруся? Мурка? Как-то на «М». Я со-

всем про нее забыла! Что же с ней делать? Придется взять в Москву, не продавать же вместе с домом!»

Она стала взбираться по лестнице, прислушиваясь, останавливаясь через каждые две ступеньки. Стук становился все отчетливее, в нем было что-то невероятно знакомое, хотя и основательно забытое. Что-то из прошлого, из детства, что было неприятно вспоминать... Да не то что неприятно — страшно!

Она почувствовала беспричинный страх, замерев у чердачного люка. Откуда пришло это жуткое дуновение, этот смертельный ужас, наполнивший все ее тело, заледенивший кровь, размягчивший кости? Она была готова упасть и устояла, только схватившись за гнилые перила.

— Муся... — слабо позвала она. Имени кошки Наташа не вспомнила, но ей хотелось услышать звук собственного голоса. — Марго? Мурка?

Она никогда не считала себя способной на подвиги, но один подвиг все-таки совершила. Одолела последнюю ступеньку и приказала себе войти на чердак. Кошку она уже не звала — ей было слишком страшно.

В первый миг женщина не увидела ничего. Маленькое грязное окошко давало слишком мало света. Когда глаза привыкли к сумраку, Наташа огляделась. Все как прежде — сгнившее ореховое кресло рококо, картонные коробки с рухлядью, старая обувь, сломанная лопата, куча всякого хлама, копившегося здесь годами. И над всем этим запустением громко, торжествующе раздавался мерный сухой стук — будто кто-то долбил клювом крышу, будто капли падали на подоконник — тика-так, тика-так...

И тогда она увидела часы.

Ей часто случалось слышать или читать, что люди сознают, как сходят с ума, но никогда она не применяла этих описаний к себе. А теперь вдруг поняла, как это происходит. Просто что-то слегка сдвигается в мире — как подтаявший лед на реке, или мороженое, которое вдруг начинает сползать с палочки, или капля, которая висит-висит на ветке, да вдруг упадет...

...Так-так, так-так...

Часы с кукушкой, остановившиеся в незапамятные времена, сломанные безнадежно и так же безнадежно забытые, теперь пошли. Маятник громко щелкал, а стрелки показывали точное время — Наташа машинально взглянула на свои наручные часы, а затем присела на пол, рядом с чердачным люком. Ей удалось не упасть, сохранить хотя бы часть сознания. Она сидела на пыльных досках и смотрела, как мерно, очень заметно, дергается длинная стрелка, отмечая ход минут. А потом стрелка дошла до верху и остановилась...

— Девять, — сказала Наташа.

Наверху приоткрылась дверца, и из нее высунулась кукушка. Она попыталась что-то выкрикнуть, но вдруг захрипела и беспомощно повисла на рычаге. Дверца старалась захлопнуться, но ничего не выходило — она каждый раз ударяла птичке по голове, отчего та дергалась, как в конвульсиях.

И тут Наташа засмеялась.

Она смеялась до тех пор, пока какой-то последний часовой, стойко остававшийся на страже разума, не закричал, что наступает безумие, нужно немедленно остановиться, пока не поздно, бежать отсюда, бежать...

Глава 4

Она спустилась почти на ощупь, закрыв за собой чердачный люк. Постояла внизу у лестницы, держась за перила и прислушиваясь. Ей казалось, что если она опять услышит этот стук, то окончательно сойдет с ума. Но теперь было тихо.

Охотнее всего Наташа уехала бы в Москву, но поняла, что не дойдет до станции — ноги подгибались, ей едва удалось добраться до родительской спальни. Там она упала поперек кровати и закрыла глаза. Через неплотно пригнанные рамы до нее донесся голос соседки — та кого-то отчитывала на своем участке, в нескольких шагах отсюда. И это успокаивало — Наташа окончательно пришла в себя и даже слегка удивилась, почему испытала наверху такой мистический ужас.

Значит, придется провести ночь здесь. Одной. И дело не в том, что дом никогда не бывал так безлюден. И не в том, что она боялась одиночества. Но эти часы...

Отец сломал их в тот вечер, когда узнал, что жена не выживет, что осложнения после родов слишком серьезны, что к врачу она обратилась слишком поздно — мешали дети и домашние дела... И страшные боли, которые она молча перемогала последние полгода, означают не что иное, как близкую смерть. Он вернулся из больницы уже пьяным, дома выпил еще, а потом — так рассказывали братья — ударил пустой бутылкой по часам с кукушкой, когда им вздумалось заявить о себе в час ночи. На этом часе они и остановились. После похорон матери часы отнесли на чердак. Отремонтировать их никому и в голову не пришло — было не до того.

Наташа не помнила этой сцены — ей было всего три года, когда умирала мать, да и к тому же в час ночи она наверняка спала. Зато хорошо помнила кукушку — поиграть с этой птичкой, поймать ее в кулак было ее заветной мечтой. Но, будучи девочкой послушной, она на это не решалась. Анюта и кукушки не помнила. Историю о сломанных часах сестры знали только со слов Ивана — тому было тогда уже десять лет, и он присутствовал при всей сцене от начала до конца.

Шли годы, а часы так и оставались на чердаке. Сейчас Наташе пришло в голову, что, скорее всего, они не были безнадежно сломаны... А может, не были сломаны вообще — никто этого не проверял. От удара стрелки остановились, а внутри что-то хрустнуло — так вспоминал Иван. Дверца с кукушкой немного перекосилась и отошла в сторону, так что удавалось разглядеть птичку. Часы наверняка можно было починить, но никто в семье не хотел их больше видеть, никто не скучал по жутковатой смуглой кукушке, грубо вырезанной из дерева.

— Боже мой. — Наташа перевернулась на спину. Теперь она глядела в потолок, широко раскинув руки на ватном одеяле. — Они пошли. Они даже показывают точное время.

Это пугало ее больше всего. Часы могли пойти сами собой от какого-нибудь сотрясения. Например, в них могла забраться мышь и толкнуть какое-нибудь колесико... Но самостоятельно подвести стрелки ни мышам, ни самим деревенским ходикам было явно не под силу.

Как давно они шли? Конечно, все время, пока она занималась уборкой. Если бы не включенный прием-

ник, она услышала бы часы намного раньше. Теперь, закрыв за собой чердачный люк, Наташа не слышала ничего. Идут они еще или нет?

«Кто их мог завести? Кто их починил? Еще вчера они были сломаны, все в пыли, я же сама смотрела. Паша? Да он не умеет! Соседи? Глупость. Бродяга? Залез в дом и тайком починил?! Чего ради?»

Она еще раз прошлась по дому, заглянула в каждый уголок, в каждый шкаф. Никого не нашла, выяснила, что ничего не пропало, но это ее не успокоило. Ноги понемногу начинали ее слушаться, но стоило подумать о часах, идущих наверху, или взглянуть на закрытый чердачный люк, как ею снова овладевала слабость.

«Может, попроситься спать к соседке? — малодушно подумала женщина. — Конечно, меня пустят на одну ночь... Нет, стыдно. Подумают, что я боюсь спать одна. А я и в самом деле боюсь. В доме кто-то побывал с тех пор, как я ушла в библиотеку, ведь утром я не слышала никаких часов, а люк был все так же открыт. Каким образом сюда забрались? Дверь я заперла, замки неплохие — Илья постарался в свое время. Залезли в окно?»

Она старалась думать о простых, понятных вещах, отгоняя вопрос: кому и зачем понадобилось проникать в дом с такой странной целью, как починка часов?

Сейчас все окна были заперты изнутри на шпингалеты. Наташа запирала их по мере того, как мыла. Уборка была затеяна еще и для того, чтобы будущий покупатель дома остался доволен его видом, и хозяйка не хотела, чтобы через открытые окна снова налетела пыль. Забраться в дом после уборки не мог бы никто — для этого нужно было разбить стекло. Но были ли окна заперты, когда она вернулась домой?

Этого Наташа утверждать не могла. Они были закрыты, но заперты ли? Окон слишком много, она попросту не обратила на это никакого внимания, когда взялась за уборку. «Как уследишь за такими мелочами? — подумала она. — Пока был жив Илья, окна наверняка запирались, когда все уходили из дома. Он любил все прятать и запирать. А я как-то не обращаю на это внимания... Даже в Москве не запираю дверь днем — как в деревне. Паша меня за это ругает. Перед сном нужно проверить, хорошо ли я закрыла дверь...»

Она думала, что долго не заснет, но за день так устала и изнервничалась, что на нее сразу навалился глубокий сон — черный, глухой, без единого сновидения. Наташа проснулась лишь раз, от духоты. Выпила стакан воды, заготовленный возле кровати на тумбочке, и тут же уснула опять, даже не вспомнив о своих вечерних страхах.

* * *

Разбудил ее стук в окно. Наташа села, ошалело прижимая к груди простыню. Было уже совсем светло. В окне маячила соседка, знаками показывая, что желает войти в дом.

Фигурой Елена Юрьевна больше всего напоминала связку воздушных шаров — огромных, средних и совсем маленьких. Шарообразным в ней было все — щеки, подбородок, плечи, грудь и живот. Даже глаза у нее были навыкате и походили на два крохотных голубых шарика. То была маленькая, необыкновен-

но деятельная женщина лет шестидесяти, установившая в своем семействе строгий матриархат. Она командовала мужем, властной рукой выдала замуж двух дочерей, заставляла учиться в институте сына — сущего лоботряса, по ее собственным словам. Бережлива она была не меньше покойного Ильи, но, в отличие от него, славилась своей отзывчивостью. Именно эта женщина чаще всех соседок появлялась в доме Лычковых, когда у них умерла мать. Она присматривала за детьми, готовила, стирала, возилась с Анютой. Благодаря ее заботам дети не выглядели покинутыми и запущенными сиротами.

Наташа отперла дверь, и связка шаров неторопливо вплыла в кухню.

— Ты что это мужу вчера не позвонила? — строго спросила соседка. — Он уж сам спозаранку звонит, спрашивает у меня, все ли в порядке?

Наташа ахнула:

— Забыла!

— Решила от него отдохнуть? — догадалась та, одобрительно осматриваясь по сторонам. — Убиралась вчера? Я видела. Правильно, нечего грязь разводить. Есть хочешь? Пойдем к нам!

Наташа отказалась. Она торопливо умылась в крошечной ванной, слушая, как Елена Юрьевна громко разговаривает с ней через дверь.

— Вот ты ко мне заходила, спрашивала насчет церкви. Я тебя не успела тогда спросить — что, какие-то деньги пропали?

«Ну дает... — подумала Наташа, снимая с вешалки полотенце. — Прямо насквозь все видит! С ней нужно поосторожней. И зачем я вчера так откровенничала с Татьяной? Сама не понимаю... Можно ведь было намекнуть, а я все ей выложила, даже примерную сумму назвала. Как под гипнозом!»

— Так были какие-то деньги? — допытывалась соседка.

Наташе пришлось сознаться. Однако на этот раз она была намного сдержаннее и на вопрос о сумме ответила, что точно ничего не знает. Знает одно — у сестры были кое-какие накопления, остались после Ильи, а теперь от них и след простыл. Этот ответ вполне удовлетворил соседку и в то же время встревожил ее.

— Так я и знала, ты зря спрашивать не станешь, — расстроилась Елена Юрьевна. — Значит, все-таки пропали деньги... Ты имеешь в виду те, которые она за машину получила?

— Те самые.

— И правда, — все больше расстраивалась та. — Анютка жила скромно, ничего себе не покупала, я ее даже ругала за это... Ходила в линялых тряпках, как старуха. Она бы всего не потратила. — Женщина нахмурилась и тут же возразила самой себе: — Или потратила бы? Все-таки со смерти Илюши три года прошло... А продукты так подорожали!

Они сошлись на том, что Анюта вполне могла истратить на питание всю сумму, вырученную за «Жигули». О тайнике в часах Наташе рассказывать не хотелось. Соседка немного успокоилась.

— А я-то вчера все думала, почему ты меня спрашивала про деньги и церковь. С Анюты сталось бы все им отдать...

— А почему она вообще туда зачастила? — поинтересовалась Наташа.

Она уже успела поставить чайник. Елена Юрьевна присела за стол, не сводя глаз с окна. Отсюда был

виден край ее участка, и она, даже придя в гости, контролировала ситуацию у себя дома.

— Да ты же редко приезжала, ничего не знаешь, — заметила она. Но в ее голосе не было упрека, скорее — гордость. Соседка, та самая маленькая девочка, которая росла у нее на глазах, выучилась в институте и теперь живет в Москве. Татьяна вчера говорила то же самое совсем по-другому.

И Наташа узнала, что сестра впервые отправилась в церковь в ту роковую зиму, когда один за другим потеряла отца и старшего брата. Семья не была религиозна, но крещены были все, так что девушка решила заказать панихиду.

— А после этого она туда зачастила. Сперва раз в месяц, потом — чуть не каждое воскресенье. Чаще не могла, потому что Илья не любил, чтобы она где-то шаталась. Ну а уж когда он умер... — Елена Юрьевна махнула рукой и таинственно добавила: — И еще эта Танька из библиотеки... Скажу я тебе...

— А что она? — сразу насторожилась Наташа.

— У нее же младший брат — батюшка. А с Анютой она всегда дружила. Ну, одно к одному... Анюта тогда загрустила, с Ильей было невесело... Вот и стала ходить в церковь. — И авторитетно добавила: — Я этого не осуждаю, хотя сама туда не хожу. Лучше церковь, чем что-то другое.

— Да, лучше, — машинально согласилась Наташа. Она думала о другом. Татьяна — ближайшая знакомая Анюты, о деньгах слышала впервые. Ее младший брат начисто отрицал факт получения каких-то денег от своей прихожанки. Но куда-то же они делись? Куда?

И тут она вспомнила о часах.

— Знаете, я вчера уходила из дому на несколько часов. Ко мне никто не заглядывал?

— Никого не видела. А что — ждешь гостей?

— Да нет, — замялась Наташа. — Наоборот — никого не ждала, а кажется, тут кто-то побывал.

На этот раз она решила ничего не скрывать. В вопросе о деньгах ее удержала от полной откровенности деликатность — не хотелось порочить невинных людей. А Елена Юрьевна выносила обвинительные приговоры, как дрова рубила — сплеча. Обвинить священника и его сестру в присвоении чужих средств было бы для нее пустячным делом.

Пожилая женщина переполошилась:

— Воры?!

— Да напротив... Ничего не взяли, а сделали кое-что полезное. Давайте поднимемся, я покажу...

Она уже не так сильно боялась того, что таилось на чердаке. Ее успокаивало присутствие этой женщины, которую она привыкла уважать и даже слегка побаивалась. С ней было не страшно. Елена Юрьевна, взбудораженная до предела, первой ринулась на чердак. Наташа дождалась, когда та откинет люк, и крикнула снизу:

— Входите, не бойтесь. Сейчас сами увидите.

И последовала за ней.

Елена Юрьевна стояла посреди чердака и удивленно озиралась.

— Давно я тут у вас не была, — сказала она, обводя взглядом стены. — Хламу-то, хламу... Повыбрасывать бы половину...

Она говорила еще что-то, кажется, спрашивала, зачем они все-таки сюда взобрались, но Наташа уже не слушала. Она видела и слышала только часы...

Точнее, уже не слышала их, а только видела. Часы остановились, и стрелки теперь показывали час. Ровно. Она сообразила, что это, должно быть, час ночи. Часы встали, когда она уже спала.

— Ну, так что ты хотела показать?

— Часы... — пробормотала Наташа.

— А что? — деловито спросила Елена Юрьевна. Подошла к ним и вдруг всплеснула руками: — Вот они где! Сколько лет я их не видела! Ведь это же их твой папаша разбил, когда узнал... — Она осеклась и продолжала более спокойно и печально: — Их после похорон куда-то убрали... Я думала, выбросили, а они вон где... И даже время то же самое... Мне запомнилось, что они показывали час ночи. Даже не знаю, почему запомнила — ведь столько всего уже забыла!

Наташа, не отрываясь, смотрела на циферблат. Стрелки и вправду оказались на тех же местах, на которых простояли тридцать лет. «Час ночи, — пронеслось у нее в голове. — Их разбили в час ночи, и они снова остановились в час... И тоже ночи. Что происходит? Шли они вообще или мне все это привиделось?!» Она была так растерянна, что сейчас не смогла бы ответить на этот вопрос. А соседка продолжала допытываться, что случилось:

— Ты, детка, говоришь, что тут кто-то побывал, так? Почему?

— У меня было такое впечатление, — нерешительно произнесла Наташа. — Дело в том, что, когда я вернулась домой, часы почему-то шли... Показывали точное время — я нарочно проверила.

— Так они же сломаны!

— В том-то и дело... Я тоже так думала. Но они шли и тикали так громко, что внизу было слышно.

Не знаю, как они тикали раньше, плохо помню... Из них даже кукушка попыталась выскочить — ровно в девять... Я чуть с ума не сошла!

Елена Юрьевна продолжала недоумевать. Она открыла переднюю панель и заглянула внутрь. Затем, отстранившись, показала Наташе скопище колесиков и рычажков:

— Да взгляни, как они могли идти? Тут половина деталей на дне валяется.

Наташа убедилась в этом, в свою очередь заглянув внутрь. Механизм был испорчен, на этот раз безнадежно. Но вместо того чтобы усомниться в собственном рассудке, она неожиданно обрадовалась.

— Я абсолютно уверена, что вчера они были исправны, — твердо сказала Наташа. — С этими повреждениями часы идти не могли!

— Ох, детка... — Теперь Елена Юрьевна казалась задумчивой. Она бросила в ее сторону косой взгляд. — Ты так думаешь?

— Разумеется! С ума я пока не сошла.

— И как ты все это объяснишь?

— Вчера кто-то их запустил. Кто-то или что-то — человек или механический толчок... Хотя, судя по тому, как точно они шли, это был все-таки человек. А потом с ними что-то случилось. Может, механизм сам развалился, не выдержал нагрузки... Или их кто-то сломал?

Последняя мысль ее поразила. Ведь когда она спускалась вниз, часы шли! Значит, кто-то побывал тут еще раз? Когда она спала? Ее передернуло.

— А почему они показывают то же время, что раньше? — не отступала соседка.

— Случайно...

— Уж очень много случайностей! Случайно пошли, случайно сломались, да еще на том же самом месте... Знаешь, выбрось это из головы, — решительно посоветовала та. — У тебя сейчас других забот хватит. Спустимся... Нужно поговорить.

Она больше не желала слышать о часах, и Наташа бросила на них прощальный взгляд, последней спускаясь с чердака.

Чайник давно кипел, исходя паром и зловеще погромыхивая крышкой. Наташа налила чаю, предложила гостье печенья, но та от всего отказалась. Вид у нее стал чрезвычайно серьезный.

— Что ты собираешься делать с домом? — спросила она.

— Продавать.

Наташа сама не ожидала, что это слово вырвется так легко. Соседка даже вздрогнула. Несколько поколений Лычковых жили в этом доме. Его выстроил Наташин прадед, которого она знала лишь по фотографии. После его достраивал дед, затем дом достался отцу... Последние изменения внес Илья — он установил обогреватель для воды, покончил с печным отоплением и окончательно придал дому цивилизованный вид. Так или иначе, все поколения что-то делали для этого старого деревянного дома, и вот... Наконец, он будет продан.

— Ты хорошо подумала?

У Елены Юрьевны даже голос сел — так она взволновалась.

— А что мне с ним делать?

— Могла бы жить здесь с семьей. Ребенку лучше на воздухе. Где вы в Москве обитаете?

Наташа назвала район, та поморщилась:

— Наверняка нечем дышать!

— Ну, почему же? Мы с мужем довольны, и ребенок не болеет.

— Все это до поры до времени, — зловеще сказала Елена Юрьевна. — Значит, дом тебе не нужен... А кому продашь?

И Наташа поняла, что тревожило соседку. Окрестности давно уже стали заселяться состоятельными людьми, покупавшими сразу по два-три участка. Вокруг поднялись особняки — красивые и уродливые, двух- и трехэтажные. Таких соседей и боялась Елена Юрьевна. Она знала, что, купив небольшой участок Лычковых, новые хозяева на этом не остановятся и непременно позарятся на ее владения, находящиеся рядом. И тогда может быть все, что угодно, — от простой соседской ссоры до настоящей осады с применением оружия...

— Покупатель-то есть? — допытывалась она.

— Пока нет. Да и документы еще не готовы, нужно будет все оформить... Думаю, это не быстро.

— До осени провозишься, и то — если повезет. — Но в ее голосе не слышалось облегчения. — Столько бумаг нужно... Но все-таки, как ты будешь продавать дом? Через агентство или?..

— Лучше через агентство, — вздохнула Наташа. — Потеряю деньги, но зато избавлюсь от лишних хлопот.

Елена Юрьевна страшно расстроилась. Она заверила Наташу, что покупателей обязательно нужно искать самой. Большое дело — оформить бумаги! Лучше потерять время, чем деньги! Она говорила и говорила, постепенно все больше распаляясь, а Наташа, слушая ее, понимала истинное значение этих речей.

— Вы боитесь, что соседи будут неприятные? — прямо спросила она.

— И этого тоже боюсь, — призналась та. — А впрочем, что впустую переживать?.. Будут ли вообще еще какие-то соседи?

— Почему бы нет?

И соседка, таинственно понизив голос, заметила:

— Дом-то... Его не скоро продашь. Уж очень у него дурная слава!

Наташа сама удивилась тому, какую бурю чувств вызвало в ней это заявление. Только что она бесстрастно отреклась от родового гнезда. Явись перед ней покупатель — он бы завладел домом в тот же миг, как показал бы деньги. Разве этот дом дорог ей? О, не дороже того, что за него заплатят! Разве она оставила здесь дорогих людей? Все умерли. Но эта фраза... Такая странная, зловещая и пренебрежительная... Наташа возмутилась.

— Если его и купят, то разве кто-то со стороны, — продолжала соседка. — А местные — ни за что!

— В чем дело? — Наташа с изумлением услышала, что ее голос дрожит. — Это вы о чем?

— Деточка, да разве ты сама не понимаешь?

Елена Юрьевна говорила почти жалостливо. Но при этом глядела так пристально, что Наташе становилось все больше не по себе. Она настояла на объяснениях и услышала...

— Это с твоей мамы началось... Она умерла в двадцать восемь лет, совсем была молодая. Я-то еще раньше замечала, что ей нехорошо. А потом как-то столкнулись у колонки, она подняла ведро и вдруг согнулась. Я спрашиваю: что случилось? А она отвечает — не знаю, но кажется, мне конец... — Елена Юрьевна торопливо обтерла пухлые розовые щеки — говоря о смерти своей подруги, она всегда начинала плакать. — Как в воду глядела... Родила и вскоре умерла. Я же за вами маленькими ходила...

— Помню, — коротко отозвалась Наташа. Все, что касалось смерти матери, задевало ее очень больно. Иногда у нее появлялось ощущение виновности в том, что она ничего не помнит о материнской болезни. Как будто ее участие могло спасти мать!

— Потом папаша твой... — Елена Юрьевна продолжала плакать, но уже скупо, будто для вида. — Черт его дернул в речку нырять! Нашелся тоже рыбак!

— К чему вы клоните? — не выдержала Наташа. — Они оба умерли своей смертью, как все люди умирают! Оба перед смертью болели! При чем тут дурная слава?!

— А Иван?

О нем соседка говорила в таких выражениях, что Наташа похолодела. Она впервые узнала, что смерть ее старшего брата долго и неоднозначно обсуждалась на Акуловой горе. От некоторых подробностей ей стало попросту страшно.

— Говорят, был пьян... — авторитетно высказывалась Елена Юрьевна. — А когда он не был пьян? Я его впервые застукала пьяным в шестнадцать лет. Отругала по-матерински, да что толку — он с тех пор и не просыхал! Свалился, мол, с горы, разбил голову... Слушай, он на эту гору взбирался тридцать лет, и ничего! А тут вдруг на — упал! И как — все вокруг в крови, сам без сознания, встать не смог, позвать не смог... А на работе его приятели говорят, что Иван выпил не больше обычного. Во всяком случае, домой не на карачках пошел!

Наташа решилась ее перебить:

— Но ясно же — раз на раз не приходится! С горы можно свалиться и в трезвом виде.

— Ваню я знала, как тебя, — категорически ответила та. — Как бы он там ни напился — все равно пришел бы домой на двух ногах. А если был трезвый — тем более. А тут что? — И резко подвела черту: — Убили парня!

Наташа вскочила:

— Что вы говорите?!

— Да что есть. Что все говорят, — хладнокровно ответила та.

— Да было же следствие! Решили, что это несчастный случай!

— А где ты была, когда шло следствие? — парировала та. — Семейные дела решала, так? Замуж выходила? Ты хоть знаешь, что следователь говорил?

И Наташа узнала... Узнала, что дело закрыли только за недостатком улик да еще потому, что никто не хотел возиться с несчастным алкоголиком. Иначе бы...

— Голова вся была разбита, и снег вокруг истоптан. Не Ваней истоптан, он и встать-то после такого удара не мог, — безжалостно говорила Елена Юрьевна. — Несчастный случай, скажешь? Убийство! Зачем, почему — непонятно, но ясно, что парня убили. Может, не так на кого посмотрел, может, не так ответил... Ты же знала его, он был такой... Вроде Анюты.

— Блаженный, — тихо добавила Наташа.

— Да не то! Слабый он был! Алкоголик! — отрубила та.

Наташа только развела руками.

— Одного я не понимаю — зачем было его убивать? — пробормотала она. — Зачем? Он и не дрался-то ни с кем никогда...

— Вот из-за этого «зачем» и следствия не получилось, — отвечала Елена Юрьевна. — Денег при нем не было, на горе его знали как облупленного — никто и проверять бы не стал. Он сам вечно искал, у кого занять. На работе ни с кем не ссорился... А вот поди ж ты!

— И все считают, что это убийство?

— А ты поспрашивай.

Наташе вовсе не хотелось никого расспрашивать. Соседка изъяснялась с такой безжалостной лаконичностью, что все вопросы отпадали сами собой.

— Хотя о нем не очень-то говорили, — продолжала та. — Потрепались и забыли. А вот когда погиб Илья... Тут опять про Ивана вспомнили.

— Но ведь Илью убили на дороге, а не здесь!

— Ну и что? — парировала та. — Все равно он отсюда.

— Если так рассуждать, мы далеко зайдем! — продолжала возмущаться Наташа. — Илья занимался рискованным делом, подвозил ночью неизвестных людей. Всегда был при деньгах. Известно же, что таксистов часто убивают!

Но Елена Юрьевна стояла на своем: это убийство не было случайным — и все тут!

— Его дружки живы-здоровы, ездят себе, заколачивают денежки. А Илья мертв! И убийцу не нашли! Не нашли даже ту парочку, которую он к себе сажал перед смертью!

Наташа решила не спорить. Это дело тоже кончилось ничем, и она подозревала, что раскрыть убий-

ство, совершенное в ночное время, на обочине шоссе, было попросту немыслимо. Какие там могли быть свидетели? Машин ночью немного, а если в салоне у Ильи был погашен свет, то со стороны и вовсе нельзя было разглядеть, что творится внутри.

— А теперь вот Анюта, — безжалостно подвела черту соседка. — С чего она вдруг руки на себя наложила?!

— Вот и я бы хотела знать — с чего?

— А с того, что место у вас тут нехорошее.

Наташа хотела было возразить, что это предрассудки, но удержалась. Она слишком давно знала соседку и успела убедиться в том, что та, при всей своей практичности и здравом смысле, порой бывала до глупости суеверна. Она верила в дурной глаз, в порчу, в приметы, любила толковать сны и гадать на картах.

— Я же видела Анютку в огороде, — продолжала Елена Юрьевна. — Она копалась себе как ни в чем не бывало. А потом заперлась у себя и затихла... Мне бы раньше спохватиться, а я, дура, проворонила!

Она снова стала плакать. Наташа не выдержала:

— Чем бы вы ей помогли? Она проглотила столько таблеток, что через пару часов было поздно ее спасать.

— Это те самые, что твой Паша ей давал? — утирая слезы, уточнила соседка.

Отрицать было невозможно. Наташа неохотно кивнула. Она знала, что Елена Юрьевна мало что упускает из виду и наверняка запомнила, как после похорон Ильи зять угощал Анюту снотворным.

— Кто бы мог подумать, что она их сохранила, — тихо сказала Наташа. — А у нас из головы вон... Будь она в депрессии, мы бы, может, и спохватились бы... Но приезжали ведь, виделись... Все прошлое лето тут провели. Она вообще о смерти не думала.

— Следователь все искал записку, — вздыхала соседка. — Не нашел... Спрашивал меня, всех вокруг — что она говорила перед смертью, что делала, с кем виделась... Мы и сказать ничего не могли. Допытывался — может, к ней кто приходил?

— Никто, конечно?

— Никто. — Она осушила последние слезы скомканным в шарик платком. — А я, как увидела ее на постели, сразу подумала — проклятое тут место, нехорошее. Решила, что ты обязательно этот дом продашь, но кто купит-то? Здесь желающих не найдется.

После драматической паузы кухню огласил еще один тяжелый вздох. Елена Юрьевна, глядя в окно мокрыми глазами, предложила выручить соседку. У нее с мужем кое-что накоплено — хотят устроить сына по соседству от себя, тот как раз собирается жениться. Не хотелось бы выпускать его из виду — уж очень он еще несерьезен. К тому же невеста уже беременна, так что пойдут внуки, а дедушка с бабушкой хотят быть рядом... Так вот, они могли бы купить дом...

— Вы?! — изумилась Наташа. — Да вы же сами говорили... Только что...

— А мы священника позовем, — перебила та. — Сперва освятим стены.

— Вы же в Бога не верите!

Та отмахнулась. Если она не бегает по церквям, это еще не значит, что она ни во что не верит. Так что думает Наташа?

Однако Наташа думала совсем не то, что желала ей внушить соседка. Все эти россказни насчет нехо-

рошего места не внушили ей никакого доверия. Она даже удивлялась, слушая, как та плетет свою историю. Неужели ее считают дурой?

«Уж кто-кто, а она не упустит случая ухватить лишний кусок, — думала Наташа, стараясь сохранять непроницаемый вид. — Решила заполучить дом по дешевке. Может, и насчет сына соврала — решила поживиться. Противно слушать! И подумать только — ведь она была нам как родная мать! А вот поди ж ты — своей выгоды не забывает...»

— Сами знаете, документы еще не готовы, — уклончиво ответила Наташа. — Сперва нужно с ними разобраться. И потом... Слишком рано мы об этом задумались. Даже сорока дней не прошло.

Елена Юрьевна смутилась. Она принялась уверять, что у нее и в мыслях не было кого-то торопить — просто хотела сделать предложение заранее...

— Какие между нами счеты, — повторяла она. — А я дам тебе хорошую цену!

— Я подумаю.

Этот неопределенный ответ не удовлетворил соседку. Вероятно, та сообразила, что перегнула палку, и внезапно заговорила о доме равнодушно, будто утеряв всякий интерес к делу.

— Сама понимаешь, нам этот расход не слишком нужен. Я просто подумала о сыне, потом — о тебе... Так все и совпало. Если продавать — почему не продать нам?

— Елена Юрьевна, — перебила ее Наташа. — Если я захочу продать дом, то первым делом зайду к вам.

Ее холодный тон окончательно обескуражил женщину. Та замялась, пробормотала какие-то оправдания в свой адрес и неожиданно рассердилась:

— Да что ты подумала? Продавай, кому пожелаешь, или вообще не продавай! Неужели считаешь, что я решила на тебе нажиться!

— И в мыслях не было!

Гостья грузно поднялась со стула. Одутловатое полное лицо пошло пятнами — Елена Юрьевна была в бешенстве оттого, что ее попытка не удалась. Если бы дело выгорело и дом был куплен за бесценок, она бы не нашла в этом ничего плохого, но теперь считала себя опозоренной.

— Хорошо же, — отчеканила она. — Надумаешь — заходи. Сама знаешь, я тебе всегда помогала. Могла бы и вспомнить... Да что там — кто помнит добро!

Наташа тоже смутилась. Теперь ей казалось, что она излишне резко оборвала эту женщину, которая когда-то столько сделала для всей осиротевшей семьи. Она попробовала ее удержать, но Елена Юрьевна подчеркнуто сдержанно попрощалась и покинула дом. Через минуту хлопнула калитка, соединявшая участки. Наташа только махнула рукой.

«Ну а что мне было делать? — подумала она. — Дать себя обокрасть только потому, что я кое-чем ей обязана? Знаю, сколько она предложит! Еще и обижается. Да ну ее! Наверняка больше никогда не увидимся».

И ей еще больше захотелось в Москву — к мужу, к ребенку, туда, где все ее любят, не ждут от нее никаких выгод.

«Уехать сегодня же? Но дело само не сделается, Елена Юрьевна права — нужно заняться оформлением документов. Голова идет кругом... И еще эти часы!»

Вспомнив о них, Наташа окончательно пала духом. Что же вчера произошло? Неужели ей все привиделось?

Ведь нынче часы выглядели так, будто были сломаны давным-давно. И стрелки стояли на тех же местах, как и прежде, — соседка — и та заметила. Но вчера... Что это было?

«А если впрямь видение? — испуганно подумала женщина. — Но со мной никогда такого не бывало! Конечно, я перенервничала... Только и думала о часах, о деньгах, об Анюте... Нет, не могло мне это привидеться! Как сказала Елена Юрьевна? Нехорошее место? Но кто может меня заставить повеситься или броситься в реку? Уж не место, во всяком случае! Тут нужно что-то посущественней! Но кто-то же заставил Анюту выпить упаковку таблеток...»

На улице стоял ясный день, бояться было нечего, но Наташа тревожно обошла весь дом, снова осматривая комнаты.

«Нет, лучше уехать! — решала она. — Потом вернусь с Пашей, и мы уж вместе все решим. Ах, как нехорошо, у меня нет свидетеля, что часы шли! Но зато есть свидетель, что детали внутри не были выломаны. Паша видел это? Видел! А Елена Юрьевна может подтвердить обратное — там все разнесено в пух и прах. Кто-то же сделал это? Ведь не я?»

И тут ей вспомнилось, какими странными глазами смотрела на нее соседка, когда она пыталась ей втолковать, что часы недавно шли.

«Она посчитала меня сумасшедшей? Мол, сама пустила часы, сама сломала, сама себя напугала и все забыла?.. Может, потому и попыталась выцыганить дом? А что — с нее станется! Решила, что на меня можно нажать и я сдамся...»

Наташа собрала сумку, в последний раз взобралась на чердак, еще раз посмотрела на часы, даже заглянула внутрь. Спустившись, закрыла за собой люк и прошлась по дому, пробуя, заперты ли окна.

Но окно в Анютиной комнате оказалось не запертым, а просто плотно прикрытым. Женщина машинально повернула шпингалет и вдруг остановилась, нахмурившись.

«В чем дело? Вчера вечером я все проверила — иначе не решилась бы уснуть. Окна были заперты, все до единого. Кто его отпер?» Наташа всмотрелась в подоконник, и вдруг ей почудилось, что она различает на белой эмалевой краске след подошвы. Цветочная рассада под окном была слегка примята.

— Так. Ночью здесь кто-то был, — проговорила она вслух. И звук собственного голоса ее напугал.

Глава 5

Теперь она и подавно не решилась бы здесь остаться — ни на минуту! Наташа торопливо заперла дом, подхватила сумку и почти побежала к калитке.

За оградой стояла высокая тонкая девушка с белокурыми волосами. Ее серые глаза были до того темны, что казались почти черными. Девушка не стучала в калитку — просто стояла, взявшись загорелой рукой за ограду, и смотрела на приближающуюся Наташу. Она кого-то смутно напомнила ей, но кого? Наташа никак не могла припомнить. Возможно, то была дачница, остановившаяся передохнуть.

Но девушка вдруг зашевелилась, толкнула калитку и без приглашения вошла на участок. Наташа замедлила шаг и остановилась. «Кто это? Лицо такое знакомое... Кажется...»

— Наталья Ильинична? — произнесла та. — Это вы?

Наташа так и ахнула. Это правильное, хотя и не слишком выразительное лицо, этот глубокий взгляд внезапно напомнил ей одну маленькую девочку... Точнее, двух маленьких девочек — совершенно одинаковых. Но поразило ее не это, и даже не глухой застенчивый голос, на удивление не идущий к эффектной внешности девушки. Она с ней заговорила! В это невозможно было поверить!

— Вы уезжаете? — застенчиво произнесла гостья. — Уже?

Любой мужчина, взглянув на нее, проникся бы к ней мгновенной, хотя и немного снисходительной симпатией. Она была бесспорно хороша собой, но... Почему-то не впечатляла. Чертам ее лица недоставало смелости, тонкий силуэт не будил ни вожделения, ни простого интереса — настолько он был идеален. Раздавшаяся в бедрах и в груди, уже рожавшая женщина не почувствовала бы к этой девушке ничего, кроме неприязни. Та была очень юной и такой милой...

— Постой-ка, — неуверенно сказала Наташа, продолжая вглядываться в ее лицо. — Инна? Или... Ирина?

— Я — Ирина! — Девушка расцвела и сделала шаг навстречу. — Смотрите — родинка! — Она указала на верхнюю губу. — Узнали?!

Наташа узнала — и в то же время не могла признать эту красавицу. В сердце у нее что-то больно сжалось — будто кто-то напомнил ей, что время идет, она не становится моложе, а другие расцветают, смотрят наивным взглядом... Ждут какого-то чуда.

В сущности, Инна и Ирина — сестренки-близняшки — были совершенно неотличимы друг от друга.

Только у Ирины была родинка над верхней губой. В остальном сестры были совершенно одинаковы — одинаковые светлые, чуть вьющиеся волосы, одинаковые серые глаза, точеные фигуры и странно приглушенные голоса, как будто идущие через фильтр.

Сейчас им должно было быть по двадцать лет. Когда восемнадцатилетняя Наташа уезжала в Москву, девочкам было всего пять. Они запомнились ей двумя легкими, почти невесомыми фигурками, порхающими по Акуловой горе, подобно простеньким, но милым бабочкам-капустницам.

Когда она возвращалась сюда, чтобы похоронить отца и старшего брата, на поминках были и близняшки вместе с родителями. Девочки вытянулись, осунулись и сильно подурнели. Они превратились в нескладных застенчивых подростков и производили какое-то странное впечатление. А почему — Наташа поняла еще позже, когда приехала хоронить Илью. И впервые поразилась: как это она раньше ничего не замечала?!

Тогда это были уже сформировавшиеся юные девушки, только что окончившие школу. Их лица отличались бесспорной миловидностью, по прямым спинам струились пышные светлые косы. На губах порхала легкая, ничего не выражающая улыбка — одна на двоих. Разговаривали девушки еле слышно — будто про себя...

Они помогали накрывать поминальный стол, охотно мыли посуду, подавали блюда и чуть заметно улыбались — как будто понимали, что улыбки на поминках неуместны, но в то же время хотели оказать гостям любезность. Когда все ушли, близняшки по собственной инициативе вымыли полы. Попрощав-

шись с Наташей и Анютой застенчивыми улыбками, девушки исчезли...

Все это время Наташа не могла избавиться от смутного чувства, что в поведении близняшек есть что-то весьма неестественное. Но что именно? Девушки были такими услужливыми, милыми... Ну разве что немножко стеснительными.

Все разъяснила Людмила. Запирая на ночь дверь, она спросила Наташу, заметила ли та нечто странное?..

— А что? — удивилась Наташа.

— Да они же не разговаривают!

— Кто?

— Да обе близняшки!

Наташа, против воли, заулыбалась — настолько диким показалось ей это обвинение.

— По-вашему, девушки немые?

Людмила развела руками:

— Кто говорит, что немые?! Ненормальные просто! Недоразвитые какие-то! Разговаривают только между собой, а с другими — ни слова! Я даже у их матери спрашивала — так или нет? Она подтвердила. Сказала, что они с детства были такие: друг с другом болтали, а больше ни с кем ни слова! Даже с родной матерью! Как им школу-то удалось закончить — ума не приложу! Небось на сочинениях выехали!

Наташа ушам своим не верила. Она была готова поклясться, что девушки не раз говорили при ней, а если им задавали вопросы — отвечали... Но в тот день она была слишком утомлена, чтобы спорить, а назавтра Людмила исчезла из дома навсегда.

Позже, наведавшись в гости к Анюте и мельком встретившись с сестрами, она убедилась, что Людмила в чем-то была права. Девушки и правда не отвечали на вопросы. Во всяком случае, не отвечали словами. Они только смотрели, улыбались и в крайнем случае могли что-то сказать, обращаясь друг к другу. Создавалась иллюзия общения, которого на самом деле не было. Наташа подивилась этому и даже хотела порекомендовать их матери отвести девушек к психологу — тут ведь явно какой-то эмоциональный тормоз, невроз... Но потом махнула рукой — какой смысл путаться в чужие дела? Да и мать, конечно, давно сводила их ко всем возможным врачам...

Прошлым летом, отдыхая у сестры, она вовсе не видела девушек. На этот раз у них не было причин заходить в гости. Анюта с ними не дружила... С ними вообще почти никто не дружил — как общаться с человеком, который улыбается, выразительно смотрит тебе в глаза, но не говорит ни слова?

И вот Ирина с ней заговорила — сама, без принуждения.

— Да, я как раз собиралась ехать, — с запинкой проговорила Наташа. — Потом, на девять дней, вернусь.

— Как жаль, — пробормотала та. — Я сама виновата, что раньше не зашла! Не хотелось навязываться...

Наташа, наконец, пришла в себя. Ну, заговорила девушка — что тут удивительного? Может быть, сестрички наконец попали к хорошему психологу, и он им помог. Они ведь не были немы — просто в качестве собеседников им вполне хватало друг друга.

— Вовсе ты не навязываешься, — сказала она. — Почему не пришла на поминки? Мы ведь не могли позвать всех лично. Могла бы догадаться!

— Да я... — смутилась она. И замолчала — на минуту показалось, что навсегда.

Наташа даже испугалась, не вызвала ли она своими упреками новый приступ немоты. Но Ирина подняла глаза и виновато пояснила, что прийти не могла никак. Она должна была сидеть дома, присматривать за сестрой. Сейчас это необходимо. Тут женщина окончательно встревожилась:

— А что с Инной? Больна?

— Ну, в общем, нет. Только она теперь старается из дому не выходить.

Ирина говорила еле слышно и почему-то бросала опасливые взгляды через забор — на соседский участок. Наташа тоже невольно туда взглянула и увидела грузную фигуру Елены Юрьевны. Та ползала по грядкам, высоко задрав зад, обтянутый старым ситцевым халатом, и казалось, была всецело поглощена выпалыванием сорняков. Однако Наташа знала — ей все прекрасно слышно. Она не раз в этом убеждалась, еще в детстве, когда обнаруживала, что соседке известны все маленькие тайны, которыми обменивались они с Анютой. «И сейчас подслушивает, — поняла женщина. — Нужно или войти в дом, или...»

Но возвращаться в дом очень не хотелось. И она, не вполне гостеприимно, предложила Ирине проводить ее до станции. Та немедленно согласилась и даже порывалась нести сумку. Этого ей не позволили, и, заперев калитку, Наташа двинулась в путь. Девушка пошла рядом. Только спустившись с горы на шоссе, она заговорила снова:

— Вы поняли, да? Мне не хотелось, чтобы она слышала.

— Поняла. А что она могла услышать? Почему твоя сестра засела дома?

Наташа снова начала улыбаться — уж очень забавлял ее этот неожиданно проснувшийся дар речи. Она даже хотела отбросить церемонии и спросить, почему произошла такая перемена... Как вдруг Ирина сказала такое, что сумка вырвалась из пальцев ошеломленной женщины и плюхнулась в пыль. Она стояла, прижав руки к груди, тщетно пытаясь что-то ответить. Они поменялись ролями — теперь Наташа потеряла дар речи, а Ирина говорила не останавливаясь...

В начале мая, незадолго до смерти Анюты, на Инну напал маньяк. Неподалеку отсюда, на подступах к Акуловой горе. Девушка возвращалась с вечерних занятий шейпингом и была одна. Подруг у нее не было из-за ее неразговорчивости, а сестра на эти занятия не ходила, предпочитая курсы кройки и шитья. Безлюдная улица, стройная фигура девушки и длинная коса сыграли с ней злую шутку. Она была почти дома — оставалось только спуститься в низину и пройти по территории большого гаражного кооператива. Даже днем это было достаточно глухое место, которое Наташа не любила и старалась избегать. Ее пугали длинные ряды запертых гаражей, но еще больше — черные дыры открытых... Инна, выросшая в этом месте и не боявшаяся здесь ничего и никого, спокойно шла между гаражами и вдруг услышала за собой шаги. Она была настолько безмятежно настроена, что даже не обернулась. Внезапно сильные руки схватили ее за шею, повалили на землю и начали душить. Инна перепугалась насмерть и растерялась настолько, что даже забыла о том, что вполне может оказать сопротивление. Она была спортивной девушкой, в отличие от сестры, больше тяготевшей к домашнему хозяйству.

— Он попытался ее изнасиловать, но у него... Вы понимаете... — смущенно говорила Ирина, — не вышло. Тогда он на нее плюнул — представляете? И убежал. А она, хитрюга, прикинулась мертвой. Наверное, он испугался, что задушил ее!

Наташа перевела дух:

— Господи боже мой... Она, можно сказать, легко отделалась!

— Да, только пара синяков... И еще он ей кофточку на спине порвал. Она прибежала домой — и вдруг как заговорила с мамой! — И, как будто сожалея об этом, девушка добавила: — Ну и я тоже заговорила — как-то с перепугу, что Инка...

— Так вы одновременно заговорили?

— В один и тот же вечер.

Ирина, не слушая возражений, легко подхватила сумку, и они снова двинулись в путь. Наташа шла с тяжелым сердцем. Нет, конечно, она не идеализировала свою «маленькую родину», но ей казалось, что криминальная обстановка здесь поспокойней, чем в Москве. Конечно, как и везде, случались пьяные драки, грабежи, квартирные кражи и убийства... Но единственное убийство, которое коснулось ее лично, было связано с Ильей, да и случилось не здесь, а на Ярославском шоссе, далеко от дома. В пьяных драках Наташа, выросшая в рабочей семье, не видела ничего особо криминального, особенно если дерущиеся были вдрызг пьяны и высказывали друг другу взаимные претензии — зачастую смешные. Но то, что случилось с Инной, которую она помнила еще маленькой девочкой...

— Вы в милицию обращались? — нарушила она молчание.

— Да, она написала заявление. А ей говорят — вас же не изнасиловали! Давайте напишем, что вас просто напугали? Ну, она и вообще заявление забрала.

— Зря. Это они хотели отвязаться, чтобы не возиться с нераскрытым делом.

— Да и мы так думаем.

Наташа снова остановилась. Ей в голову пришла одна удивительная мысль.

— Как это я ничего об этом не слышала? Неужели Елена Юрьевна не знает?!

— Что вы, что вы! — испугалась Ирина. — Мы никому ничего не говорили, только вот в милиции, потому что пойдут слухи и еще скажут, что ее все-таки изнасиловали! Скажут — признаваться не хочет! Зачем нам такая радость?!

— Так зачем ты рассказала это мне?

Они прошли половину пути до станции и теперь медленно двигались по зазеленевшей солнечной аллее, окаймлявшей длинную улицу. Девушка снова замолчала. Казалось, она что-то тщательно обдумывает и колеблется. Наташа ее не торопила. Она чувствовала, что решение, которое принимала сейчас Ирина, было для нее непростым. «В самом деле, почему она все выложила почти чужому человеку? Ну да — мы соседи, но не самые близкие. Я давно их знаю... У нас хорошие отношения. Но я даже не друг семьи!»

Наконец девушка решилась:

— Вы должны это знать, про Инну. Из-за вашей сестры.

— Что?! Какая тут связь?

— Мы боимся... — с запинками проговорила та, — Инка и я... Что, может, на нее тоже кто-то напал? А почему иначе она...

— Ты что-то знаешь?!

— Ничего! — испугалась Ирина. — Просто это все случилось почти в одно и то же время! А ведь Аня ничего такого делать не собиралась, вас в гости ждала. Вот я про Инку и подумала, нет ли тут связи? И тогда я решила к вам сходить, все, все рассказать... Извините!

Девушка и сама была не рада своей откровенности. Она заискивающе заглядывала Наташе в глаза и твердила, что это только предположение, версия... Еще неизвестно, что скажет следователь! Тетя Наташа у него была? Наташа вздрогнула, когда ее назвали «тетей», и снова подумала: «Старею». Но сейчас эта мысль не доставила ей огорчения. Она думала только об одном — девушка могла оказаться права. И даже очень права. На любой вопрос должен быть ответ. А вопрос, почему ее сестра покончила с собой, до сих пор оставался без ответа. Разве она виделась со следователем? Нет. Разве она знает, как ее сестра провела последние дни своей жизни? Ничего она не знает. Только то, что никаких потрясений та вроде бы не испытывала и соседка не замечала, чтобы к ней ходили гости. Ну и что? Об этих «гостях» мог никто не знать.

— Твоя сестра разглядела человека, который на нее напал?

— Он ведь подбежал сзади! Она не сумела его описать, потому и заявления не приняли, — все еще виновато ответила Ирина.

Она тащила тяжелую сумку и старалась подладить свой шаг к торопливой походке Наташи. А та почти бежала — ее подгоняли мысли, вихрем несущиеся в голове. И вдруг она остановилась и схватила за локоть испуганную Ирину:

— Послушай, окажи услугу! Мне нужно задержаться в городе, но домой я возвращаться не хочу. Может, расскажу потом почему...

Та только кивала — совсем как в детстве.

— Отнеси сумку к себе домой и жди меня. Наверное, я вернусь к вечеру. Надеюсь, успею на последнюю электричку.

— Вы пойдете к следователю?

— Как ты догадалась?

Ирина сказала примерно то же, что и соседка Наташи. Она заявила: все на Акуловой горе уверены, что Анюта умерла неспроста и у нее была веская причина для самоубийства... И если это дело тоже кончится ничем — будет просто позор!

— Что значит — «тоже»? Чье еще дело кончилось ничем? — проговорила Наташа.

— Ну вот с Ильей... Убийц не нашли. А потом, Иван тоже умер как-то странно...

— Значит, ты тоже считаешь, что наш дом — нехорошее место? — прямо спросила Наташа. — Это правда, что о нем так говорят?

Та испуганно опустила длинные ресницы. Женщина махнула рукой:

— Иди домой. Передай привет сестре и...

— И?

— Да ничего, просто жди.

* * *

Она очень смутно представляла себе, как добьется разговора со следователем, зато очень хорошо знала, что именно ему скажет. Так, мол, и так: со смертью сестры дело нечисто, пропали ее сбереже-

ния, и есть все основания полагать, что перед смертью она была обворована. А может, и еще что похуже — если взять во внимание то, что случилось с Инной. Ее сестра жила совершенно одна, и об этом знали все. Защитить ее было некому. В дом мог забраться кто угодно, и Анюта даже не успела бы поднять тревогу.

Про часы она не скажет ничего. Это Наташа решила твердо. Ей вовсе не улыбалось, чтобы ее приняли за помешанную, и она не желала, чтобы следователь взглянул на нее так же, как Елена Юрьевна.

Но она почти ничего не достигла, несколько часов добиваясь толку в местном отделении милиции. Нужного человека сейчас тут нет. Уехал в область. Закрыто ли дело? Это нужно спрашивать у него. Наташа просила, настаивала, а потом начала требовать. Просила она уже не свидания, а простой информации.

— Мне нужно узнать, что показала медицинская экспертиза. Ведь она была? Я — сестра покойной, я имею право знать!

— Это не к нам.

— А к кому?

Ей дали номер местного телефона, по которому никто не отвечал. Женщина была в бешенстве. Уже вечерело, а она так ничего и не узнала. И тут, уже отчаявшись и почти махнув на все рукой, она вспомнила...

Как она могла об этом забыть?! Забыть лучшую школьную подругу, которая работала как раз там, где ей было нужно, — в городском морге!

«Женька — вот кто мне нужен, и срочно! — Она сидела в душной кабинке на почте и лихорадочно копалась в сумке, отыскивая записную книжку. — Только бы у нее не сменился телефон... Только бы!»

Последний раз они виделись на поминках по Илье, и за три года Женя вполне могла переехать. Но она оказалась на месте и, услышав голос подруги, сразу начала извиняться:

— Прости, что я не была на похоронах. Слышала... Это ужасно! Но я так заработалась! Ну совсем времени нет!

— Как ты живешь? Как дети? — перебила ее Наташа. Она почувствовала укол совести. За три года так и не удосужилась узнать, как живет ее подруга. Правда, бывшая подруга... Хотя может ли друг стать «бывшим»?

— Дети здоровы, а вот на работе неважно, — призналась та. — Просто завал! Перекусить не успеваю!

— Ты что? — удивилась Наташа. — Неужели к вам столько везут?!

— Да практически с утра до ночи.

— Такая смертность?!

Та на секунду опешила и неожиданно рассмеялась:

— Вот глупость какая, я же ничего тебе не сказала! Я давно ушла из морга, теперь работаю в продуктовом магазине, знаешь, на площади?

Она продолжала рассказывать, почему приняла такое решение (все осточертело!), как устроилась на новое место (платят меньше, но пахнет лучше, даже в подсобке), что там приходится делать и сколько она получает, а Наташа все не могла решиться ее остановить. Она была разочарована. Еще одна неудача! Ну почему ей так не везет!

Поток откровений постепенно оскудевал. Наташа почти не слушала. В кабинке было невыносимо душ-

но, носового платка в сумке не обнаружилось, трубка пахла дешевым крепким табаком. Женщина морщилась и через мутное стекло двери разглядывала посетителей. Старик пишет телеграмму за длинным исцарапанным столом. Поздравляет кого-то, конечно. Если когда и получаешь поздравления ко дню рождения, то от старых людей. Они помнят все даты, хотя многое другое забывают. Как там сказала Елена Юрьевна? «Помню, что часы остановились в час ночи, а ведь многое уже забыла...» В кабинке напротив засела женщина с двумя детьми — веселая, белокурая, по всей видимости ничуть не страдающая от духоты. Два кавказца по очереди кричат в телефонную трубку. По залу гуляет мальчик с бультерьером на поводке. Собака без намордника.

Наташа вытерла лоб.

— Как жаль, — произнесла она.

Женя опешила и вдруг встревожилась:

— Чего жаль? Что с тобой? Таш... — Она одна ее так называла. — Может, зайдешь ко мне?

— Нет, сегодня я должна вернуться в Москву, — отрешенно ответила Наташа. — Там муж и сын...

— Так у тебя ребенок?!

Женя и этого не знала. Она не знала ничего — с той поры, как подруги виделись в последний раз, связи между ними были оборваны. Почему? Наташа не могла бы сказать. Может, именно потому, что она целиком была поглощена переживаниями, связанными с ребенком.

— Я зайду, — неожиданно для себя сказала она. В голове мелькнула коротенькая корыстная мысль. Да, Женя ушла с прежней работы, но ведь знакомые у нее могли остаться! — Зайду через полчаса.

* * *

Они сидели на кухне — такой тесной, что в ней можно было приготовить ужин, не вставая из-за стола. Наташа то и дело задевала головой расписной жестяной поднос, украшавший стену. Поднос жалобно звенел. В соседней комнате работал телевизор. Когда начиналась реклама, звука никто не убавлял, и это невыносимо раздражало уставшую женщину.

Женька курила, зажигая одну сигарету от другой, а Наташа, отвыкшая от табачного дыма, старалась пореже вдыхать отравленный воздух. Павел курил когда-то, но потом бросил. Сама она в жизни не выкурила ни одной сигареты. Зато Женька, еще со школьной поры, дымила нещадно.

У нее было двое детей и ни одного мужа. Сама Женька не считала это большой бедой. Да и никто другой... Разве что ее родители. Первого сына она родила, еще когда училась в медучилище. Второго — незадолго до того, как погиб Илья. Однако тогда она все же нашла время, чтобы выбраться на похороны и поминки. Чьи это были дети — никто не знал. Женька не считала себя жертвой обстоятельств — может, поэтому никто особо и не интересовался ее личной жизнью. Она жила в тесной двухкомнатной квартирке, оставшейся ей от бабки, на пятом этаже панельного дома, под самой крышей, и зимой тут было очень холодно, а летом — сущее пекло.

Конечно, она никуда не переехала за эти три года. «Куда, на какие средства она могла бы переехать? — подумала Наташа. — Глупо было это предполагать».

И она почти не изменилась. У нее было все то же худощавое, желтоватое лошадиное лицо, те же краше-

ные черные волосы и хриплый голос. И курила она все так же много.

В школе подружки считались серьезными девушками, подающими большие надежды. Жизненный путь они наметили класса с восьмого. Наташа мечтала о педагогическом институте, Женя — о медицинском училище. Другие их одноклассницы не смотрели дальше замужества.

Потом их пути сильно разошлись. Наташа сразу уехала в Москву — Женя осталась в родном городе. Наташа благоразумно откладывала рождение ребенка — Женя рожала по старинке, очертя голову и не задумываясь о последствиях. И все-таки они не теряли друг друга из виду, до последнего времени.

— Хорошо, что у тебя есть муж, — глубокомысленно говорила Женька. — Можно и без него, но все-таки с ним как-то лучше. А то все подружки, подружки... Даже тошно становится! Главное, что ты довольна. Господи, бывает же у людей... Все как полагается — и муж, и отец у детей... А у меня...

— А что у тебя? — возразила Наташа. — Ты могла бы сто раз выйти замуж, если бы захотела. Не говори, что тебя не звали!

Польщенная женщина засмеялась:

— Звали, конечно! Даже тот звал, кто... А что толку? Иногда бабе бывает лучше без мужа, а детям — без отца. Знаешь, от кого я родила Димку, своего младшего?

Конечно, Наташа этого не знала. Таких подробностей не знал никто. Но Женя неожиданно сообщила всю правду:

— От писателя. Не веришь? От настоящего писателя. Он романы писал...

— В стол? — уточнила Наташа. Ей самой приходилось сталкиваться с людьми, которые искренне считали себя писателями. Но только писателями обиженными, непризнанными, никем не издаваемыми. Всех литераторов, достигших успеха, они считали личными врагами, перешедшими им дорогу.

Женька даже обиделась:

— Почему это «в стол»? Его издавали!

Она так возмутилась, что Наташа подумала: да не влюблена ли ее подруга до сих пор в этого неведомого писателя? Ведь женщина, даже расставшись с мужчиной, продолжает его защищать, если любит...

— Издавали, но платили очень мало, — продолжала Женька. — Сперва я терпела. Думала — если любит — задумается. Все-таки у нас ребенок... Он и к Жене относился как к сыну...

Старшего сына она назвала в честь самой себя, из чего одни сделали вывод, что отец его был фигурой незначительной, а другие — что родители ребенка были тезками. Но точно этого никому узнать не удалось.

— Представь, однажды я все испортила... — уже тише говорила Женька, угнетенная воспоминаниями. — И кто меня за язык тянул, какой бес? Решила ведь — на этот раз точно выйду замуж! Но нет! Понимаешь, я вдруг прикинула, сколько он заработал за год в среднем, разложила его гонорары по месяцам, как зарплату. Не потому, что я скупая, не подумай!

— Да кто так думает?

— Вот видишь! — вздохнула та. — А он рассердился. Потому что вышло, я в месяц получала в четыре раза больше... Я ему намекнула, что у нас ребенок и

вообще он себе даже на продукты не зарабатывает. Я ведь за деньгами не гонялась! Мне бы только не чувствовать его этим... Был такой в одном французском романе!

— Ты имеешь в виду «Милого друга»? — подсказала Наташа.

— Не помню. Давно читала. Там было другое имя...

— Ты хочешь сказать — альфонсом?

— Ах да! — просияла она. — А он обиделся. Сказал, что для меня деньги важнее любви! Я-то думала, на этот раз все серьезно! Поживем-поживем, а там и поженимся... Я ведь только хотела справедливости, чтобы знать, сколько я получаю, сколько он! А ему не понравилось! Сказал — уйду. Я его уговаривала, прощения просила. Думала, что умные люди всегда могут договориться...

Последовала тяжелая пауза. Наташа никогда прежде не предполагала, что подруга может так огорчаться по поводу своего одиночества.

— А он оказался дураком, — со вздохом заключила та.

Чай снова был налит и выпит — без всякого удовольствия, так как Женя покупала самые дешевые сорта и заваривала их до того небрежно, что на поверхности плавали какие-то обломки, очень похожие на хворост. Наташа, наконец, изложила свою просьбу. Она нисколько не удивила подругу.

— Значит, ты психуешь из-за сестры, — почти удовлетворенно говорила Женька, стряхивая пепел в уродливого керамического осьминога — бабушкино наследство. — Ну и напрасно. Ты свидетельство о смерти получала?

— Да.

— А перед этим медицинское заключение о смерти?

— Ну конечно!

— И что там сказано?

Наташа пожала плечами. В сущности, там ничего не было сказано. Нагромождение медицинских терминов, все значение которых в общем сводилось к тому, что ее сестра умерла от передозировки сильнодействующего снотворного.

— Значит, оттого и умерла, — заключила Женька. — Если бы ее убили — заключение было бы написано иначе. Неужели ты не понимаешь?

«Это ты ничего не понимаешь. Ты слишком опытна в таких делах, а значит — чересчур наивна».

Эта парадоксальная мысль пришла сама собой — она как будто вовсе и не думала над этим. Мысль выпала, как монета из продранного кармана, и покатилась, мерзко позванивая. Женя все говорила правильно, но ведь был еще и стук часов, испорченных тридцать лет назад. И незакрытая задвижка на окне, которую она точно закрывала на ночь. И необъяснимая смерть сестры.

— Я понимаю. — Наташа слышала свой далекий и спокойный голос. — Но мне хотелось бы знать коечто еще.

«Еще? А как ты спросишь об этом? Трудно забраться в голову живому человеку. Любая женщина, бывшая замужем, скажет тебе об этом. И любой мужчина — только они редко об этом задумываются, даже прожив всю жизнь в браке. Из-за чего разводятся люди? Они не знают друг друга. А как трудно узнать мысли мертвого! Медицинское заключение скажет все о теле и ничего — о душе».

— А чего ты хочешь еще? — будто эхом отозвалась Женька.

— У нее никогда никого не было. Ты понимаешь? Никогда.

Та кивнула:

— Ясно, понимаю. Твоя сестра жила совсем как монахиня. И что?

— Я хочу знать — был у нее кто-нибудь или нет?

— Неужели ты не знаешь?

Вопрос был, казалось бы, дурацкий, но на самом деле вполне разумный. Сестры знали друг о друге все. Если старшая не знала чего-то о младшей, значит, с младшей этого не случалось. И наоборот.

— Я хочу знать в медицинском смысле, — мрачно пояснила Наташа.

— Понятно! — отреагировала подруга. — То есть жила она с кем-то или нет?

— Ты меня поняла.

Та задумалась, потом яростно почесала в спутанной прическе концом искусанного карандаша, висевшего на веревочке, и сняла телефонную трубку.

— Позвоню старой приятельнице из морга, — пояснила Женька. — Она дежурит. Надеюсь, меня там не забыли. Присмотри за детьми, а?

Присматривать за сыновьями Женьки было делом нелегким — с одной стороны. А с другой — очень простым.

Если не обращать внимания на то, что старший в это время забрасывал носки на люстру, а перемазанный младший умолял выдать ему «еще чернила», то дети были в полном порядке. В их комнатке царил разгром. Наташа прибралась, как смогла, и все еще воевала со сломанными дверцами шкафа, когда в комнату заглянула Женя:

— Выйди-ка.

Ее тон изменился. Она стала намного серьезней и смотрела как-то странно. Ее глаза потускнели, карандаш, очевидно забытый, торчал за ухом. Наташа прикрыла за собой дверь детской.

— Дозвонилась?

— Да. Сразу нашли... Ты хотела знать, жила ли твоя сестра с мужчиной? Так вот — жила. — Женя сама казалась потрясенной.

— Кому ты звонила? — непослушными губами выговорила Наташа. — Кто это тебе сказал? Они могли ошибиться!

— Нет. Ты понимаешь, — виновато заговорила хозяйка, — в свидетельстве о смерти, которое выдают на руки, ставят самые общие причины... Есть вещи, которые никого не касаются, если они не повлекли за собой смерть. Например, гланды удалены или протезы во рту... От этого же человек не умирает... Короче, ты меня спросила — я тебе ответила. У нее кто-то был.

— Это изнасилование?

Та замотала головой:

— Нет, нет и нет! Это была регулярная половая жизнь! Во всяком случае, она начала ее задолго до... Ташка?! Ташка!

Но Наташа не нуждалась в ее помощи. Она прислонилась к стене, стараясь справиться с отвратительным ощущением слабости. «У Анюты был любовник? И я ничего об этом не знала? Не изнасилование? Регулярная...»

Подруга тянула ее в кухню. Та осторожно освободилась от ее объятий:

— Прости, мне пора идти.

— Куда ты на ночь глядя? Оставайся! Я сплю одна, положу еще подушку...

— Нет, я пойду домой.

Говоря это, Наташа сама не знала, что имела в виду — московскую квартиру или дом на горе. Но отправилась именно на гору. Ноги сами пронесли ее мимо станции. Ей очень хотелось вернуться домой, увидеть сына и мужа, прийти в себя... Но бросить все как есть? Смириться с тем, что дело никого не интересует, исключая разве сестричек-близняшек? Да, так будет проще и даже выгоднее, что бы там ни говорила соседка. Дом купят, оторвут с руками. И можно будет все забыть — не сразу, конечно, а постепенно... Год за годом. Все забывается — забудется и это. Но все же... Она все вспоминала, как они навестили Анюту под Новый год. Заснеженный двор, щепки на снегу, резкий стук топора, которым ловко орудовала сестра, играючи раскалывая полешки. И ее наивное, румяное, радостное лицо. Что с этим делать? Так и бросить?

«Теперь я не могу никуда ехать, — повторяла она в сумерках, отпирая калитку и входя во двор. — Я обязана все узнать!»

Глава 6

Она зажгла свет на кухне. «Вот Елена Юрьевна удивится — уехала и сразу вернулась. Она-то смотрит в оба! Пусть. Мне до нее дела нет. К сестричкам схожу завтра. Заберу вещи. Сказать им про Анюту?»

Наташа подумала и решила, что не стоит. В каждой семье — свои тайны. Если бы сестры знали, что у Анюты был любовник, они бы сразу сообщили. Да что там! Тогда бы все соседи это знали!

Задернув занавески, женщина уселась за стол. Ноги ныли — сегодня ей пришлось немало побегать. Глаза слипались. Усталость была какая-то нездоровая, нервная, и Наташа понимала, что если ляжет в постель, то вряд ли уснет.

«Или ты боишься спать в этом доме? Вдруг тот, кто приходил вчера, придет и сегодня?»

Эту мысль она прогнала. Ей не хотелось об этом думать, не хотелось придумывать ужин, не было сил заваривать чай. Она могла только сидеть вот так, сложив перед собой руки, и слушать тишину.

«Как Анюта умудрилась завести роман? И ведь недавно завела, после Нового года, иначе рассказала бы мне, когда мы приезжали. Кто он? Разумеется, не Егор! Даже подумать смешно! Где она его нашла? Раз здесь никто о нем не знал — значит, не среди соседей. Могла об этом знать библиотекарша?»

Она вспомнила Татьяну, ее миловидное лицо без возраста, ее спокойную манеру разговора и усомнилась... «Татьяна сказала бы мне. Ведь сказала бы? Но она ничего не знала ни о каком романе. А... Ее брат?! — вспомнила Наташа. — Священник! Анюта исповедовалась, значит — он знает! Может быть, даже знает имя! Но почему же он молчал?»

О тайне исповеди она знала лишь из художественной литературы, но, тем не менее, сразу заподозрила, что столкнется с трудностями. Однако можно было действовать через Татьяну. Если она уломала брата на отпевание самоубийцы, то уломает еще на одно маленькое нарушение. Маленькое или большое?

Наташа досадливо вздохнула: «Знать бы все эти тонкости... А то чувствуешь себя как слон в посудной лавке! Ничего тебе не скажут, но посмотрят как на неграмотную. И что Анюту к ним потянуло?»

«Но, — продолжала размышлять она, — если священник знал все об Анютином романе, разве после ее смерти он не должен был задуматься? Девушка покончила с собой. А из-за чего может покончить с собой девушка? Из-за любви. Она любила, и очень любила, раз сошлась с этим человеком без брака. А он ее бросил... И возможно, обокрал перед смертью!»

Теперь все становилось на свои места, делалось простым и понятным. За исключением одного — кто был этот человек? Как он умудрился обольстить Анюту, которая ни разу в жизни не взглянула ни на одного парня, была одета, как старуха, и не поднимала головы от огородных грядок и книг? Где она его нашла? Где они встречались, в конце концов? Не здесь же, под носом у Елены Юрьевны! Та бы давно заметила!

«Значит, виделись у него на квартире. Анюта дальше рынка не ходила, стало быть, встретила его где-то здесь, неподалеку. Это кто-то местный или московский дачник. Хотя нет. Если роман начался после Нового года, никаких дачников тут еще быть не могло. А началось все уже после нашего приезда, уверена. Ну почему мы не виделись чаще! Уж я бы заметила, я бы все из нее вытянула!»

Искать в доме улики против загадочного любовника было бесполезно. Все вещи покойной осматривали много раз — и следователь, и сама Наташа. Анюта либо уничтожила перед смертью все свидетельства своей любви, либо вовсе их не имела. Дневника девушка никогда не вела, бумаг у нее не было. Но...

«Но когда она любила, она стремилась жертвовать. И желательно не просто делиться, а отдавать все. Если бы я попросила у нее все сбережения Ильи, она отдала бы их до последней купюры. Ей бы и в голову не пришло, что это грабеж. Когда она показала мне те деньги, то предложила их разделить поровну из простого чувства справедливости. Но если бы я сказала, что мне нужно все, — она отдала бы все. Деньги за машину я сама уговорила не делить... Их я тоже могла бы получить целиком, если бы захотела. Ну а будь на моем месте кто-то другой? Более хитрый, более жадный? Тот, кто хотел все, а не половину?»

Все, вместе с коробкой. Эта жестяная коробка снова возникла перед ее внутренним взором — коробка из-под дорогого датского печенья, с красивой картинкой на крышке, изображавшей колокольню, высившуюся посреди озера с лесистыми берегами. Озеро целиком поглотило церковь, но колокольня была в полной сохранности — на ней даже виднелся крест. Анюте эта коробка очень нравилась и, кроме того, напоминала о старшем брате. Это Иван как-то купил ей дорогое лакомство, хотя на те же деньги мог приобрести для себя три бутылки водки... Он сделал подарок в пьяном виде, а протрезвев, был потрясен своей безрассудной щедростью и долго не мог прийти в себя.

«Если она была влюблена, а любовник сумел узнать о деньгах или просто пожаловался на свои затруднения, Анюта своими руками отдала ему все. Но без коробки! Значит, коробку с деньгами украли».

Возможно, ни один следователь не согласился бы с такой логикой, но Наташа была убеждена, что подошла к правде очень близко, почти вплотную. День-

ги — да, коробка — нет. Саму по себе коробку не стали бы красть, она имела ценность только для Анюты. Зачем она тому, кто ценит только деньги? Ее забрали из-за того, что так было быстрее, удобнее... А потом где-то выбросили, чтобы не оставлять улик. Во всяком случае, в доме ее больше не было.

«Может быть, этот тип проследил за тем, как Анюта взбирается на чердак, и понял, что каждый раз после этого у нее появляются деньги. Может, он обыскал чердак в ее отсутствие, нашел коробку и забрал ее, даже не заглянув внутрь. Но это уже грабеж! А что было потом? Что могло случиться с Анютой, когда она поняла, что любимый человек ее обокрал?

Тогда она нашла таблетки и проглотила их. Была настолько убита горем, что не вспомнила даже о кошке, которая могла бы умереть с голоду в запертом доме. Записки не оставила — как она могла написать что-то дурное о человеке, которого любила? А врать, придумывать другую причину она не могла, не хотела. Или... Или просто решила принять успокоительное, но от переживаний не заметила, сколько таблеток выпила? Может, ей казалось, что таблетки не действуют. Когда человек очень возбужден, такое бывает, зато потом он валится как подкошенный.

Но если все так, этот тип должен был тут бывать! И не раз! Почему же никто этого не замечал?!

И тут она услышала за спиной дробный, частый стук. Женщина вскочила, схватившись за край стола. Она так испугалась этого простого звука, что едва устояла на ногах. «Я тут одна!» — была единственная мысль.

Она сразу поняла, что стучат в дверь, но кто мог прийти? Ирина? Но та ведь обещала ждать ее дома.

Соседка? После сегодняшнего неприятного разговора — вряд ли. Ей в голову пришла ужасная мысль, которая совершенно ее парализовала. «А если это — тот, кто был здесь прошлой ночью? Тот, кто оставил открытым окно в Анютиной комнате и помял под ним рассаду?»

Стук не повторился, и это было еще хуже. Лучше бы выламывали дверь, тогда бы она закричала, стала звать на помощь, и ее услышали бы. Обязательно услышали бы! Но эта выжидающая тишина...

Женщина прислушалась, и ей показалось, что она различает какой-то шорох — на этот раз не за дверью, а под окном. В кухне горел свет, одна штора была отдернута, и тому, кто стоял в темному саду, было все отлично видно.

«Он стоит там и смотрит на меня, — поняла Наташа. — Я уверена, что он там!»

И в этот миг за стеклом показалось бледное пятно — чье-то лицо. Она не выдержала и взвизгнула — но звук вышел слабый, полузадушенный. По раме требовательно забарабанили пальцы, однако Наташе потребовалось не меньше минуты, чтобы узнать лицо мужа, который с тревогой смотрел на нее из-за стекла.

— Как, это ты! — вскрикнула и она и бросилась к двери. В следующий момент она уже обнимала мужа, одновременно оглядывая дорожку за его спиной, темные деревья и соседский забор. — Ты один?

— Конечно, — с неменьшей тревогой ответил он. — Что с тобой? Почему ты мне ни разу не позвонила? Ни вчера, ни сегодня... Я пришел с работы и позвонил соседке — а та едва зубы разжимала, сказала только, что не видела тебя после полудня. Ну, я и приехал с последней электричкой.

В доме у Елены Юрьевны зажглось еще одно окно. Наверняка соседей удивил, а то и разбудил шум. В этой семье ложились по-патриархальному рано. Наташа торопливо ввела мужа в дом и заперла входную дверь.

— В каком ты состоянии! — продолжал он, оглядывая ее бледное лицо и тени под глазами. — Вся дрожишь, губы серые! Это я так тебя напугал?

— Я сама себя напугала. — Она без сил присела к столу. — Задумалась, и вот... Я же не знала, что ты приедешь, разве я думала, что это ты... Прости, я просто забыла позвонить...

Ей было одновременно и очень хорошо, и скверно — наступала реакция после нервного стресса. Она едва шевелила губами и чувствовала отвратительную слабость.

— Много раз могла тебе позвонить... — бормотала она, уцепившись за эту мысль. — В самом деле! И с почты... И от Женьки. Извини... Как Ванька?

— Отлично, — нетерпеливо бросил он. — Только скучает по тебе. Так кого это ты думала увидеть вместо меня?

Немного придя в себя, она рассказала ему все. Наташа пыталась привести свои мысли в порядок, не перескакивать с одного момента на другой, не впадать в истерику, но рассказ, тем не менее, получился весьма сумбурный. Тут перемешалось все — и подаренные библиотеке книги, и маньяк, напавший на одну из близняшек, и прорезавшийся у девушек дар речи, и загадочный любовник Анюты, о котором узнали только врачи, осматривавшие ее тело. И еще — часы. Часы и незапертое окно, которое она, несомненно, запирала на ночь.

Павел не перебивал, не пытался что-либо уточнить. Он слушал, изредка кивая и не сводя глаз с бледного лица жены.

— Ну, что ты скажешь? — вздохнула Наташа, закончив отчет. — Назовешь меня сумасшедшей?

— Почему же... — медленно проговорил он. — Но кое-что ты притянула за уши. Особенно что касается денег. Ты говоришь, она бы сама ему все отдала... Так зачем этот тип украл коробку? Проще было попросить.

— А может, не проще! — возразила Наташа. — Может, он не знал Анюту так, как я ее знала! Может, думал, что она обычная, такая же, как все, а какая нормальная женщина отдаст любовнику все свои деньги! Любовнику — не мужу!

— А кто запрещал мне называть Анюту ненормальной? — торжествующе воскликнул Павел. — Теперь сама так говоришь!

Женщина раздраженно тряхнула волосами и встала. Подошла к окну, вгляделась в темноту. У соседей уже погасили свет. Она плотнее задернула шторы и повернулась:

— Давай-ка спать. Я страшно устала.

— Обиделась? — Он тоже поднялся из-за стола. — Ну, прости, я ведь тоже устал...

Наташа ответила, что не обиделась, но когда она стелила постель, а муж, подойдя сзади, попытался ее обнять, то передернула плечами, освобождаясь от его рук. Павел промолчал.

Забравшись в постель, Наташа сразу отвернулась к стене. «Из всего, что я рассказала, его задело только это... Случайно назвала Анюту ненормальной! А он и обрадовался! Поймал меня на слове! Потому что плевать ему на Анюту, на всю мою семью и на меня тоже!»

За восемь лет их брака она никогда не думала так о муже. Да, им случалось поспорить, и часто эти споры так и кончались ничем — супруги не могли прийти к общему мнению. Как правило, в таких случаях Павел сдавался и замолкал, а Наташа некоторое время продолжала кипятиться про себя, пока не понимала, что это становится глупым. Но серьезных размолвок не было, а уж из-за Наташиной семьи — тем более. В сущности, они жили так, будто она была сиротой и никакой семьи на Акуловой горе вовсе не существовало. Тем более, что семья эта становилась все меньше... И что это место значило для нее, кем для нее были эти люди, Наташа поняла только тогда, когда умерла сестра.

«Вот что значит быть совсем одной! — думала она, закрыв глаза и стараясь дышать потише, чтобы муж с ней не заговорил. — Это — когда нет выбора. Раньше выбор всегда был. Я могла сюда вернуться, поболтать с Анютой, поругать Ивана за пьянство, поиздеваться над скупеньким Ильей... Да, наша мать гениев не рожала, здесь все были настолько обыкновенными, что у меня иной раз скулы сводило... Одни и те же разговоры, мысли, интересы. Замкнутый круг! Они будто катались на карусели — лошадки скачут, а на самом деле не двигаются с места. У каждого был свой конек, и каждый на нем потихоньку ехал, год за годом, не думая что-то менять. У Ивана — алкоголь, у Ильи — деньги, у Анюты — книжки, потом вот религия. А теперь их нет, и кто же у меня остался? Этот мужчина, которому все равно, что здесь происходит?»

Павел неожиданно поцеловал ее в плечо. Наташа вздрогнула.

— Я же слышу, что ты не спишь, — прошептал он. — Ну, прости меня еще раз, если одного раза мало. Ладно?

— Простила уже, — неохотно ответила она.

— Хорошо, если так. Клянусь, что больше никогда не скажу...

— Договорились.

— А вообще я хотел сказать, что ты молодец, — продолжал он, придвигаясь еще ближе. — Столько всего раскопала за два дня! Я помню этих сестренок... Они и вправду заговорили?

— Во всяком случае, одну я слышала. — Наташа продолжала отвечать холодно и отрывисто, хотя ее гнев понемногу проходил.

— Но если ты права и у Анюты был кто-то... Тогда маньяк тут ни при чем.

— А может, и при чем. Может, это вообще одно и то же лицо.

— Ну ты даешь, — пробормотал он с некоторым испугом. — Чтобы твоя сестра связалась с таким?!

— Она могла не знать, что он «такой», — упрямо ответила Наташа, хотя вовсе не была уверена в своей правоте. — На Инну напали здесь, недалеко от нашего дома.

— Это еще ни о чем не... — начал было он, но жена оборвала:

— Главное, найти Анютиного парня. Сейчас это для меня важнее всего. Должны же были их заметить вместе! Тут люди зоркие!

— Насчет маньяка — не знаю, а насчет ограбления — ты права, конечно... Наверняка права, — продолжал он. Женщина чувствовала на плече щекотку его дыхания и невольно съеживалась. — Девушку

обокрали, обманули, ну, она и... По крайней мере, какая-то причина... Наташ?

Она знала этот голос — нежный и чуть просительный, исключительно ночной. Раньше она с готовностью отвечала на этот зов, но сейчас он только раздражал ее, как что-то неуместное, почти кощунственное. «Неужели он не видит, не понимает, в каком я состоянии! Да какое мне дело до...»

— Нашел время, — пробормотала она. — У меня настроения нет.

— Совсем?

— Никакого. Лучше спи.

И отодвинулась от него. Теперь она даже слегка улыбалась, открыв глаза и рассматривая стену в лунных узорах. «Это таким образом он пытался ко мне подлизаться? Хитрец... А настроения в самом деле — никакого. Мысли — только об одном...»

— Что ты думаешь о часах? — спросила она, чуть повернувшись.

Муж промолчал. Казалось, на этот раз обиделся он, и Наташа очень удивилась, когда спустя минуту услышала ответ. Муж сказал нечто довольно странное, отчего она даже приподнялась на локте и попросила повторить.

— Даже сломанные часы два раза в сутки показывают верное время, — повторил супруг. — Слышала такую пословицу?

— Нет, — призналась она. — А ведь это так! Только это скорее загадка на сообразительность, чем пословица. Но что ты хотел этим сказать?

— Вообще-то это значит, что даже дурак иногда бывает прав. Только не принимай на свой счет! Я хочу сказать, что история с часами — безумная, но ты можешь быть в чем-то права. Но конечно, не во всем.

— Так ты не веришь, что они шли?!

— Давай спать, — предложил муж. — Я тоже дико устал.

Ночь прошла спокойно, утро тоже не принесло неприятных сюрпризов, к которым Наташа уже начинала привыкать как к чему-то неизбежному. Едва встав, она немедленно обошла весь дом и проверила двери и окна. Все было заперто.

«По крайней мере, на этот раз тут никто не побывал, — подумала она. — Может, ему хватило одного раза, а может, он понял, что я не одна».

Наташа рылась в кухонных шкафах, ломая голову над тем, что приготовить на завтрак. Павел все еще спал, но она предчувствовала, каким будет его первое желание, когда он проснется. По утрам его одолевал волчий голод, и он завтракал так плотно, что был сыт до прихода с работы. Однажды Наташа, шутки ради, подала ему на завтрак миску борща. Павел съел и борщ, даже порадовался... А сейчас в холодильнике было пусто, она разморозила его во время большой уборки.

«Бежать в магазин? Стоит ли? Может быть, махнуть на все рукой и немедленно уехать? Сколько может ребенок жить у бабушки с дедушкой, так он совсем меня забудет! Вот и Паша не выдержал, приехал... Беспокоится обо мне, а я веду себя, как будто мне и дела до них нет. Я вчера ныла, что осталась одна? У меня есть семья!..» Как всегда, вечерние страхи наутро казались преувеличенными. Она сно-

ва вернулась к простейшему вопросу — то ли идти в магазин, то ли срочно возвращаться в Москву?

Наташа заглянула в спальню, прислушалась к ровному, глубокому дыханию мужа. В Москве он иногда спал беспокойно, вздрагивал, будто куда-то проваливаясь, иногда что-то бормотал. Но здесь, вблизи леса и реки, Павел даже дышал во сне иначе.

«Проспит еще час-два, — поняла она. — Ну что ж... Сбегаю в магазин, куплю сыру, немного колбасы. Необязательно набивать холодильник. А потом будет видно, что делать».

Взяв сумку, она вышла, заперев мужа в доме. Оставить дверь открытой, как обычно, она побоялась. Спускаясь с горы, Наташа думала, что теперь не скоро вернется к прежней беспечной привычке — оставлять дверь нараспашку. Мужа это только обрадует.

Через полчаса она набила продуктами два пакета и, только подняв их, чтобы перейти к последнему прилавку, поняла, чем занимается. Какая тяжесть! Ведь она хотела купить чего-нибудь перекусить, соорудить легкий завтрак! А на самом деле запаслась продуктами по меньшей мере на несколько дней. При условии, что все съест одна... В доме на горе.

В свое время она с интересом прочла несколько популярных книг по психологии и теперь засмеялась про себя: подсознание сыграло с ней шутку. Ее разум все еще колебался, не торопился принять решение, а подсознание уже сделало выбор между «уехать» и «остаться». На самом деле Наташа хотела остаться. Об этом свидетельствовала и замороженная курица, и килограмм гречневой крупы, и два пакета молока, и десяток яиц... Целый натюрморт.

— Еще пакетик майонеза, пожалуйста, — обратилась она к продавщице.

Наташа расплатилась, прижимая сумки ногой к прилавку, чтобы те не упали, и уже собралась уходить, как вдруг продавщица остановила ее кратким, но выразительным вопросом:

— Не узнала, что ли?

Наташа удивленно подняла на нее глаза, встретила ее взгляд... Очень знакомый взгляд на незнакомом лице... И тихо охнула. Это была Людмила, но какая Людмила! Совершенно новая, ничуть не похожая на ту, которую Наташа когда-то называла про себя «вешалкой»!

У этой новой Людмилы была пышная грудь, массивные бедра, второй подбородок. Намечался и третий... Щеки, прежде впалые, будто присохшие изнутри к зубам, стали округлыми. Птичий острый нос теперь казался короче из-за избытка окружавшей его плоти. Только глаза не изменились — те же сверлящие зрачки, оценивающий, пристальный взгляд.

— Как вы изменились... — начала было Наташа и тут же сменила тему: — Так вы теперь тут работаете?

— Как видишь.

Они по-прежнему были на «вы» и на «ты», как и три года назад.

— Я слышала, вы замуж вышли. — Наташа старалась нащупать хоть какую-то тему для разговора. И желательно такую, которую можно было быстро закруглить. Просто повернуться и уйти ей казалось неудобным.

— Вышла, — подтвердила та. — Ну и что?

— Да ничего. Я просто спросила...

Продолжать разговор смысла не имело. Наташа подняла пакеты и хотела было попрощаться, но Людмила неожиданно и фамильярно поманила ее пальцем. Руки у нее тоже поправились, и обручальное кольцо туго врезалось в пухлый безымянный палец. «Его и с мылом не снять, придется распиливать», — почему-то подумала Наташа.

— Что теперь будешь делать? — поинтересовалась Людмила, стараясь смягчить свой пронзительный голос до шепота. Голос у нее ничуть не изменился и теперь до странности не подходил к телу.

— Как — что? — удивилась Наташа.

— Ну, что делать с домом? Продавать будешь или?..

Наташа поморщилась. «Дался всем этот дом! Какое им дело! Лезут с вопросами, как будто их это касается! А эта особа хороша — все знает об Анюте, и ни слова! Хотя бы из вежливости!»

— Посмотрим, — отрезала она. — Счастливо оставаться.

Но Людмила как будто не услышала последних слов. Она фальшиво заулыбалась, показав запачканные помадой передние зубы. Было видно, что женщину переполняет какое-то сильное чувство, рвущееся наружу, и ей доставляет удовольствие его сдерживать. Когда она заговорила, ее голос звучал вполне буднично... Но в нем все равно чувствовалось затаенное торжество.

— Будешь продавать дом, не забудь со мной поделиться.

— С какой стати? — Пакеты стали как будто еще тяжелее. «Еще минута с этой бабой — и я начну орать, как на базаре! Как же она меня бесит!»

— А с такой, что у Илюши сын родился, — с той же фальшивой улыбкой сообщила Людмила. — Не слышала? В его честь и назвали.

Это был бред, но какой-то уж очень будничный — бред в продуктовом магазине, среди замороженных продуктов и кондиционированного воздуха. Наташа сделала глубокий вдох и приказала себе успокоиться.

— Бог знает, что вы говорите, — промолвила она наконец. Пальцы, оттянутые тяжестью пакетов, совсем онемели, но ставить их на пол она не хотела. Это бы значило, что она принимает все всерьез и желает обсудить. А она вовсе этого не желала!

— Бог-то знает, — значительно подтвердила та. — Пора и вам узнать.

— Вы же вышли замуж после смерти Ильи!

— Верно. А мой сын родился через шесть месяцев после похорон.

«Вранье, от начала до конца!» Это была первая мысль. Вторая: «Она хочет напугать меня, поиздеваться. Что ей остается?»

— Да, я вышла замуж, — угрожающим тоном продолжала Людмила. — И нечего на меня так смотреть! Что мне было делать? В монастырь уйти? Но замуж я выходила уже беременная, и мой муж об этом знает. Я ни от кого не пряталась!

— Погодите-ка... — Наташа опустила пакеты на пол. — Вы всерьез хотите доказать, что родили ребенка от Ильи? Не от мужа?

— Наконец дошло!

Теперь Людмила торжествовала. Она улыбалась, и ее глаза почти исчезли в складках пухлых щек.

— Вышла замуж через четыре месяца после смерти Ильи, а еще через два — родила. Но учти! — Она

грузно оперлась о прилавок. — В свидетельстве о рождении ему поставили мою фамилию. Я ее и не меняла. А отцом указала Илью. Что ты теперь скажешь?

«Это неправда, — подумала Наташа, не в силах оторвать глаз от этого ухмыляющегося пухлого лица. — Она с ума сошла! Кто бы взял ее замуж, да еще с пузом! От Ильи? Ребенок от Ильи?»

— Когда он погиб, я была на третьем месяце, — продолжала Людмила. — Правда, еще ничего не знала.

«Только бы она не ухмылялась... Она становится отвратительной, когда ухмыляется. Где я читала, что если улыбка красит некрасивое лицо — то это лицо на самом деле красиво, а если портит красивое — то оно уродливо? Она невероятно уродлива, когда улыбается!»

— Я уж вас до поры не трогала, — продолжала та. — Подумала — я не нищая, подожду! Тем более муж меня любит, у нас, слава богу, все есть. И еще эта твоя сестричка, Аня, была уж совсем блаженная, с ней и связываться не хотелось. Но теперь... Будь спокойна, с тебя-то я все возьму. До копеечки.

— Вы...

— А ты думала — подарю свою часть?

На них уже все смотрели — и продавщицы за соседними прилавками, и покупатели. Наташа подняла с пола пакеты. Нужно было что-то сказать, как-то ответить на эту немыслимую чушь. Но она не могла. В голове было совершенно пусто.

— Вам придется это доказать. — Она услышала себя будто со стороны. — Доказать, что он сын Ильи.

— А ты думаешь, это трудно? — Та даже не понижала голос, ее могли слышать все. — Конечно, труп для экспертизы ДНК откапывать не станем, пусть покоится с миром! А мой муж сдаст анализы! И анализы покажут, что сын ему — не сын, никаким боком! И в ЗАГСе подтвердят, что мы с Ильей собирались пожениться, когда я уже была беременна! И соседи подтвердят, что я жила у него в доме! А сын у меня абсолютно доношенный — и это докажем! Будь спокойна — докажем все, что нужно!

Наташа отвернулась и молча двинулась к выходу. Ей казалось, что дверь страшно отдалилась, и она некоторое время думала, что упадет в обморок. Подойдя к двери, долго дергала на себя ручку, прежде чем сообразила, что эта створка заперта.

— Зайду к тебе после работы! — крикнула ей в спину Людмила. Голос у нее был довольный, почти благодушный. Голос человека, получившего все, что ему нужно для счастья. — Все обсудим, утрясем.

Наташа не ответила.

Она медленно шла домой. В тени было еще не жарко, но по шее стекали капли пота. Пряди волос прилипли к вискам.

«Что говорила эта ужасная баба? У Ильи остался сын? Наследник? Да что это творится... Ничего не понимаю! Что же она молчала до сих пор! Нет, тут что-то не так, какой-то подвох! Я докажу, что она врет и метит на половину наследства! Стоит только вникнуть в дело, и все станет ясным! Она просто пытается взять меня на испуг, но этот номер у нее не пройдет!»

Наташа перехватила пакеты покрепче. Один уже начинал рваться. Мысли были разумные, справедливые, но не успокаивали. Совсем не успокаивали.

«Что она там болтала про экспертизу? Что можно доказать таким образом? Установить отца методом исключения? Глупости, ребенок может быть чей угодно! Начиталась светских новостей, дурища! Там, куда ни глянь, отец определяется по анализу мочи. Какая мерзость! Мужчины уже совсем стыд потеряли, даже самые богатые, не нужны им дети, и все тут. Лучше сто раз пописают в пробирку, чем признаются, что оставили потомство! Гадость!»

Пакет выскользнул из пальцев и хлопнулся на асфальт. Наташа подняла его и обреченно заглянула... В прозрачном пакетике с яйцами переливалось желтое месиво. Раньше она расстроилась бы — не сильно, но все-таки. Принеся пакет домой, она бы вытащила и вымыла уцелевшие яйца, остальное экономно слила бы в мисочку, отделив от скорлупы, — на омлет. Но сейчас она просто выбросила весь пакет в ближайшую урну и отправилась домой. И от этого неразумного жеста ей стало чуть-чуть полегче — и физически и морально.

Она приготовила завтрак, разбудила Павла, села с ним за стол. Поговорить о делах Наташа решила после того, как он поест. «Голодный мужчина — злой мужчина, даже если он добрый» — так гласила истина, которую она узнала с детства. Хуже голодного отца и братьев ничего быть не могло — она сбежала из дому еще и потому, что ей надоело готовить на эту ораву. Тогда ее место у плиты заняла Анюта.

— Ну что ж, — сказала она, убирая тарелки в мойку. — Пора тебе собираться.

— Как? — удивился Павел. — Ты что — останешься?! Мы же вчера договорились!

— Ни о чем мы не договорились, даже темы этой не поднимали, — возразила она. — Я не могу сейчас ехать.

— Из-за этой чепухи? — вырвалось у него. Павел осекся и тут же поправился: — Из-за того, что ты узнала? Да брось! Что ты можешь сделать одна? Давай вместе сходим в милицию, найдем следователя, ты все ему расскажешь. По крайней мере, тут уже что-то конкретное — любовник, деньги, отпечаток подошвы на подоконнике. Это уже не просто подозрения. Пойдем?

Она покачала головой:

— Сходить, конечно, можно. Но у меня почему-то нет уверенности, что делом займутся.

— Ну, разумеется. — Он начинал сердиться, несмотря на то что был сыт. — Ты все сделаешь лучше их!

— Может быть, — отвечала она, все так же спокойно и упрямо. — Потому что Анюта — моя сестра, а для них она — просто очередная самоубийца... Как завели дело, так его и закроют. Не очень-то они старались...

— Но погоди, времени прошло совсем мало!

— Достаточно, чтобы заинтересоваться ее любовником, — отрезала Наташа. — А они разве интересовались? Порылись в доме, поискали записку и ушли. Ну, с соседями поговорили. Уверяю тебя, все кончится ничем, если я не займусь делом сама.

— Ты что — собралась искать ее любовника по всему городу?

— Возможно.

— С ума сошла? — На этот раз в его голосе слышалось настоящее беспокойство. Возможно, Пав-

лу и в самом деле показалось, что жена ведет себя странно. — Это невозможно! Ты никого не найдешь!

— Может быть, он сам сюда явится.

Наташа сказала это неожиданно для себя и осеклась. Разве она думала об этом? «Да. Вчера, когда Паша стучал в дверь и заглядывал в окно, мне казалось, что пришел тот самый человек... И это он побывал тут ночью, помял рассаду под окном у Анюты. Он что-то искал в доме, а я ему была не нужна. Напротив, он старался орудовать потише, чтобы меня не разбудить...»

— И ты будешь его дожидаться?! — воскликнул муж. — А если он тебе горло перережет?

— Не перерезал же Анюте, — тихо возразила она. — Может, я просто хочу кое о чем его спросить... Почему он так поступил с моей сестрой? И что он тут забыл, ведь денег уже нет? Да много еще о чем.

— Я тебя одну не оставлю! — решительно заявил Павел.

«А придется, — подумала она, отворачиваясь и принимаясь мыть посуду. — Это ты только так говоришь. А через минуту вспомнишь, что до отпуска тебе еще ох как далеко, а брать за свой счет ты не любишь, потому что всегда боишься кого-то подвести или кого-то рассердить. Хотя мог бы взять — в мае у тебя всегда небольшой прием. Вот сейчас ты обдумаешь ситуацию и скажешь, что я должна тебя понять...»

— Ну, пойми же, — снова заговорил Павел, — я не могу торчать в этом доме и ждать, когда сюда явится бог знает кто! Пусть даже тот, кто нужен! Сколько это будет продолжаться? Неделю? Две? Ты соображаешь, что делаешь? А ребенок? О нем ты совсем забыла?

— Сам знаешь, что это неправда, — ответила она, не оборачиваясь. Ее даже не задели его упреки — настолько они были несправедливы. — Сам знаешь. Но сейчас мне нужно быть здесь. Ванюша может провести без меня несколько дней. Он давно уже не берет грудь, совершенно здоров и обожает бабушку. А та — его.

Она повернулась, вытирая руки, с которых капала мыльная пена. Ее глаза потемнели и казались серыми, а не голубыми, как обычно. И, встретив ее взгляд, Павел убедился, что она опять настоит на своем. Впрочем, как и всегда. Почти как всегда.

— Ты с ума сошла, — повторил он, сознавая, что эти слова все больше теряют смысл от частого повторения. — Окончательно рехнулась. А если с тобой что-то случится? Сын так и будет расти с бабушкой, да?

Она смолчала, осторожно убирая со лба прилипшую прядь волос. Муж подошел к ней, обнял за плечи. Теперь она не пыталась высвободиться, напротив, прижалась к нему. Ей было одновременно грустно и страшно. Он сказал то, о чем она и сама думала в последнее время чаще, чем хотелось бы. Что будет, если... Что будет с ее сыном, с мужем? Зачем она остается здесь — ради каких воспоминаний, каких призраков? Кто бы ни был виновен в смерти сестры, та останется мертвой, даже если виновного найдут. И деньги, даже если их удастся вернуть, никого не воскресят.

Ее обожгла постыдная догадка. «А вдруг Паша думает, будто я стараюсь из-за денег?! Ну а вдруг? По-

тому что, с его точки зрения, больше — не из-за чего! И только прикрываюсь любовью к сестре...» Она задумчиво поцеловала его в шею, он ответил неясным бормотанием.

— Что?

— Я говорю, что страшно по тебе соскучился. Об этом ты тоже не думаешь! Тебе все равно!

— Неправда... — Она снова поцеловала его, на этот раз в губы. — Пойдем?

Через полчаса, оправляя постель, она слушала его радостный голос из кухни. Муж собирал сумку, явно полагая, что после такого теплого примирения жена отправится в Москву вместе с ним. А как же иначе? Наташа не разочаровывала его до последней минуты, пока не вышла из спальни. Щеки у нее слегка горели, на душе стало легче, как будто с нее сняли невидимый, но очень ощутимый груз.

— Я буду звонить каждый вечер, — сказала она, следя за тем, как муж меняется в лице. Его улыбка погасла и странно искривилась, будто, взяв в рот леденец, он обнаружил, что конфета сделана не из сахара, а из соли. — На этот раз обязательно позвоню, только не от соседки, а с почты.

— Но мы же...

Она качнула головой, продолжая собирать на затылке волосы. Достала с полки бархатную резинку, соорудила «хвост».

— Я должна задержаться, хотя бы ненадолго. — И так как он молчал, добавила: — Не могу я все это бросить. Понимаешь? Никогда себе не прощу, если сбегу. А ты поезжай, не бойся за меня.

И, встретив ее взгляд, он понял, что уговаривать жену бесполезно. Прощание получилось каким-то странным — не то холодным, не то неловким. Они наспех расцеловались, и он ушел, хлопнув сперва дверью, потом — калиткой.

— Ну, ты своего добилась, — сказала Наташа, остановившись посреди опустевшей кухни. — Рада?

Но никакой радости она не испытала.

Глава 7

И в самом деле, думала она, легко сказать, но трудно сделать. Найти этого парня, а как? Ходить по улицам и спрашивать всех более-менее подходящих мужчин: «Простите, а не вы ли это с моей сестрой?..» Обратиться к соседям? Обращалась уже, что толку!

«Исповедь, меня спасет только исповедь. Анюта жила с ним вне брака, стало быть, считала это грехом и обязательно рассказала бы священнику. Значит — к Татьяне!»

Но возле зеленого бревенчатого дома, где располагалась библиотека, ее ждал очередной удар. Дверь была заперта. Прочитав расписание, вывешенное на косяке, Наташа убедилась, что не увидится с Татьяной целых два дня. Выходные...

«Крошечная библиотека, что с нее взять, работает не каждый день... Куда теперь? Я не знаю, где живет Татьяна. А если пойти прямиком к ее брату?»

От этой мысли ей было как-то не по себе. Нет, в этом молодом рыжем священнике не было ничего устрашающего, напротив — он с первого взгляда вызывал доверие. Его ясные глаза улыбались, смотрели так прямо и приветливо, и говорил он с ней мягко, участливо... Но все-таки...

«Вот так войти и сказать: «Нарушьте закон еще раз, выдайте мне тайну исповеди! Ради моей сестры!»? Сказать-то я, возможно, и решусь, но что он мне ответит?»

— Ку-ку! — раздалось за ее спиной.

Она обернулась и разом помрачнела. Людмила стояла у крыльца и с вызывающим видом жевала булочку. На ней был голубой форменный халат, в котором женщина красовалась за прилавком. Она кусала сдобную булочку так, будто та воплощала всех ее личных врагов, — язвительно и резко. Наташа великолепно поняла, кому была адресована эта пантомима.

— Почитать решила? — поинтересовалась та. — А у нас как раз обед, — и махнула рукой в сторону соседнего двора, где располагался магазин.

Наташа спустилась по трем деревянным ступеням, взглянула на часы. Она бы посмотрела куда угодно, только не на Людмилу, и старалась держаться независимо. Снова неудача — та неожиданно придвинулась к ней и взяла под руку. Наташа почувствовала жар ее расплывшегося тела и сделала попытку вырваться. Напрасно — та только крепче прижала локоть. Это походило уже на бойцовский захват, а не на родственную ласку.

— Я думала, что ты сбежишь, — доверительно сообщила Людмила. — После нашего разговора...

— Незачем мне бежать, — отрезала Наташа, делая еще одну попытку освободиться. — И некуда! Как будто вы меня не найдете!

Людмила заулыбалась и отпустила ее.

— Ну и хорошо, что некуда, — примирительно сказала она. — И ты молодец, что понимаешь — я все равно тебя нашла бы, рано или поздно. Так что мы с домом решили? Продаем — не продаем?

— Послушайте, — теряя терпение, ответила Наташа. — У меня срочные дела. Обсудим это потом, если только...

— С кем дела? С Танькой, что ли? — Та кивнула на запертую дверь. — Ну, если с ней, то, скажу я тебе!..

И, быстренько дожевав булочку, сообщила по порядку, что: Танька — стерва, свела в могилу мужа, и как это умудрилась выскочить замуж с такой поганой рожей, да еще за молодого мужика, много моложе себя?! А также: библиотекарша прикидывается тихоней, но в тихом омуте всем известно, кто водится! Верить ей нельзя. И еще: Танька бы многое могла рассказать о том, как Анюта наглоталась таблеток, но молчит. И не без причины!

Весь этот поток грязи вылился так стремительно, что Наташа оторопела. Было такое впечатление, что ударили молотком по засорившейся канализационной трубе и нечистоты густым потоком хлынули наружу. Она уловила только последние фразы и после паузы попросила повторить.

— Говорю — она что-то знает, но молчит!

— Что знает? Откуда? — Мысли у Наташи путались. — Откуда вы все это знаете?

— Оттуда, что я, в отличие от тебя, живу здесь, а не в Москве, — заявила та. — И между прочим — неподалеку от вас. Переехала к мужу. А Танька каждый день приходит ко мне в отдел за покупками.

— И что из того? — Наташа понемногу приходила в себя. — Что вы конкретно знаете?

Взятый ею официальный тон разозлил собеседницу. Та некоторое время смотрела на нее взглядом,

который, вероятно, считала уничижительным, а затем заявила:

— Да я-то кое-что знаю. Только разговаривать с тобой неохота. Что ты из себя корчишь? — и двинулась прочь небрежной гуляющей походкой, извлекая из кармана пряник.

Наташа поспешила за ней:

— Да я ведь серьезно спрашиваю! Что вы знаете?

— Какое там «серьезно», — не оборачиваясь, ответила Людмила. — Просто поиздеваться хочешь. Ну, давай, давай! Самой дороже обойдется!

— Поиздеваться?!

Скандалистка круто развернулась, и Наташа чуть не наткнулась на ее пышную грудь.

— Да ты же с первого момента надо мной измывалась, — твердо сказала Людмила. — Прямо сразу, как познакомились. Или ты думаешь, что я ничего не видела? Что ты одна — умная, потому что институт закончила?

— Но...

— Да, я в институте не училась, — продолжала собеседница, воинственно размахивая пряником. Проходивший мимо мальчик изумленно посмотрел на них и прибавил шагу. Вероятно, ему показалось, что сейчас они схватятся — обесцвеченная оплывшая блондинка и рыжая худая женщина с перепуганными глазами.

— Не училась, и что с того?! — наступала та. — Что ты о себе вообразила? За кого меня принимаешь?

— Я...

— А ну, помолчи! — отрезала Людмила. — Я была для вас слишком тупой, да? Слишком простой? Ты же на меня волком смотрела, а морщилась так, будто у тебя зубы болят! Ни разу слова по-человечески не сказала, даже когда умер Илюша! Не подумала, что я тоже что-то чувствовать умею, ни разу...

У нее на глазах выступили слезы. Наташа не ощущала ни рук, ни ног — ее будто парализовало. Резкие выкрики всегда вызывали у нее такое ощущение, будто вся кровь вытекла из тела. «А ведь она права, — смутно подумала женщина. — Если бы я с ней обращалась чуть-чуть иначе, может быть, все сложилось бы по-другому... Говорит, будто Карамзина цитирует: «И крестьянки чувствовать умеют!» Но нет — глупости! Зачем мне было себя насиловать! Я ее всегда не выносила!»

— Обращались как с собакой, — трогательно произнесла Людмила, возводя взгляд к небу и смаргивая слезинки. Она дышала тяжело, но постепенно начинала успокаиваться. — Все вы, все! Ни разу доброго слова не сказали, а что я вам сделала? Твоя Анюта смотрела на меня как на чуму, и ты шарахалась, а муж твой, тот вообще меня не замечал...

— Люда... — Она впервые назвала ее уменьшительным именем, и это далось нелегко. Пришлось сделать над собой усилие. — Люда, я тебя прошу, успокойся. Я виновата перед тобой, но пойми меня...

Эти простые, явно вымученные слова подействовали на Людмилу самым неожиданным образом. Она тихонько, жалобно вскрикнула и заключила Наташу в объятия. Та была настолько ошеломлена, что уже не думала ни о том, как они смотрятся со стороны (как две идиотки!), ни о том, искренний ли то был порыв (скорее всего, нет...).

— Люда, я очень сожалею... — шепнула она в горячую мягкую грудь, пахнущую уксусом и ванилином. — Прости.

— Да я-то... — захлебывалась та. — Простила! Давно простила!

«Врет!» — подумала Наташа, стараясь не вдыхать испарения потного тела.

— Мне-то от тебя ничего не надо!

«Ох! А утром что говорила!»

— Мне нужно только, чтобы ты со мной по-человечески... — тянула Людмила. Ее грудь вздымалась все спокойней, и она слегка ослабила объятия.

«Вот истеричка! Как мне от нее избавиться?!»

— Если бы ты со мной по-хорошему... я бы тоже тебе многое рассказала, — продолжала та. — А так... Зачем унижаться?

— Люда, прошу тебя...

— Да все уже! — Та вытерла слезы, которые, впрочем, уже успели высохнуть на мягком теплом ветру, и с улыбкой взглянула на Наташу. — Разберемся! Мы с тобой вроде как родственницы.

«Опять она за свое!»

— Скажи, Люда. — Она чуть не произнесла «скажите», но вовремя спохватилась — это могло обидеть собеседницу. — Ты вполне уверена, что знаешь что-то насчет Анюты? Потому что я с ног сбилась, а так ничего и не узнала. Соседи ничего не замечали, в милиции ни о чем не знают...

Она пыталась говорить просто и доверительно, но получалось плохо. Несмотря на порыв Людмилы, ее слезы и признания, Наташу все равно воротило от одного вида этой фальшивой и агрессивной женщины. А уж от ее пронзительного голоса... «Хотя она же не виновата в этом!»

— Дело нечистое, — в последний раз вздохнула Людмила. Она уже окончательно успокоилась и даже снова принялась за пряник, который так и держала в руке во все время истерики, умудрившись его не уронить. — Все что-то подозревают, но никто ничего не знает. Кроме Таньки.

— А почему вы... ты так думаешь?

— Так они же были подругами!

— И что? Я с ней уже говорила — ничего она не знает.

— О чем? — спросила Людмила. Ее глаза смотрели уже по-прежнему — цепко и оценивающе. — О чем именно?

Наташа замялась:

— Ну, почему Анюта это сделала...

— Значит, была причина, — размеренно произнесла Людмила. — А как можно умереть без причины? Не сошла же она с ума? Девчонка была хотя и странная, но совершенно нормальная.

«Слышал бы мой муж!»

— Ну-ка, что у тебя на уме? — продолжала Людмила, разглядывая несостоявшуюся золовку, которая всячески пыталась спрятать глаза. — Ты же что-то откопала, так? Только говорить не хочешь? Вообще никому или только мне?

Та, наконец, решилась. «Хуже не будет! А если будет, то есть же поговорка: «Мертвые сраму не имут». Анюта уже не услышит, как о ней сплетничают».

— У нее был кто-то, — сказала она. — Парень. Только вот не знаю кто.

Никакого ответа. Людмила жевала пряник, на сей раз перенеся взгляд на пыльную дорогу, как будто видела там что-то очень интересное. Потом пожала плечами:

— Ну и я так думаю. Откуда ты узнала?

— Так, кто-то ляпнул.

— А кто же?

Пришлось сослаться на провал в памяти. Людмила явно не поверила, но настаивать не стала. Она вдруг заговорила на удивление серьезно и просто.

— Ну, может, кто-то еще их видел, потому и пошли слухи, — задумчиво продолжала та. — Все может быть. Так оно и случается. Люди зря не скажут.

— А ты? Ты сама видела?

Кивок. Последний кусок пряника исчез у нее во рту, был пережеван и проглочен. Людмила осведомилась о времени, и выяснилось, что ее обеденный перерыв заканчивается.

— Вечером поговорим, — деловито пообещала она.

Но Наташа не собиралась сдаваться так просто. Видела? В самом деле видела или только притворяется, чтобы придать себе значимости?

— Ты знаешь его? Я так поняла, что ты видела Анюту с каким-то парнем? Кто это был?

— Ах, да отпусти ты меня, — капризно заявила та, хотя Наташа вовсе ее не держала. — Видела — не видела... Глупостями занимаешься! Подумала бы лучше, куда деньги делись!

И с этими словами исчезла во дворе. Наташа двинулась было за ней, но чуть не попала под машину. Она попросту не заметила автобус — настолько ее резанула последняя фраза, оброненная будто невзначай, но явно с расчетом.

«Деньги? Так она знает про деньги? Откуда?! Ведь никто про них не знал! Немедленно догнать и...» Она вовремя остановилась. Наташа поняла, что подобный разговор просто невозможен в магазине, куда сейчас как раз входят покупатели, накопившиеся за время перерыва. Как можно это обсуждать на людях?

«Но какова Людмила? Разыграла истерику... Или, может быть, не разыграла, была вполне искренней, но... все равно своего добилась. Сперва ошеломила меня своей душевностью, потом задала пару вопросов и окончательно добила. Может быть, она и не знает ничего? Так, догадывается? Должна же она понимать, что при заработках Ильи он должен был что-то накопить! Не дура ведь, ох не дура! Сегодня это стало ясно! Думает, что деньги после Ильи остались, а поскольку она их не увидела, стало быть, их забрали мы с сестрой. Вот почему она вообще произнесла это слово — деньги. Да, все может быть и так... Но парень? Зачем ей что-то выдумывать про Анютиного парня? Как это ей вообще в голову пришло?!»

Она стояла на обочине, не решаясь ни двинуться дальше, ни повернуть назад. Идти сейчас к священнику? А что еще остается? Но как попросить о таком?..

Откуда-то сверху послышался тихий мелодичный голос, окликавший ее по имени. Наташа испуганно оглянулась и увидела библиотекаршу. Ты выглядывала из окна барака на втором этаже.

— Вы ко мне? — все так же негромко спросила она. — Заходите, я вас встречу.

— Вы... живете здесь? Прямо здесь?!

Та слегка прикрыла створку окна и задернула занавеску.

* * *

Наташа никогда не была в жилой части барака, и ее сразу неприятно поразил запах — пахло чем-то кислым, сырым и еще, пожалуй, — мышиным поме-

том. Запах древнего подвала, где с прошлого года забыли бочку квашеной капусты и поскупились на мышеловки. Запах, никак не вязавшийся у нее с Татьяной и библиотекой за стеной.

Хозяйка встретила ее на веранде. Им пришлось переступать через всякий хлам — старые кирзовые сапоги, эмалированные миски с остатками еды, осколки стекла. Миновали коридор, по обеим сторонам которого располагались комнаты, поднялись наверх. На втором этаже было чуть почище, и подвальный запах казался не таким заметным. «А может, я принюхалась, — решила Наташа, оглядываясь по сторонам с любопытством и некоторым испугом. — Ведь, в сущности, что тут экзотического — простая коммуналка, только стены из бревен!»

— Моя комната. — Татьяна отперла — именно отперла ключом, а не просто открыла дверь, приглашая гостью.

Наташа сразу увидела знакомую крохотную девочку — та сидела за столом в углу и что-то вырезала из цветного картона. Малышка подняла голову, неприветливо взглянула на гостью и продолжила свое занятие.

— Поздоровайся же! — обратилась к ней мать. — Скажи сама знаешь что.

— Здрасте, — бросила та, склоняя голову так низко, что длинная темная челка чуть не попала под ножницы.

— Это она в садике учится вежливости, а я ее потом переучиваю, — со вздохом заметила Татьяна, снова запирая за собой дверь на ключ. Этот жест насторожил Наташу, хозяйка поняла и тихо пояснила: — Соседи. Нет, они ничего, но лучше сохранять дистанцию...

— Алкаши, — неожиданно донеслось из угла. Замечание было весомым и резким.

— Уж скажет, так скажет, — грустно вздохнула мать. — И в кого она только пошла?

— Как тебя зовут? — Наташа подошла к ребенку, рассмотрела ее поделки. — Это слон, да? А это, м-м-м... Да уж. Кто?

— Тигр, — храбро окрестила та существо, сильно похожее на синего верблюда со всеми признаками базедовой болезни. — Меня звать Оля. — И снова погрузилась в свое занятие.

Наташа не знала, как начать разговор, что сказать — ее застали врасплох. И потом — не обсуждать ведь такие вопросы при ребенке! Татьяна предложила чаю — она отказалась. Библиотекарша внимательно на нее взглянула:

— Вы по делу, да? Узнали что-то еще?

— В некотором роде. А выйти некуда? Хотелось бы поговорить наедине.

— Разве что пойти на улицу. — Татьяна оглянулась на дочь. — Вы не хотите говорить при ней? Тут уж ничего не поделаешь, выбор невелик. Или я ее запру, или придется взять с собой. В садик она сегодня не пойдет... Но не хотелось бы запирать — в прошлый раз она подожгла занавески. Не понимаю, где взяла спички и вообще — зачем это сделала... Я пыталась расспросить, но ничего не добилась. Оля? Ну зачем?!

— Отвали, — лаконично ответила крошка.

— Неудивительно! Как можно запирать такую маленькую?! — изумилась Наташа. — Я лично сунула две спицы в розетку, примерно в ее возрасте. И как раз потому, что мне только что запретили это делать —

специально показали, как нельзя... Дети все на один лад — первопроходцы! Но неужели вы так боитесь соседей?

— Алкаши, — снова донеслось из угла. Девочка, по всей видимости, внимательно прислушивалась к разговору, хотя внешне никак этого не проявляла. Из-под ее ножниц продолжали выходить диковинные животные, от одного вида которых Дарвин упал бы в обморок.

— Соседи, в сущности, не опасные, но уж очень неприятные люди, — пожаловалась Татьяна. — Если дверь открыта, могут запросто завалиться в комнату. Начинают ныть, несут всякую чепуху, знаете, как это бывает у пьяных... Лезут к ребенку — вот тебе конфетку, вот печенье... А от самих так и разит перегаром! — Женщина чуть смягчила тон. — В сущности, они были бы хорошими людьми, только спились. Бесповоротно! Уж не знаю, кто из них умрет первым — муж или жена... Вот на первом этаже живут семьи поприличней, хотя там тоже пьют... Правда, не так ужасно.

— Зачем же вы тут живете? — вырвалось у гостьи.

— Негде больше, — просто ответила та и усадила ее на диван. — Ну, говорите, что у вас?

— В общем... — Наташа снова оглянулась на девочку и понизила голос: — Мне бы с вашим братом побеседовать. Хотя было бы лучше, если бы вы сами с ним поговорили... По-семейному... Я даже не знаю, как его о таком просить.

— А в чем дело? — насторожилась та.

Еле слышно, шепотом, Наташа рассказала об Анютином парне, которого никто толком не видел, но который, безусловно, существовал. И добавила:

— Она ведь должна была рассказать об этом на исповеди, так?

Татьяна как-то странно смотрела на нее — будто жалела, но не могла сказать за что. Потом качнула головой:

— Бесполезно.

— Ваш брат не согласится? Но ведь все останется между нами, я никому не скажу!

— Не потому. — Она легонько коснулась ее руки. Пальцы показались ледяными, хотя в комнате было тепло. — Дело в том, что Анюта с февраля не была на исповеди. В церкви появлялась, это да, и молилась, и свечи ставила, за здравие и за упокой, но и только. Брат заговаривал с ней несколько раз — молчит, отводит глаза. Меня просил разузнать, в чем дело... Но я отказалась.

— Отказались?!

— В чужую душу все равно не влезешь, — тихо ответила Татьяна. — А принуждать Анюту, допрашивать ее — это было мне не по силам. Я все ожидала, когда она сама что-то объяснит. И потом, ведь так бывает — ударится человек в религиозность, а через год-другой охладеет. И в церковь уже почти не ходит, разве что по праздникам. Начинающие — всегда очень усердные, но не все остаются такими потом. Приходят к Богу как в магазин — вот вам это, а взамен дайте мне то...

— Значит, с февраля... — пробормотала Наташа. — Что ж, примерно так я и думала. Значит, тогда это и началось...

Татьяна ничего не ответила, только резко растерла висок — это был нервный, привычный жест человека, часто страдающего от головной боли. Встала.

— Вы не побудете десять минут с ребенком? Мне нужно в магазин, а я так не люблю, когда она сидит одна.

— Мам, купи «чупа-чупс»! — заверещала Оля. — И еще...

— Только «чупа-чупс», — строго ответила мать. — Сегодня ты не слушалась.

— Слушалась ведь!

— И сейчас не слушаешься! — Татьяна взяла сумку и вышла, снова заперев за собой дверь. Видно, это действие стало для нее совершенно автоматическим, и она не подумала о том, как должен себя чувствовать взрослый человек, которого внезапно заперли на ключ.

Наташу это слегка покоробило — уж очень смахивало на бесцеремонность. «Но с другой стороны, я ведь незнакома с соседями. Вдруг это такие монстры...» Девочка тем временем рассматривала ее — пристально и беззастенчиво.

— Вы — сестра тети Ани, мне мама сказала, — раздались, наконец, слова. — А тетя Аня умерла.

— Верно, — согласилась Наташа. — Сколько тебе лет, малышка?

— Сама такая! Четыре, — бойко ответило дитя и после паузы неохотно уточнила: — Скоро четыре.

— А я думала — пять!

Эта нехитрая лесть мгновенно подкупила детское сердце, и Оля начала улыбаться. Улыбка у этой девочки была большой редкостью — Наташа уже успела это отметить. «Хотя с чего ей, спрашивается, улыбаться? Живет в бараке, соседи достают, мать нищая, отец умер».

Оля снова заскрипела ножницами, а гостья принялась оглядывать комнату. Здесь было чисто, довольно уютно, но каждая деталь обстановки свидетельствовала о бедности, в которой живут здешние обитатели. Дешевые тюлевые занавески, кровать, застланная блеклым льняным покрывалом, попавшим сюда прямо из шестидесятых годов. Еще советской поры телевизор, обшитый полированным деревом, — Наташа сильно усомнилась в том, что он работает. Было не похоже, чтобы хозяйка в последние годы что-то покупала. «А на что покупать? — подумала Наташа, все больше проникаясь жалостью к девочке. — На жалованье библиотекаря? А ее брат тоже живет небогато, хотя — по сравнению с ней, конечно... Да, Анюта нашла себе подругу по душе. Она тоже была равнодушна к вещам, просто на удивление».

Девочка стала потихоньку напевать себе под нос. По всей вероятности, она успела забыть о гостье. А Наташа, продолжая осматриваться, невольно вспомнила то, что услышала всего полчаса назад. «Стерва? Прикидывается тихоней? Да, такую женщину, как эта библиотекарша, Людмила должна была возненавидеть с первого взгляда. Полная несовместимость! Конфликт духа и материи... Но что она плела насчет того, что Татьяна сознательно замалчивает какие-то сведения о смерти Анюты? Надо глубоко ненавидеть человека, чтобы такое сказать! Правда, я еще не слышала, как она говорит обо мне — наверняка еще хуже...»

Ее передернуло. Она вспомнила, на что намекал муж: многие решат, будто смерть сестры ей на руку, ведь наследство делить не придется. Благодатная почва для сплетен... Мысли снова вернулись к Людмиле. «Что с ней делать? Поверить ей на слово насчет ребенка я не могу. Это было бы несусветной глупос-

тью. Есть некоторая вероятность, что эта правда, ну а если меня просто берут на испуг? Ведь когда я продам дом и поделю деньги, обратного хода для меня уже не будет, даже если спохвачусь. Значит, нужно выяснять, кто отец... Посоветоваться с юристом. Это лучше сделать в Москве. Так, что еще?»

В замке повернулся ключ, хозяйка вернулась с покупками. Оля требовательно подняла руку и, получив «чупа-чупс», снова занялась своими поделками.

— А откуда вы вообще узнали, что у нее был парень? — спросила Татьяна, начиная разбирать пакеты. — Кто-то сказал? Их видели вместе? Может, просто хотят оговорить Анюту? Уверена, что слух распустил Егор! Вряд ли он простил ей отказ!

Наташа уклончиво сообщила, что теперь уже знает об этом из двух независимых источников, и стала прощаться. Хозяйка попыталась было ее удержать, снова предлагала чай, спрашивала, куда она так спешит. В ее глазах металось беспокойство, она явно была возбуждена. Наташа с трудом сумела от нее уйти, и получилось не очень вежливо. Уход был скорее похож на бегство.

«Однако как она беспокоится об Анютиной репутации! — думала Наташа, шагая в сторону станции. — Просто с ума сходит от одной мысли, что у Анюты была какая-то личная жизнь! А я была бы этому рада, если бы все не кончилось так плачевно. Нет, с этим типом я поговорю. Даже если он вообще ни в чем не виноват, поговорю! Хотелось бы знать, почему он проигнорировал похороны?! Там все лица были знакомые, и никто на героя-любовника не тянул!»

Она решила осуществить идею, которая только что пришла ей в голову. Конечно, расспрашивать о сестре всех соседей было попросту немыслимо. Во-первых, это в самом деле ударило бы по Анютиной репутации, пусть даже посмертной. Сам вопрос был уж очень щекотливым. Но можно было поступить иначе — дождаться, пока тот, кто видел девушку с кавалером, скажет об этом сам, в разговоре, — как это сделала Людмила. Правда, она пока отказалась что-либо прояснить, но Наташа была твердо убеждена — вечером та не выдержит и все выболтает. А сейчас она собиралась навестить пятачок у вокзала, где стояли такси. Там дежурили старые приятели Ильи, и они хорошо знали Анюту. Когда та шла на рынок, всегда подходила к брату, если он был в это время на стоянке. Они могли что-то заметить... У таксистов, как правило, глаз наметанный, и уж они-то не упустили бы из виду сестру Ильи, гуляющую с каким-то парнем.

«А если вблизи дома они не гуляли, значит, делали это где-то в другом месте, поодаль. Начать следует со станции. Вдруг повезет?»

Ее узнали, и это было неожиданно приятно. «Сколько угодно я могла думать, что все связи порваны, но вот со мной здороваются местные таксисты — и у меня на душе так тепло... Будто кошка легла на грудь».

— Как дела? — приветствовал ее коренастый парень, неуловимо похожий на Илью. Он протянул ей руку, и Наташа приняла рукопожатие.

— Хорошо, — в тон ему ответила она. — Насколько это вообще возможно.

— Знаю, — кивнул тот. — Сочувствую.

Пустые, дежурные слова, но она чуть не расплакалась. Улыбаясь сквозь слезы, оглядела площадь, стари-

ков, торгующих газетами, сосисками, фиалками... «Это мое место, мое детство. Это мое, мое, пусть даже я сбежала отсюда!»

Странные сентиментальные мысли, удивительное ощущение уюта — как запах родного дома, который невозможно разложить на компоненты.

— Анюту похоронили, — сказала она, разглядывая площадь сквозь цветную призму слез.

— Я знаю. Что ж такое делается... — тихо отозвался таксист. — И почему она...

— Никто не знает почему.

К ним постепенно присоединялись другие таксисты. Наташа не думала, что ее до сих пор тут помнят — и помнят все. Горячие потные руки, такие надежные, сильные... Она вспомнила руки Ильи, руки отца и внезапно расплакалась — сладко, не стыдясь. Все, что женщина подавляла в себе последние дни, вылилось наружу — и ей было хорошо.

— Весной ее видел, — сказал кто-то. — Мимо проходила, я ей дал конфетку. Сразу съела.

«И тут ее почитали за блаженную!»

— А похорошела-то как, — говорил тот же голос, — выпрямилась, расцвела... И вот вам!

— Анечка даже замуж собиралась, — раздался другой голос — густой, солидный.

Наташа обернулась. Да, это он — тучный таксист с тонким шрамом через правую щеку. Она помнила его чуть ли не с детства. Частный извоз в те годы еще не легализовали, но этот мужчина всегда дежурил со своей побитой «Ладой» возле самого табло — там, где толпились опоздавшие на электричку пассажиры. В каком-то смысле он был патриархом здешних частников, которые нынче гордо рисовали на бортах своих машин слова: «Такси по вызову. Тел. ...»

— Замуж? — переспросила она. — То есть... как?

— Ну, тебе-то не надо объяснять, как это делают! — заявил он и добродушно заулыбался. — Сынок здоров?

— Да, но... Моя сестра собиралась замуж?!

— Ну, если это не называется «замуж», тогда не знаю что, — все с той же безмятежной улыбкой отвечал он. — Уж так его обнимала, что будьте-нате! И еще купила обручальные кольца в ювелирном. У меня там сестра работает.

Он указал через дорогу, на маленький магазин, возле которого со скучающим видом дежурил охранник — в камуфляже и с автоматом наперевес. Однако, несмотря на свой грозный вид, он совершенно не замечал нелегального валютчика в двух метрах от себя и, казалось, интересовался только местной популяцией ворон. В данный момент истрепанная в драках ворона пыталась клюнуть в зад рыжую бродячую собаку. Собаке было все равно — она предавалась меланхолии.

— Вам сестра сказала, что Анюта купила кольца?!

— Зачем? — спокойно ответил таксист. — Сама Анюта и сказала, когда мимо шла. Я ее спросил, что прикупила в ювелирном, потому что видел, как она туда вошла. А она достала из сумки коробочку и кольца показала — так, на ходу. А потом спустилась в переход со своим парнем.

— Кто он? — У Наташи сел голос. — Кто?

— А я не знаю кто, — бросил он и устремился к машине, к которой как раз подошел потенциальный клиент. Уже через плечо, садясь за руль, патриарх бросил: — Первый раз его видел!

«Вот вам маленький городок, — подумала она, глядя вслед отъезжающей машине. — Все всё видели, все со всеми в родстве... Но никто ничего не знает, а знает, так не скажет!»

Глава 8

Ювелирный магазин был крохотный — один маленький зальчик, разделенный надвое решеткой. В первой части располагался обмен валюты, во второй — два небольших прилавка с золотом и серебром. Поскольку речь шла об обручальных кольцах, Наташа прошла сразу к золоту.

Бледная молоденькая девушка как раз укладывала в футляр тонкую золотую цепочку. Она артистично продемонстрировала, как золотая «колонка» скользит по ее тонкой руке, ловко приколола цепочку к картону булавкой, пропустила один конец под резинку и, закрыв футляр, отдала покупательнице. По всему было видно, что свою работу девушка любит, и эти несложные, но такие красивые действия, связанные с драгоценными металлами, доставляют ей большое удовольствие.

Покупательница ушла, и только тогда Наташа обратилась к продавщице:

— Извините, это не ваш брат водит такси? Там, у станции?

Продавщица испугалась:

— Что с ним случилось?

— Ничего. Он только что сказал, что вы мне можете помочь.

Девушка успокоилась, но по-прежнему недоумевала, и Наташе стоило немалых трудов разъяснить, в чем дело. Продавщица выслушала ее просьбу и едва заметно улыбнулась:

— Как я могу запомнить всех, кто покупает кольца? Это невозможно. У нас тут, знаете, постоянных клиентов немного, это не продуктовый магазин, — и гордым взглядом окинула свое маленькое царство — изумруды, сапфиры, цирконы...

— Но может быть, вы все-таки вспомните мою сестру и этого парня? — настаивала Наташа. — Они были у вас совсем недавно... У вас ведь не так много покупателей!

Продавщица даже обиделась.

— Конечно, дорогие вещи покупают реже. — Она указала на витрину, под которой лежали изделия с изумрудами и сапфирами. — Но обручальные кольца, да еще весной, когда сплошные свадьбы?

В ее голосе звучала ирония, но Наташа решила не сдаваться. Последняя зацепка! Возможно, последняя, если только не разговорится Людмила. А если та решит помучить ее и поводить за нос? А если не видела ничего толком, а видела, так неправильно поняла? Что тогда? К кому обратиться?

— И вообще, зачем вам это нужно? — все подозрительнее спрашивала девушка. Уже и ее товарка прислушивалась к разговору, постепенно смещаясь в их сторону.

— Дело в том, что женщина, которая купила у вас кольца, недавно умерла, — тихо произнесла Наташа. — Замуж она так и не вышла. Мы даже не знаем, кто был ее жених...

Это произвело впечатление. Продавщица была изумлена.

— Не знаете?! Как этого можно не знать?

— Да вот — не знаем. Я живу в Москве, сестра — здесь, мы редко общались.

— Но тогда в ЗАГСе должно быть заявление! — молниеносно среагировала девушка. — Если она купила кольца, то, значит, они и заявление подавали!

«Умница! — воскликнула про себя Наташа. — Я должна была сразу подумать об этом!»

— Так что ступайте лучше в ЗАГС, — посоветовала та. — Даже если на свадьбу не явились, то заявление все равно там, а в нем и имя жениха, и прописка!

Наташу ветром выдуло из магазина. До ЗАГСа было недалеко, и она почти всю дорогу бежала. Ворвалась в вестибюль, чуть не свалив огромную пальму, подвернувшуюся ей на пути, мигом нашла нужный кабинет и нужного человека. Полная брюнетка с лицом восточного типа хладнокровно выслушала ее сбивчивую просьбу, осталась не слишком довольна и заявила, что никаких справок давать не собирается. Пусть эта запыхавшаяся дама идет в милицию. Ей пришлось рассказать ту же историю, что в ювелирном, но с более жалостными и яркими подробностями. Та слушала, хмуря аккуратно выщипанные брови, и, казалось, далеко не всему верила. Однако кончилось тем, что она согласилась порыться в бумагах. Наташа ждала, нервно присев на краешек стула.

— Сперва посмотрим за май, — сообщила хозяйка кабинета и развязала тесемки картонной папки. — Да, всякое бывает... Не все являются... Далеко не все... Я бы вам тоже могла порассказать... Вчера тут невеста два часа ждала, и кортеж приехал, и свидетели пришли, а он взял и не явился. Имеет право, по закону... Сами не знают, чего им надо... Бывает, что и невеста в последний момент не явится, передумает... Я насмотрелась...

«Оставила бы свои замечания при себе, — думала Наташа, глядя, как пухлые руки, унизанные кольцами, лениво листают бумаги. — Уж моя сестра явилась бы! Но что-то ей помешало! Кольца купила, бедняжка! Какова деталь — купила их сама! *Сама!* А вообще-то это должен делать жених. Какие выводы? Сидел без денег! Коробка с деньгами, лакомый кусочек, а вся эта свадьба — только для отвода глаз. Как обокрал, так и смылся... Двойной удар. Это должно быть в мае, в мае...»

— Нету такой фамилии, — сообщила регистраторша. — Посмотрим апрель.

Но ни апрель, ни март тоже не дали никаких результатов. Отчаявшись, Наташа попросила просмотреть и зиму, начиная с января. Она была твердо уверена, что искать следов в более далеком прошлом не стоило. В таком случае при последней встрече сестра поделилась бы с ней радостью.

— Ничего, — сказала, наконец, брюнетка. — А вы уверены, что они собирались регистрироваться у нас?

— То есть?

— Думаю, жених — не из наших мест, а стало быть, он мог назначить регистрацию по месту своего жительства. В Москве, скажем, или в другом районе Московской области. Да где угодно!

Наташа была сражена. Обыскать все ЗАГСы Москвы и области? Поднять все заявления, поступившие за зиму и весну от не явившихся на регистрацию пар, учитывая, что известно только имя невесты?! Кому это под силу?

Она вышла на улицу, чувствуя, что потерпела еще одно поражение. Снова! След показался таким ярким, что на этот раз она почти верила в успех, но нет... «Охочусь за каким-то призраком и ничего о нем не знаю. Знаю одно — он негодяй! И вор в придачу! Позволил девушке купить кольца — позор! И где они теперь? При обыске дома их не нашли, значит, последовали за коробкой с деньгами! Да он ее дочиста обобрал!»

Эта неудача ее обессилила. Мелькнула мысль, которую пытался внушить ей муж, — переложить все хлопоты и подозрения на чужие плечи. Снова пойти к следователю — авось да удастся его чем-то заинтересовать. Но... Где гарантия, что удастся? В самом деле, что случилось? Покончила с собой старая дева. Покончила, судя по всему, добровольно. Есть, конечно, кое-какие доказательства, что она имела любовника и что тот ее обокрал. Деньги, кольца... Свидетельство таксиста — тот покажет, что видел ее с парнем. Если повезет, то и Людмила скажет свое слово. И что дальше? Парня будут искать. Обратятся за справкой в ЗАГС, снова опросят соседей, знакомых. И что же выяснят?

«Ничего, — ответила себе Наташа. — Ничего не выяснят, потому что отложат дело в долгий ящик. В самом лучшем случае — отправят запросы в московские ЗАГСы, но и это маловероятно. Да, собственно, кому какое дело до Анюты? Померла и померла. Насчет пропавших денег я ничего доказать не смогу. Она ведь могла их попросту потратить, а коробку выбросить... Это скажет любой следователь, но я-то знаю, что все было не так! А уж если заикнусь про часы — меня тем более не станут слушать.

Это настолько невероятно, что я сама себе с трудом верю. И соседка не поверила, и Паша посмеялся. Что он там сказал? Даже сломанные часы два раза в сутки показывают точное время... Может, мысль и глубокая, но в ней заключается насмешка. Просто не хотел прямо назвать меня дурой. Он не поверил мне — муж, человек, ближе которого у меня никого нет... Просто не осталось».

Обратный путь до станции показался ей бесконечным.

Она шла медленно, углубившись в раздумья, едва замечая магазины, машины, прохожих. Начинался дачный сезон, и народу на улице стало намного больше. Приехали москвичи. Наташа подняла голову — снова ювелирный. Охранник куда-то исчез, а вот нелегальный валютчик дежурил у входа, красноречиво помахивая пачкой рублей, перетянутых резинкой. Он приветливо посмотрел на Наташу, видно предполагая в ней потенциальную клиентку. Это был симпатичный молодой парень с широким смуглым лицом. Наташа поймала его взгляд, и он сразу заулыбался. Женщина удивилась. «Первый раз его вижу, а он со мной как со знакомой...»

— Поменять желаете? — ласково спросил парень. — Ваша сестра всегда у меня меняла.

Наташа вздрогнула:

— Моя сестра?!

— Ну да, черненькая такая. — Он провел рукой вокруг головы, изображая Анютину гладкую прическу.

— Вы знали ее? — Наташа подошла ближе. Только теперь она заметила, что ювелирный магазин закрылся на обед. Тем же объяснялось и отсутствие охранника.

Парень ответил, что знал, и давно. Уже не первый год она меняла у него доллары. Слышал о ее смерти, сочувствует... Он кивнул в сторону площади, и Наташа сразу все поняла. Конечно, ему все рассказали таксисты. Они-то точно имели дела с этим пареньком. «Я уже отвыкла тут жить, а ведь следовало помнить — даже если ты кого-то не знаешь, то тебя многие могут знать в лицо. Он меня помнит. Наверное, как-то подошли к нему вместе с Анютой поменять деньги. Все это как в тумане».

— Так, может, вы и ее парня помните? — как можно непринужденней сказала она. Но голос прозвучал сдавленно, как ей самой показалось. Впрочем, валютчик ничего не заметил — он кивнул, и его улыбка стала еще лучезарней.

— А узнать его вы смогли бы? А описать?

Вот эти вопросы точно оказались лишними — тот сразу насторожился.

— Что случилось? — недоверчиво буркнул он, инстинктивно оглянувшись по сторонам. Доброжелательное выражение лица как ветром сдуло.

Наташа поспешила оправдаться:

— Ничего не случилось, просто не могу его найти. Адреса у меня нет, имени не знаю. Какой-то кошмар! Хотелось бы с ним побеседовать.

Но парень по-прежнему стоял с кислой миной. Было ясно, что взволнованная дамочка ни покупать, ни продавать валюту не будет и, стало быть, обхаживать ее дальше и разговаривать на семейные темы не стоит.

— Да я его тоже не знаю, — неохотно выдавил он наконец. — Я с ним незнаком.

— Но какой он хотя бы из себя? — упрашивала Наташа. — Вы же видели его, и не раз, верно?

Валютчик совсем завял.

— Он приходил с моей сестрой менять деньги, так? — настаивала она. — Часто?

— Ну, можно сказать, что да. Последнее время — всегда вместе, — вымолвил тот. — Вы мне толком скажите — что случилось? Он ее обокрал, что ли?

— Нет-нет!

Наташа отлично понимала, что в разговоре не должно быть ни малейшего намека на уголовщину. Иначе тот сразу сообразит, что его могут притянуть свидетелем, да еще, возможно, по мокрому делу, а уж это, при его-то роде занятий, вовсе нежелательно. Конечно, милиция знает о нем все. Конечно, он платит, конечно, он относительно чист перед законом. Наташе не случалось слышать, чтобы местные «жучки» кого-то надули. В Москве — да, но здесь, в городе, где все друг друга знают, такой бизнес не продержался бы и недели. К валютчикам просто перестали бы подходить, и спрятаться им было бы негде. И парню вовсе не хотелось попасть в историю...

— Просто исчез, да странно как-то, с концами, — объясняла она, выдумывая на ходу. — Беда в том, что я-то его ни разу не видела, а соседи — только мельком, в лицо не помнят. Ну и думаю — раз моя сестра умерла, то вдруг он тоже... что-то с собой сделал? От горя?

«Прости меня господи! Сделает такой с собой что-то! От горя, как же! Пропивает с какой-нибудь тварью Анюткины деньги! И обручальные кольца тоже — сволочь!»

— Ну что я могу сказать, — слегка расслабившись, протянул валютчик. — Видеть-то я его видел... Обычный такой пацан...

— Молодой?

— Ну не старый. Вроде бы как ее ровесник, около того. — Валютчик задумался, заведя глаза к бледному небу, подернутому облаками. — Ни то ни се, ничего примечательного. А что, вы и впрямь ничего о нем не знаете?

— Ничего.

— Вот как бывает... — философски заметил он. — Ну, что еще... Одет обычно, не в костюм, скорее — в джинсы. Или там в треники — не помню. Ну не в галстуке точно. Да! — Он вдруг оживился. — Он в очках!

— Так-так, — подобралась Наташа. Наконец-то хоть одна конкретная черта! Все прочее в качестве примет никуда не годилось. — Тёмные очки?

— Обычные. Очкарик, короче.

— Ага... А волосы какие — темные, светлые?

— Светлые вроде, — засомневался парень. — И еще он такой, в теле. Не накачанный, а просто с брюшком. Не жирный, нет, упитанный просто.

«Ну и герой романа! Очкастый, с брюшком!»

— Больше ничего не припомню — он-то ко мне не подходил, курил в сторонке, пока ваша сестра деньги меняла.

— Он курит? — Наташа была возбуждена. Деталей немного, но все — ценные. Она почти видела внутренним зрением этого проходимца и возненавидела его еще больше, как только он начал обретать плоть и кровь. — Хорошо. А откуда они обычно приходили? Оттуда?

Она указала в сторону перехода, но тут валютчик спасовал:

— Ну, знаете, я же не следил за ними! Я не глазею по сторонам, у меня клиенты!

— Извините, — сдалась Наташа. — Спасибо вам большое, помогли...

— Да ничего, — буркнул тот, теребя в руке пачку денег. Его лицо приобрело хмурое выражение — он как будто раздумывал над чем-то. И вдруг остановил женщину, которая уже собиралась отойти: — Вот еще что. Не знаю, надо вам это или нет...

— Мне все надо!

— Я вот что заметил: доллары мне всегда давала она, а вот рубли, которые получала, передавала ему. Отойдет в сторону, отдаст, он сунет в карман, ну и пойдут куда-то — к рынку, наверное.

Наташа стиснула зубы. Так и есть. Все еще хуже, чем она предполагала. Анюта сознательно содержала любовника! Сознавала она или нет весь этот позор, всю ложность этой ситуации — неизвестно. Но когда стареющая девушка влюбляется впервые, она способна на такие глупости и самоуничижение... «Грабеж был естественным следствием. Он распоясался от такой кротости и захотел получить сразу все. Ох, сестричка... Меня тут не было, когда ты сходила с ума по этому ничтожеству! Тебя некому было защитить!»

— Сколько она обычно меняла? — отрывисто спросила Наташа. Ей казалось, что валютчик отлично видит ее смятение и стыд.

— Сто, как всегда. Только в последнее время — почаще обычного. Раньше приходила раз в две недели, а тут вдруг — каждую неделю. А то и еще чаще.

Наташа поблагодарила его и пошла прочь. Ноги сами понесли ее к переходу, и она пришла в себя только на другой стороне, оставив позади истерическое визжание гармоники, на которой играл нищий, торговые ряды и шум поездов.

Она могла быть довольна — хоть что-то узнала. И вместе с тем не чувствовала никакого удовлетворения. Прежде всего потому, что ей не с кем было обсудить свои успехи. «Что делать? С кем посоветоваться? С Пашей — нет, пробовала уже. В прежние времена я пошла бы к соседке, но сейчас это невозможно. Кажется, она обиделась надолго, если не навсегда. Не нужно было с ней так резко. Кто остался? Женька? К чему она мне... Женька сделала все, что смогла, и больше ни на что не годится. Татьяна слышать не может о том, что у Анюты был любовник. Наверное, не поверит в него, даже если увидит лицом к лицу. И кто остается?»

Оставалась Людмила. Она-то, разумеется, обсудила бы все и всех, и осудила бы в придачу, с основаниями и без таковых. Но можно ли верить ее словам? «Что ж, вечером она явится, и я все выясню. Прежде всего пусть сама опишет парня, с которым якобы видела Анюту. Если описания не совпадут — значит, врет. Не могло быть у Анюты двух женихов зараз. А пока пойду к близняшкам, заберу вещи».

Сестры были дома и вышли отпирать дверь одновременно. Они всегда ходили друг за дружкой по пятам и все делали вместе, если, конечно, это было возможно. Наташа сразу отметила, что Инна тоже вытянулась и очень похорошела. Она была бы совсем красавицей, если бы не замкнутое и подавленное выражение лица. Девушки хором поздоровались и пригласили гостью войти.

— Мы одни, — сообщила Ирина.

— Хотите чаю? — осведомилась Инна.

Наташа заметила свою сумку — та стояла в большой, по-деревенски захламленной кухне. Сестры жили с родителями в частном доме, очень похожем на тот, где провела детство сама Наташа. И все же этот дом отличался от ее собственного. Какие-то забавные игрушки, рассаженные на полках. Цветы на окнах, трехцветный котенок, кокетливо выглядывающий из свалившегося набок валенка... Разбросанные по столу книги вперемешку с чайной посудой. Порядка здесь не было, а вот уют — был. «Потому что тут живут, а не умирают... — подумала Наташа. — Не так, как у некоторых».

От чаю она не отказалась и, пока Ирина накрывала на стол, обменялась с ней несколькими фразами. Инна тем временем скрылась в глубине дома.

— Вы узнали что-нибудь? — шепотом спросила Ирина. — А то я волнуюсь, что вчера вам наговорила...

— Да почти ничего не узнала, — так же тихо ответила ей Наташа. — Думаю все же, что наши с тобой дела никак не связаны. А почему она ушла?

— Ой, — выдохнула девушка, снимая чайник с огня. — Инка стала такая запуганная, всего стесняется, боится. Я ей сказала вчера, что вы теперь все знаете, так она чуть не заплакала. Вы никому — ладно?

— Никому! — пообещала Наташа и тут же вспомнила, что уже не сдержала слова. Павел знал... Но можно ли было брать его в расчет? В Москве никому не было дела до сестер-близняшек, изживших свои старые комплексы благодаря маньяку.

— Значит, ничего не узнали, — расстроенно повторила Ирина, наливая чай. — А я думала... Ну да ладно. Главное, чтобы это не повторилось.

Наташа с ней согласилась. Про себя она подумала, что вторичное появление насильника на Акуловой горе маловероятно. И уж тем более возможность его повторного нападения на Инну... Но девушки казались такими озабоченными, поникшими, что она не стала спорить.

— Нам как-то мало проку от того, что мы со всеми заговорили, — герестно рассказывала Ирина, предлагая гостье домашнее печенье. — Мама рада, отец счастлив, да и вся родня тоже... Они ведь переживали, что с нами что-то не так. По врачам водили... Даже на платного психолога деньги нашли. Ведь с таким недостатком ни на работу не устроишься, ни замуж не выйдешь — правда?

— Ну, это смотря какая работа попадется и какой муж... — любезно ответила Наташа.

Но девушка отмела все возражения, тряхнув белокурыми волосами:

— Нет-нет, и думать было нечего! А нам ведь уже по двадцать! А что теперь? Инка из дому не выходит — какая там работа, какой жених! Даже на свой шейпинг ходить перестала. А я с ней сижу, тоже, знаете, боюсь... Короче, стало еще хуже, чем было.

— Ничего, пройдет время, успокоитесь, — утешала ее Наташа. — В конце концов, ничего ведь не случилось. Вот у меня, к сожалению, все уже непоправимо...

— Вы в милиции были?

— Была — что толку. Сама кое-что узнала, но пока ума не приложу, что с этим делать.

— Что узнали? — У девушки вспыхнули щеки. Она придвинулась ближе, и Наташа заметила, что ее сестра молча вошла в кухню и остановилась у дверей, тоже желая послушать.

— Девочки, мне бы пока не хотелось рассказывать...

— А мы не скажем никому!

— Ну, те времена уже прошли.. — Она с улыбкой оглядела парочку. — Раньше вам можно было доверить тайну, а теперь вы — самые обыкновенные болтушки!

Даже Инна улыбнулась, а Ирина — та прямо засмеялась.

— И все-таки, мы ничего не скажем, — уверяла она. — А вдруг сможем помочь?

Наташа решилась и кратко, не вдаваясь в подробности, поведала кое-какие сведения о любовнике Анюты. Сестрички были потрясены. Они переглядывались, а когда гостья умолкла, чуть не в один голос заявили, что этого не может быть!

— Чтобы ваша сестра? — негодовала Ирина. — Да никогда!

— Я тоже не верю, — вступила в разговор Инна. — Мы никого у нее в гостях не видели.

— Да разве вы часто там бывали?

— Нет, но все равно должны были знать. А соседка? Эта толстая сплетница? — фыркнула Инна. — Если она чего-то не знает, значит — этого не было! Вы спрашивали ее?

— И не раз. Все, девочки. — Наташа поднялась из-за стола. — Будем надеяться, что дело на этом не кончено. А вы помните, что мне обещали? Никому!

Ее проводили до калитки. Девушки все время о чем-то перешептывались у нее за спиной, и, нако-

нец, более смелая Ирина заявила, что они готовы внести свой вклад в розыски мифического парня.

— Мы тоже можем походить, поспрашивать...

— Ну нет, вы только все испортите. А то и насторожите кого-нибудь, — отказалась Наташа. — Лучше держитесь от меня подальше.

Она не хотела признаваться, что боится за девушек. Ведь все еще неизвестно, с кем ей придется иметь дело. Ясно одно — у этого парня нет никаких моральных принципов. Даже если он невиновен в смерти Анюты, то его равнодушие к ее смерти, к похоронам говорило о многом. «Он просто использовал ее и перешагнул через мертвое тело, — думала Наташа, поднимаясь с сумкой к своему дому. — Перешагнет и через меня, если я буду ему мешать. А уж через этих девчонок — подавно. Они сейчас так напуганы, что толку от них все равно не будет».

У нее уже вошло в привычку проверять все запоры на окнах, едва войдя в дом. Сейчас она сделала то же самое, и снова убедилась, что окна в ее отсутствие никто не отворял. Но этого ей показалось мало — она обшарила весь дом, от подпола до чердака, и только тогда немного успокоилась. «А ведь у меня развивается мания преследования, — сказала она себе. — И нервы стали никуда... Разве обязательно нужно жить здесь? Женька приняла бы меня на пару дней, да еще с удовольствием».

Но идти к подруге не хотелось. Наташа инстинктивно чувствовала, что если покинет это место, то никогда ничего не узнает. Все линии сходились здесь.

Все улики тянулись сюда. И сюда же после работы должна была прийти Людмила.

Та явилась в половине десятого, когда начинали опускаться сумерки. Наташе послышались за окном голоса, она выглянула и узрела свою несостоявшуюся родственницу, перекликающуюся через забор с Еленой Юрьевной. Беседа была неожиданно теплой, почти доверительной. Людмила интересовалась здоровьем тучной дамы, жаловалась ей на собственные недуги и ругала врачей — разве они что-нибудь понимают? Если у человека нет денег, они и разговаривать с ним не будут!

— Это так, без денег они не лечат, — громко соглашалась соседка. — А ты чего здесь?..

— В гости.

— А-а... — протянула та, сразу меняя тон. — Ну-ну. — И, развернувшись, грузно зашагала в дом.

Людмила скользнула на крыльцо, и Наташа в ту же секунду ей отперла.

— Вы что — поссорились? — сразу выпалила она. — Чего это она сразу завяла?

— Да ничего. Давай к делу.

Визитерша покладисто согласилась. К делу, так к делу — ей скрывать нечего. Она в своих правах уверена.

И Наташа снова выслушала душераздирающую историю о том, как беременная Людмила внезапно овдовела, была бессердечно обижена семьей будущего мужа, буквально выгнана на улицу. Как ей тяжело пришлось потом — даже не с кем было поделиться горем. А уж когда она узнала о будущем событии...

«Ну прямо «Отверженные» Виктора Гюго, — иронически думала Наташа. — На улицу ее выгнали,

как же! Она сама кого хочешь выгонит, затем и явилась!»

— Правда, с мужем мне повезло, — говорила та, очевидно страшно жалея саму себя. — Я ему голову не морочила. Сразу, как он стал ухаживать, все ему выложила. А он мне — плевать, ребенок не виноват, тем более ты же замуж собиралась. Все под богом ходим. Ну и женился, хотя живот у меня уже был ой какой заметный... Когда играли свадьбу, я была уже на седьмом... И ничего — никто на мой счет не шептался! — Это она произнесла с вызовом, а затем горестно вздохнула и вытащила сигареты. — Только мой мужик обижался, что я решила не записывать его отцом. Но я на своем настояла — чтобы отчество было правильное, как следует, а фамилия — моя, девичья.

— Предусмотрительно, — пробормотала Наташа.

— А ты как думала? — мгновенно ощетинилась та. — Обо всем нужно подумать. У самой ребенок, должна меня понимать.

— Люда, ты меня прости, но это уж очень смахивает на сказку, — упорно повторяла Наташа. — Ну, положим, было у вас с Ильей заявление в ЗАГСе. И сынок у тебя доношенный — слава богу. И даже, предположим, ты все это докажешь, соберешь бумажки, наймешь адвоката... И что дальше? Будешь со мной судиться?

— Буду, — спокойно согласилась та. — Если не договоримся по-хорошему.

— По-хорошему — это сколько?

Ее моментально поняли, и Людмила, не мудрствуя, назвала сумму. Наташа вскочила, толкнув стол:

— Господь с тобой! Двадцать тысяч долларов?

— Не горячись, подруга, — хладнокровно заметила гостья. — Что ты скачешь, как ненормальная? Что я такого сказала?

— Но это же куча денег!

— Никакая не куча, а ровно половина рыночной цены всего этого барахла. — Она небрежно обвела взглядом стены. — Ну и земли, понятно. Я ведь походила по агентствам, поспрашивала, сколько они могут за него дать. Там, конечно, такие сидят жуки... В одном говорят — тридцать тысяч дадим сразу. В другом — можем попробовать за тридцать пять продать, но придется подождать... А в третьем я вела себя уже умнее и сказала, что не продавать такой дом желаю, а покупать. Все им расписала — где, чего и сколько земли, и мне ясно ответили — это стоит сорок тысяч, дамочка. И то — если повезет, потому что застройка тут небольшая, места мало, и не очень-то кто-то отсюда переезжает. Наоборот, все сюда рвутся.

Наташа заметила, что у нее начинают дрожать пальцы — нервной безвольной дрожью. Она сжала кулаки:

— Люда, это безумие! Ты судишь по ценам агентства, а ведь они включили сюда свою наценку! Кто же в здравом уме заплатит за этот дом сорок тысяч!

— Покупатели в агентстве платят же, — разумно возразила та.

— Но это нереальная цена! Тридцать... Я всегда знала, что красная цена этому дому — тридцать тысяч!

— Грабеж! — твердо ответила Людмила. — Мы не миллионеры, чтобы деньгами кидаться! Вот что, подруга, давай не будем собачиться, а вместе пойдем к оценщику — пусть нам все объяснит. Может, я не-

множко заломила, но разве ты не хочешь получить за дом побольше? Самой же лучше будет!

— Так ты обо мне заботишься?

— А то как же? И не вздумай крутить — я все равно все узнаю! В любом случае половина — моя. Ты что предпочитаешь — половину от сорока тысяч или от тридцати?

Людмила говорила вроде бы здравые вещи, но хозяйка не могла к ней прислушаться и оценить ее практичность. Ей было омерзительно само присутствие этой женщины, ее скользкие взгляды, скрипучий голос, но особенно пугала эта ее неожиданная полнота. Будто другая, толстая женщина проглотила тощую Людмилу, и та теперь чревовещала у нее из живота — невидимая, но по-прежнему наглая и напористая.

— Это невозможно. — Наташа старалась говорить твердо, но, увы, теперь и голос дрожал, да как-то униженно, рабски. Она уже не могла совладать с собой. — Никто не даст за дом сорок тысяч.

— А мы поищем и найдем. — Людмила говорила совершенно спокойно, в отличие от своей жертвы. Она была почти снисходительна, увидев, до какого состояния довела хозяйку дома. — Я же никуда не тороплюсь.

— Господи!

— Да ладно тебе! — отмахнулась та. — Говорю тебе, что найдем покупателя. Отдавать дом за бесценок? Кстати, эта, — кивок на темное окно, — еще не подкатывалась?

— Елена Юрьевна? Откуда ты знаешь?

— А я все тут знаю, — усмехнулась Людмила. — Все ее подходцы как на ладони — участок соседний, ты у нас сейчас в затруднении, вот она и нервничает. Представь — если мы кому-то продадим дом, —

она уже говорила «мы», — когда он ей достанется? После дождичка в четверг!

— Ну перестань же! — Наташа почти кричала. Ей было стыдно своего волнения, но поделать она ничего не могла. А Людмила неожиданно послушалась — она встала из-за стола, налила стакан воды и подала Наташе:

— На, попей... Что ты вся трясешься, ну? Я же все понимаю, тебе нелегко. Конечно, всей семьи лишилась... Разве я на тебя нажимаю? Ты говоришь — суд, адвокат... Мы свои люди — сами разберемся...

— Д-да... — Женщина стучала зубами о край стакана, с трудом удерживая его в руке.

— Ну, сядь, сядь... — Людмила с ловкостью усадила ее на диванчик под окном. — Что ты в самом деле... Так расстраиваешься из-за дома? Ну, должна же ты признать, что я имею права!

— Да... Только перестань об этом!

— Уже перестала, — легко согласилась она. — Ты же меня о другом хотела спросить, помнишь? Насчет сестры...

Наташа сделала над собой усилие, и ей удалось выпить воду. Руки как будто перестали прыгать, в глазах прояснилось. Откуда-то явилась совершенно бесполезная, никчемная мысль — она снова не позвонила мужу, а ведь обещала. А теперь уже поздно. Что он подумает? Что ей в самом деле плевать на ребенка? А Людмила мирным голосом начала рассказывать о том, что ей довелось увидеть в начале весны.

— Я как раз шла с работы, было уже темно, и вижу впереди — идет твоя Анютка с каким-то кавалером. Не под ручку, правда, но все равно видно, что вместе. Шли в эту сторону, вроде бы домой...

— Ты уверена?

— А как же! Я их, правда, не догоняла, но все равно узнала ее со спины. Это ее пальтецо паршивое... А вот его — нет, не разглядела.

— И узнать не можешь?

— Нет, — с сожалением призналась Людмила. — Единственное, я заметила, что парень плотный и блондин. Они как раз прошли под фонарем, а он был без шапки. Уже оттепель была... И еще мне показалось, что...

— Он был в очках, да?

Вопрос вырвался помимо ее воли. Наташа забыла о своем обещании — не помогать Людмиле «вспоминать», чтобы не быть обманутой. Но эффект был сильный — та отодвинулась и пристально посмотрела на собеседницу.

— Погоди. Что же ты меня спрашиваешь, если сама его знаешь?

— Я не знаю, никогда не видела. Так, люди сказали.

— Ага... Ну да, вроде он был в очках. Они перешли через дорогу, ну а там дворы, и фонарей, сама знаешь, почти нет... Так что больше я ничего не знаю. — Людмила деловито закурила. — Я даже расстроилась, что не догнала их тогда. А почему бы и нет? Я Анюте не чужая, поздоровались бы, а заодно бы и парня рассмотрела. — И, выпустив струю дыма, с сожалением добавила: — Не догадалась...

Наташа окончательно пришла в себя. Она отставила пустой стакан в сторону и поинтересовалась, не было ли еще подобных встреч.

— Нет, — с досадой ответила Людмила. — Во второй раз я бы их не упустила...

Она раздавила окурок в блюдечке и встала, закрывая сумку.

— И еще я тебе хотела сказать насчет Таньки. Можешь мне не верить, но все-таки послушай. Она врет — все врет про Анютку.

— Слышала уже, — мрачно ответила Наташа. — Хотелось бы доказательств.

— Доказательств? — остановилась в дверях Людмила. — Ну а что, если я тебе скажу, что Танька их тоже видела?

Наташа встала:

— Быть не может!

— Почему это? Я знаю, что она видела. Точно знаю!

— Она мне ничего не сказала! Она вообще говорит, что никакого парня у Анюты не было! — срывающимся голосом повторяла Наташа. — Это бред какой-то! Почему я должна верить тебе, а не ей?!

Людмила отворила дверь и обернулась. В ее голосе звучала невыразимая ирония, граничащая с жалостью, когда она говорила, что Наташа, к сожалению, верит не тем, кому надо.

— Я не хочу на нее наговаривать, — сказала она напоследок. — Может, у Таньки есть причины молчать... Но она врет и не краснеет, и ты, подруга, еще в этом сто раз убедишься! — С этими словами она затворила за собой дверь и пропала в темноте.

Глава 9

Барак иной раз не затихал до глубокой ночи. До слуха случайного прохожего доносились пьяные выкрики, гул голосов — смутный и вместе с тем агрес-

сивный. Светились почти все окна, завешенные дешевыми занавесками. Темно было только в библиотеке и еще наверху, в комнате, где обитала с дочерью библиотекарша.

Наташа стояла на обочине дороги и смотрела на эти темные окна. Она никогда не боялась гулять в позднее время, особенно здесь, дома. Фигуры, выходившие на нее из мрака, на поверку оказывались знакомыми. Не боялась она и сейчас — ей только на минуту стало жутковато, когда она спускалась с горы и выходила в город по узенькому проулку, между глухих покосившихся заборов. Через гаражи она не пошла, хотя там и горел фонарь, — ей слишком памятен был рассказ Ирины. «В гаражах — маньяк. Отца погубила река, Анюта умерла в доме, Иван погиб внизу, на болотце... Смерть, смерть, везде смерть, как эхо, а ночь такая нежная...»

И вот она стояла под окнами барака, стрелки на часах подходили к полуночи, и женщина совершенно не представляла, что ей теперь делать.

Она не поверила Людмиле. Точнее, не поверила ей до конца. Злой язык чего только не скажет... Но все-таки та говорила так яростно и убежденно, что Наташа была озадачена.

«У нее должны быть веские причины ненавидеть Татьяну. Она говорит так, будто хорошо ее знает, но откуда? Они, конечно, не подруги, даже вряд ли — близкие знакомые. Не могу себе представить, что Людмила ходила к ней в библиотеку. Она ничего, кроме иллюстрированных журналов, не читает. И откуда она знает, что Татьяна тоже видела парочку? Может, Татьяна тоже была на улице, когда Людмила сделала свое открытие? Но библиотекарша могла просто ничего не заметить...»

Из окон первого этажа понеслась нестройная песня, потом раздался женский визг, моментально прервавшийся звоном посуды и градом ругательств. Наташа слегка поежилась. Вертеп. А там, наверху, — беззащитная Татьяна с маленькой дочкой. Каково ей жить в такой обстановке? И деваться некуда.

Наверху, в одном из темных окон, мелькнул свет. Потом осветилась вся комната — Наташа разглядела цветочный узор на занавесках. К окну приблизилась тень, затем ушла вглубь. Наверняка хозяйку разбудил шум внизу.

«Никогда еще не чувствовала себя так глупо, — думала Наташа. — Встречаюсь со случайными людьми, расспрашиваю их, выворачиваюсь наизнанку... И вот сейчас стою под чужими окнами и думаю — войти, не войти...» Она никак не могла привыкнуть к подозрительным взглядам, которые бросали на нее в последнее время. Пожалуй, одни сестрички отнеслись к ней тепло и были готовы помочь — но они-то и были самыми бесполезными помощницами. «А прочие? Одни считают меня за дуру, другие — за сумасшедшую. Даже собственный муж держится как-то странно, после того как узнал о часах...»

Окна наверху все еще были освещены. Залихватская песня смолкла. На первом этаже стукнуло отворяемое окно. Наташа решилась.

Дверь в сени была отперта. Женщина впотьмах наступила на какую-то миску, едва не упала и долго стояла с сильно бьющимся сердцем, пока глаза не привыкли к здешнему освещению. Почти все двери в коридор были открыты, из кухни доносился сладкий запах жареного лука. Где-то тихо и скорбно плакал младенец, будто жалуясь на судьбу, забросившую

его в такое неприглядное место. Слышался мужской голос — он рассказывал какую-то бесконечную и глупую пьяную историю «про жизнь».

— Я пришел в магазин, а она мне говорит: «Чего ты очередь собрал, решайся давай, что покупать». А я ей говорю: «Я постоянный клиент, имею право». А она мне говорит: «Раз постоянный клиент, должен наизусть все знать, что тебе нужно». Ну я и взял водку и пиво, подумаешь, краля какая... Обидно! Уже и задуматься нельзя!

Наташа с трудом отыскала лестницу и поднялась на второй этаж. Постучала в дверь.

Шаги, а потом — спокойный, даже излишне спокойный голос:

— Мы спим.

Татьяна говорила так напряженно, что было ясно — ничего хорошего от такого позднего стука она не ждет. И Наташе снова стало ее жаль.

— Это снова я, — вымолвила она. — Извините, что поздно, но у вас свет горит... Я проходила мимо.

Последовала пауза. Наташа ожидала, что дверь немедленно будет отворена, но Татьяна неожиданно повторила:

— Мы уже легли. Давайте увидимся завтра, утром. В библиотеке.

— Но... — пробормотала Наташа и осеклась.

Ей явственно послышался мужской голос за дверью. Мужчина что-то кратко спросил, и тут же установилась тишина, будто на него цыкнули. Внизу, еле слышно, продолжал плакать младенец. Он постепенно успокаивался — наверняка его все-таки взяли на руки и теперь утешали.

— Тогда я приду завтра, — сказала, наконец, Наташа. — Во сколько?

— Да как хотите. Как только откроется библиотека. — В голосе слышалась все та же деланая учтивость. — Извините, но у меня спит ребенок, я не хочу его будить.

Наташа, в свою очередь, извинилась и отошла от двери. Она не была удивлена мужским голосом за дверью — вовсе нет. Скорее удивлялась себе. «Она показалась мне такой монашкой, а вот... Какая же я всетаки глупая! И почему всегда сужу о людях по первому впечатлению? Татьяна — привлекательная женщина, хотя уже и не молода. Почему бы ей не иметь личной жизни? И уж конечно, она не желает, чтобы в эту жизнь кто-то врывался, да еще в такое позднее время».

Наташа выругала себя за наивность и почти ощупью двинулась по коридору. Ее глаза различали только тонкие полоски света под дверями, и она едва успела отшатнуться, когда дверь у самой лестницы распахнулась наружу, едва не ударив ее по плечу. На пороге стояла темная оплывшая фигура.

— Это кто тут? — сипло спросила фигура. Судя по голосу, то была женщина, хотя женского в ней оставалось очень мало. Пахнуло кислым перегаром, Наташа брезгливо отвела лицо в сторону. — Кто это? — повторила фигура, и Наташа была вынуждена ответить:

— Я уже ухожу.

Тень двинулась к ней, и запах перегара ощутился еще отчетливей. Наташа испугалась. Вероятно, это была одна из тех личностей, о которых рассказывала ей Татьяна. Алкоголики? И безобидные? Так она как будто говорила. Но тень не выглядела такой уж безобидной, особенно когда протянула руку:

— У Тани была? Я думала, у ней мужик сидит, а это...

Наташа попыталась найти лестницу, но в потемках ей это не удалось. Дверь распахнулась еще шире, и она оказалась на свету.

— Да ты зайди, — пригласила ее фигура. — Заходи-заходи, не бойся! — И буквально потащила ее в комнату.

Наташа попыталась выдернуть руку, но в тот же миг у нее мелькнула странная мысль: «Почему бы и нет? Это отлично укладывается в мое поведение за последние несколько дней. Глупость за глупостью — иногда это дает результаты».

Ее немедленно усадили за стол. Казалось, хозяйка комнаты не могла перенести, чтобы гость стоял у порога как неродной — это ее унижало. Наташа обнаружила перед собой рюмку водки и тарелку с огурцом. Пьянство было обставлено настолько классически, что женщина даже не смогла возмутиться. В самом деле — что тут добавить? Водка, огурец... «Этакий минимализм. В своем роде пуританство... — подумала Наташа. — Сколько раз я видела этот натюрморт и столько же раз поражалась — как мало нужно человеку, чтобы стать... свиньей! Но ведь и это еще — не последняя степень падения. Последняя — это тела под забором, а это в своем роде — традиция».

— Давай выпьем, — предложила ей фигура, оказавшаяся на свету еще не старой женщиной. — А чего ты к ней ходила? — И немедленно опрокинула свою рюмку.

Пила она артистически — не поморщившись, не вздрогнув. «Значит, еще не дошла до крайней степени падения, — поняла Наташа. — Застарелые алкаши пьют иначе. Вот мой старший брат... Тот, бывало, корчился после своей порции. Смотреть было невозможно... Не человек, а оболочка человека, а внутри плещется водка...»

— Чего ж ты? — внезапно обиделась хозяйка, увидев, что рюмка Наташи стоит нетронутая. — Брезгуешь, что ли?

— Нет. — Наташа храбро взяла рюмку, затаила дыхание... И выпила. Алкоголь она не переносила, но водку пила легко. Первую рюмку ей налил отец — когда она закончила школу. Был устроен праздник. Иван, уже работавший на заводе, тогда еще только начинал «зашибать». Илья не пил, Анюта тоже. Отец все подначивал старшую дочку: «Ну что ты отворачиваешься, боишься, что ли? Как неродная!» И тогда она, переламывая себя, взяла полную до краев рюмку, поднесла ее к губам, ожидая немедленной смерти, рвоты, еще какой-то катастрофы... И неожиданно легко опустошила ее до дна, ощутив только легкость и тепло, да еще неприятный привкус на языке. Отец восхитился ее смелостью и налил еще. А потом вдребезги пьяная дочка слушала, как он толковал немногочисленным гостям о том, что потомство его не подвело, сразу видна родная кровь. Здоровому человеку все на пользу! Со времени того дебюта Наташа пила очень мало — так мало, насколько это было возможно, учитывая студенческую жизнь, праздники и всяческие иные поводы. Но теперь она решила, что повод есть. Водка не доставила ей удовольствия, однако успокоила и порадовала хозяйку.

— Молодец, — пробормотала та. — Не то что Танька. Ты ей кто?

— Да никто, — честно ответила Наташа. Водка слегка развязала ей язык.

— Ага. Давай еще?

Наташа мотнула головой, чувствуя, что алкоголь начинает завладевать кровью. Все стало чуть-чуть проще, и мир уже выглядел светлее. Рюмки снова были наполнены. Хозяйка моментально выпила, а гостья умудрилась выплеснуть свою порцию под стол. Промокла юбка, но что это значило по сравнению с тем преимуществом, которое она получила? Та размякла, а Наташа сохранила ясность мысли.

— Вот, например, ты, — немедленно пустилась в откровенности хозяйка. — Я первый раз тебя вижу! И вот села, выпила — как человек.

Наташа молчаливо соглашалась. Собственно говоря, отрицать свою человеческую сущность было бы глупо, да и спорить с пьяным — дело неблагодарное. Хозяйка нашарила смятую пачку сигарет и закурила, несколько раз промахнувшись горящей спичкой мимо кончика сигареты. «Хороша уж, — брезгливо подумала гостья. — По ее мнению, кто водку пьет — тот и человек. А может, даже и сверхчеловек, если пьет много. Где ее муж, интересно? Вроде бы Татьяна говорила, что тут живет семья».

— Села и выпила, — с тупым упорством повторила хозяйка. — А Татьянка? Ни разу. Ни разу! — И многозначительно подняла палец, требуя особого внимания к своим словам.

— Да уж, — дипломатично произнесла Наташа.

— И не говори. — Та отмахнулась и нечаянно ударила себя по колену. Рассмеялась: — Блин, поздно как... Где он шляется?

— Ваш муж?

— Ага, он... Сорняк такой. — И снова последовал дурацкий смех. — Вот придет и начнется... А без него хорошо, тихо. — И неожиданно представилась: — Лариса.

— Наталья.

— А что ты у Таньки делала? — осведомилась та. — Я тебя что-то раньше не видела.

— Да я в Москве живу, — подлаживаясь к ее тону, ответила Наташа.

Лариса поправила выкрашенные в рыжий цвет волосы, энергично растерла оплывшие розовые щеки. Она вся была яркая — но некрасиво яркая, будто смоченная водой акварельная картинка. Застарелый синяк обезображивал лицо, когда-то бывшее правильным и, возможно, даже красивым. Голубые глаза терялись под набухшими сизыми веками. В ушах качались дешевые серьги с поддельными камнями. Цветастый халат с трудом сходился на расплывшейся груди.

— А... в Москве... — протянула Лариса. — Ну, понятно. И как там?

— Да ничего особенного, — ответила Наташа на идиотский вопрос. В самом деле — как там? Наверное, так же, как и везде. В восемнадцать лет, убегая из дому, она бы не поверила, что когда-нибудь скажет такое. Москва казалась дивным, новым миром, где все будет иначе, чище, ярче... Возможно, подействовала выпитая рюмка, но, скорее всего, сам гнилой воздух барака постепенно отравлял ее.

— Сколько раз я ее звала — не идет, — продолжала Лариса. — Как будто мы бог знает кто... Между прочим, я сама — кандидат наук!

Наташа ошеломленно на нее взглянула. Хозяйка, весьма довольная эффектом, повторила:

— Да, вот так-то! Хочешь, документы покажу?

— Да я верю...

— Я физик, — уточнила Лариса. — Ну что, еще по одной? — И, не дожидаясь ответа, налила и выпила.

Наташа замешкалась, сливая водку под стол, но хозяйка ничего не заметила. Она совсем отрешилась от мира — глаза потеряли всякое выражение, и она с трудом сидела на стуле, грузно опершись щекой о ладонь расслабленной руки.

— И Таня это знает, — пробормотала она. — Знает, но брезгует. А почему? Кто она такая? Братом прикрывается — дескать, святая... А он ей вообще двоюродный или даже троюродный, седьмая вода на киселе. Корчит из себя бог знает что! Сперва мужа в гроб свела, потом на другого нацелилась... Дочку запирает, будто вокруг звери живут... Вот и сейчас у нее сидит мужик, что ж она о дочке не думает?! — Произнося последние слова, Лариса вызывающе обернулась к стене и повысила голос, будто желала, чтобы ее там услышали. — Ходит и ходит, каждый вечер ходит! — обвинительно звучал ее голос. — А дочка все видит! Олечка хотя и маленькая, но все уже понимает! Умница девочка! А этой дряни на все наплевать — только бы снова замуж выскочить!

— Татьяна собирается замуж?

— А я не знаю, — последовал ответ. — Какое мне дело? Я в чужие дела не лезу.

— Но вот вы сказали, что она первого мужа... — начала Наташа, но ее перебили:

— Это все знают, не я слух пускала.

— Как же это вышло?

Лариса снова посмотрела на смежную стену, но на сей раз понизила голос. Наташа пригнулась к ней, чтобы не упустить ни слова.

— Она замуж-то вышла уже под сорок, — хриплым шепотом заговорила женщина. — До этого жила одна. То есть совсем одна, понимаешь? Ни одного мужика у нее не было, все уж на нее рукой махнули. А тут вдруг подвернулся какой-то... Лет на десять ее моложе. Это все тут было, на моих глазах.

Лариса закурила и заговорила еще тише, так что гостья с трудом могла различить слова. Из рассказа стало ясно, что этот внезапный ухажер всех удивил — всех, кроме самой Татьяны. Она восприняла его ухаживания как должное, и не прошло нескольких месяцев, как библиотекарша вышла замуж. На время она исчезла из барака. Говорили, что переехала к мужу. Впрочем, вскоре она вернулась — одна и уже с заметным животом.

— Я сразу испугалась, спросила: неужели бросил? Ты бы ее видела... Посмотрела на меня, как солдат на вошь, и так сквозь зубы процедила: «С чего это вы взяли? Мне просто тут удобнее».

Муж Татьяны с тех пор появлялся в бараке только набегами. Его поведение было весьма таинственным, приходы непредсказуемыми — он мог явиться в любой день недели, в любой час. Они все еще были женаты официально — это было нетрудно знать, поскольку сама Татьяна говорила о своем замужестве, не делая ни из чего тайны. Однако между супругами пробежала черная кошка.

— Он никогда не оставался на ночь, — доверительно шептала Лариса. — Придет, попьет чаю и снова исчезнет. Даже не ужинал у нее никогда. Я его как-то за-

ловила в сенях и спросила: что случилось, почему разбежались? А он ничего не сказал. Спрашивала и Таню, но она прямо не говорила. Сказала только — нам так лучше. А что там было хорошего — не понимаю.

После того как Татьяна родила, ее муж почти перестал показываться в бараке. Явился как-то раз с цветами, принес ребенку игрушки, явно не пригодные для грудного младенца, — конструктор, куклу... Затем пропал, и уже надолго. Татьяна держалась совершенно невозмутимо, как будто все было в порядке вещей. О ней даже не сплетничали — настолько она сумела оградить себя от всяких слухов, и, кроме того, все ее немного жалели, как одинокую мать. Соседи, конечно, интересовались: развелась ли она официально или нет и что, в конце концов, произошло? Почему супруги расстались?

— А потом, когда мы уж лицо его забыли, он вдруг сюда переехал, — таинственно говорила Лариса. — Явился с вещами, засел в ее комнате и почти не выходил. Иногда встречала его на кухне — он варил себе какую-то кашку. Жалкий такой! Тощий стал, весь зеленый, в глаза не смотрит, не здоровается. Умер через полгода. Олечка тогда как раз ходить начала.

— Отчего же он умер?

Лариса картинно развела руками:

— А это надо у Тани спрашивать.

— То есть?

— Я думаю, что она ему немножко помогла. — И снова широкий жест. — Конечно, мужики другого и не стоят, особенно такие, которые детей бросают, а потом являются на карачках... Так им и надо, сволочам! Но все-таки я ее не одобряю. Нет-нет!

Наташа не верила своим ушам. Когда она впервые услышала о том, что библиотекарша «свела мужа в могилу», она предположила, что речь идет о каких-то семейных конфликтах. Ведь это было обычное образное выражение, не предполагавшее никакой уголовщины. И вдруг — такой явный намек... Какой там намек — прямое обвинение!

— То есть вы хотите сказать, что Татьяна... убила его?!

— Тс-с! — прошептала та, постепенно трезвея. — Не кричи, что ты! Тут перегородки деревянные, все слышно. Я же не говорила, что убила.

— Но вы ясно выразились!

— Нет. — Лариса как будто сама испугалась своей откровенности, с нее даже хмель слетел. — Все так думают, но никто ее не обвиняет. И как тут обвинить? Все-таки не в лесу живем. Его же вскрывали, была экспертиза. Если бы она его травила или толченым стеклом кормила — это бы выяснили. Ну и сразу бы ее взяли. А тут ничего — все тихо, шито-крыто, похоронили, и с концом.

— Но тогда почему вы так говорите? — продолжала возмущаться Наташа. — Наверняка у него была хроническая болезнь, если он так плохо выглядел. Вы же ничего не знаете, а обвиняете человека!

Та покачала головой:

— Что-то он не показался мне больным, когда впервые тут был. Симпатичный такой мужчина, плечи широкие, глаза — во!.. Это уж потом, когда вернулся, стал на покойника похож.

— Если экспертиза ничего не выяснила — значит, ничего и не было, — упорствовала Наташа. — Как

можно обвинять беззащитную женщину! По-моему, всем просто хочется о ней посплетничать!

Лариса возмутилась:

— Я не сплетница! Мне до соседей дела нет! Но только уж очень он странно выглядел последние дни! Мы все это заметили! И умер так необычно, внезапно... Я же и «скорую» ему вызывала. В таком возрасте так просто не умирают.

«Еще как умирают, — подумала Наташа. — Мои братья и сестра умерли, не дожив и до сорока лет».

— Наверняка у него был рак, — тихо заметила Наташа. Она взглянула на часы. Почти час ночи... А ей нужно пройти по нескольким темным улицам, совсем одной. «Как долго я засиделась, и чего ради? Какая-то пьянчужка, глупые сплетни, вонючий барак — и ничего, ничего дельного так и не обнаружено!»

Наташа встала:

— Я пойду, уже поздно.

— А ты где живешь? — осведомилась Лариса. — Если далеко — можешь оставаться ночевать. Мой, наверное, уже сегодня не придет.

Но такая заманчивая перспектива вовсе не вдохновила Наташу. Она решительно попрощалась и уже приоткрыла дверь, как вдруг отступила назад в комнату. Мимо нее в коридоре проскользнула мужская фигура. Она не успела ничего разглядеть в потемках, мужчина только на миг мелькнул в полосе света, упавшей из комнаты. Он направлялся к лестнице.

— Ушел, — пробормотала сзади Лариса. — Сегодня что-то недолго просидел. Иногда до двух сидят и все шепчутся. В темноте, слышишь?

Наташа ничего не ответила и закрыла за собой дверь.

Было так темно, что она ориентировалась больше по слуху и на ощупь. Под руку попались деревянные перила лестницы, а нижние ступеньки все еще скрипели под шагами спускавшегося мужчины. Наташа медленно шла за ним, очень осторожничая — тут было недолго и упасть. На первом этаже стало чуть светлее — одна из дверей была приоткрыта. Наташа благополучно миновала сени и только на улице, вдохнув сладкий майский воздух, окончательно пришла в себя. Как все-таки хорошо, как чисто и тихо! В Москве, в том районе, где живут они с Пашей, запахи совсем не такие... И потом, в Москве она бы побоялась разгуливать одна в подобное время, а здесь — нет. Чего бояться — все свои.

«Я ведь не девочка уже, — насмешливо подумала она, сворачивая в переулок. — На меня вряд ли кто польстится. Вот Инка и Иринка, те — красотки, хоть на подиум выводи. Может, и к лучшему, что с Инной такое случилось. И обошлось без последствий, и девочки заговорили. Теперь им все дороги открыты — хоть в институт, хоть еще куда... Милые девочки, нужно бы им что-нибудь подарить, какой-нибудь пустячок. Так, на память. Ведь они единственные предложили свою помощь, всех остальных приходилось просить. А Ирина сама явилась ко мне, беспокоилась. Нет, девочки замечательные...»

Ею овладело разнеженное, чуть грустное настроение. Причиной тому была и выпитая за компанию рюмка, и усталость, и нежная теплая ночь. Наташа шла не торопясь, изредка сторонясь от проезжающих машин. Пару раз в темноте возникали неясные бормочущие фигуры, но женщина даже не обращала на них внимания. Наташа никогда не была трусихой и

знала: одиночная фигура — это еще не опасность. Достаточно решимости, чтобы отвергнуть любые притязания. Вот если пьяная компания...

Наконец она миновала частные особняки и двухэтажные желтые бараки, тянувшиеся вдоль переулка. Впереди была река, и она с наслаждением ощущала на своем лице прикосновение влажного мягкого воздуха. Крохотный веселый ручеек, впадавший в реку и накрытый бетонной плитой, был почти невидим в темноте, но она бы перешла через него и с закрытыми глазами. Потянулись покосившиеся деревянные заборы. Теперь оставалось миновать поляну, на которой в воскресные летние дни загорала молодежь, подняться на Акулову гору и...

Она замедлила шаги. Было слышно, что впереди кто-то шел. Сперва женщина подумала, что человек идет ей навстречу, но тут же поняла, что тот удаляется от нее. «Все время шел впереди, а я и не заметила, — поняла Наташа. — Наверняка кто-то из соседей или в гости к ним... Хотя — какие уж тут гости в такое время!»

На реке было чуть светлее, но она все равно различала впереди только неясный силуэт. Вскоре он повернул и пропал среди сосен на горе. Наташа остановилась. Почему-то ей не хотелось следовать за ним туда, в темноту. Бояться вроде было нечего, но... Ей сразу пришла на память Инна, ее будто навеки испуганные серые глаза. Нет, ей никогда не стать красивой, если вместо зрачков у нее будут два сгустка ночного ужаса. «Тоже ведь девушка не из забитых, да еще спортом занималась, а вот — чудом спаслась, да и то — не до конца... Это ее до сих пор гложет, хотя про нее и можно сказать — повезло! Что же делать?»

Другой дороги к дому не было. Куда ни сверни — места все равно глухие. Гаражи, берег реки, сосны на горе, темные дома... «Пойду, — решила Наташа. — Главное, я его видела, а он меня — нет. И потом, может, это вовсе не мужчина? Может, это какая-нибудь женщина».

Она неохотно стала подниматься на гору. До дома оставалось всего ничего, но Наташа не торопилась. Она вглядывалась в каждую тень, в каждый куст или дерево и, только убедившись, что опасности нет, шла дальше. Вот и дорога на гребне горы, вот и хор лягушек внизу, в болоте. Луны сегодня не было, небо затягивали легкие облака. Наташа миновала дом Елены Юрьевны, открыла свою калитку... У нее отлегло от сердца, явились простые, уже домашние мысли. Прежде всего о том, что она так и не позвонила мужу — что он подумает? «У нас все как-то разладилось, и виновата в этом я одна... Хотя я тоже не виновата — это обстоятельства...»

И, уже почти подойдя к крыльцу, женщина остолбенела. Теперь ее глаза окончательно привыкли к темноте, и она видела — на крыльце стоит человек и... пробует открыть дверь.

Ей показалось, что она закричала, но на самом деле Наташа не издала ни звука. Закричало что-то внутри нее, а вот губы онемели, ноги отказывались слушаться, руки повисли, как сломанные ветки. Человек на крыльце ее не замечал. Он продолжал возиться с дверью. И Наташа была уверена, что это именно он все время шел перед нею, когда она достигла реки.

«К соседям!» — это была единственная мысль, которую исторгло ее помутившееся от страха сознание.

Наташа сделала попытку развернуться, но тело осталось неподвижным. Фигура на крыльце выпрямилась, что-то звякнуло. «Отмычки?! Вор?! Убийца!»

Женщине, наконец, удалось пошевелиться. Она бросила отчаянный взгляд на соседский участок и увидела, что во всех окнах в доме Елены Юрьевны погашен свет. «Спят. Что делать?! Кричать?! Но я не могу, не могу... Все пропало...»

Человек на крыльце тихонько откашлялся. Голос был, вне всяких сомнений, мужской. Он потоптался, тихо выдохнул и спустился по скрипучим ступеням. Еще мгновение постоял, глядя на запертую дверь, затем медленно двинулся вдоль дома. Мужчина скрылся за углом, и Наташа снова сделала попытку пошевелиться. На этот раз получилось — она сумела переставить ноги, но вот управлять ими не смогла. Вместо того чтобы нести ее в безопасном направлении, к калитке, они сделали шаг вперед.

Она больше не различала никаких подозрительных звуков. Даже звука шагов не слышала, а ведь должна была — на участке, стараниями Ильи, гравием были проложены дорожки. «Значит, он остановился. Стоит и смотрит. Куда?» Ответ пришел моментально. Незнакомец мог смотреть только в окно Анютиной комнаты, оно было сразу за углом.

«А ведь это то самое окно, — подумала она, пытаясь сделать шаг назад. — То самое, которое непонятно почему оказалось незапертым после той ужасной ночи... И на его подоконнике был след, а рассада внизу примята... Пошел, значит, проторенной дорожкой». Она была уверена, что незнакомец сейчас пробует распахнуть створку. «Но у него не выйдет, — думала она. — Оно заперто изнутри. В тот раз он, неведомо как, открыл его... Господи, неужели открыл изнутри?! А как еще он мог это сделать?!»

Эта мысль уже не первый раз ее посещала. В самом деле она не знала, как можно было объяснить такой фокус? Рама была цела, задвижка — в полном порядке. И в конце концов, след, который она заметила на подоконнике, вел не в комнату, а из нее. Если бы тот сперва влез, а потом вылез, должно было остаться, как минимум, два отпечатка. Но был всего один... Все это Наташа понимала, но никак не хотела верить, что провела полночи, а может, и всю ночь в одном доме с этим ужасным человеком.

Снова послышался хруст гравия. Из-за угла появилась фигура. Наташа быстро отступила к калитке, и тут, наконец, ее заметили. Мужчина так и подскочил, разглядев ее на дорожке. Наташа открыла рот, но вместо крика выдавила только неясный жалкий звук.

— Кто тут?! — спросил мужчина. В голосе слышался испуг, и это привело женщину в себя. — Кто это? — Он продолжал вглядываться в темноту.

— А вы... — почти прошептала она, — кто?

Мужчина явно был ошеломлен и не знал, что сказать. Наташа еще немного отступила к калитке. Теперь она чувствовала, что сможет бежать и кричать, и к ней понемногу стало возвращаться самообладание. «Если он заговорил, значит, не все так ужасно, — поняла она. — Он сам боится!»

— Я тут живу, — сказала Наташа уже немного погромче. — А вы что тут делаете?

«Ох, грубо, не надо бы так! Вдруг он...» Но ночной гость предупредил ее опасения, поспешив оправдаться. Теперь он говорил почти заискивающе.

— Я вот зашел, думал, вы дома. Извините.

— Да кто вы такой? — все больше храбрясь, возмутилась женщина. — Что вам тут нужно в такое время? Час ночи, между прочим!

— У меня к вам дело, — извинялся мужчина. — Я уже заходил сегодня, но вас не было.

— Когда это вы заходили?

— Днем. Вы — Наталья Ильинична?

— Ну, я. — Наташа слегка успокоилась. — Да вы-то кто?

Мужчина подошел поближе. Она отшатнулась было, но он заговорил так мирно и виновато, что женщина сумела взять себя в руки.

— Нам бы с вами давно надо познакомиться, — сказал он. — Я знал вашу сестру... Так жаль, что не был на ее похоронах, но я уезжал... Не мог прийти.

— Вы... ее друг?! — не веря своим ушам, спросила она.

— Может, пройдем в дом? На улице разговаривать неудобно, а я вас хотел кое о чем спросить...

Он опасливо огляделся по сторонам, и это движение очень не понравилось Наташе. «Чего боится? Совесть нечиста! Хочет убедиться, что нет свидетелей». Ее посетила мысль, которую она сочла совершенно блестящей.

— Минутку, — решительно сказала женщина. — Сперва я должна зайти к соседке. Мне нужно позвонить. Подождите, ладно?

«Если испугается — убегу. Он ведь сразу сообразит, что я все скажу соседке, и будет действовать по обстоятельствам. Значит, пришел убивать... Если останется ждать меня — можно и поговорить. Значит, по делу пришел».

Незнакомец всполошился. Наташа неясно различала его в темноте, но по резкому движению поняла — он не обрадовался услышанному.

— Я всего на несколько минут, — сказал он.

— Подождите!

На этот раз ноги ее не подвели — она вылетела за калитку. Ворота у соседей были заперты, но это Наташу не остановило. Она одним рывком перемахнула через забор — совсем как в детстве, когда пользоваться калитками считалось у них с сестрой чем-то предосудительным. Ей был знаком каждый выступ на этом заборе, каждый сучок, на который можно было поставить ногу. Женщина даже загордилась собой, подбегая к дому: «Ну и пусть мне за тридцать, однако форму еще не потеряла!»

Она торопливо нажала звонок на косяке. Конечно, соседи спали, но ей было все равно — обстоятельства слишком необычны. Пришлось позвонить еще дважды, прежде чем из-за двери послышался сонный и злой голос Елены Юрьевны:

— Кто это хулиганит?

— Это я! — крикнула Наташа. — На минутку... Пожалуйста!

Ей открыли, и она попала в прихожую. Елена Юрьевна, совершенно ошеломленная, неловко собирала на груди полы расходящегося халата. Она моргала, щурясь от света, и смотрела на Наташу так, будто увидела привидение.

— Что случилось? — воскликнула она. — Пожар, что ли?

— Елена Юрьевна, мне нужно позвонить!

Та сперва остолбенела, а потом задохнулась от гнева:

— Да ты знаешь, который час?! Рехнулась, что ли?! Куда звонить — в «скорую», в милицию?!

— Мужу, — призналась Наташа.

Ей было и страшно и весело. Страшно — потому что она еще никогда в жизни не осмеливалась сердить эту грозную женщину, которая заменила ей мать — в каком-то смысле. Рассердить Елену Юрьевну, обеспокоить ее пустяками — это значило навеки лишиться ее расположения. А весело было потому, что Наташа понимала — все это ее уже совсем не волнует. Она как будто освободилась от какой-то застарелой болезни, и теперь ей было даже смешно — как она, молодая, сильная, решительная женщина могла до сих пор бояться этой вздорной расплывшейся бабы?!

— Я обещала Паше позвонить и забыла, — смело сказала Наташа. — Можно?

Хозяйка только развела руками, причем из выреза халата выпрыгнула ее жирная желтоватая грудь.

— Ну что теперь сделаешь! Иди.

Наташа быстро набрала номер и услышала изумленный, вялый голос мужа:

— Кто? Что? Ты?! Почему так поздно?

— Паш, прости, я задержалась, — торопливо заговорила она, спиной чувствуя на себе взгляд Елены Юрьевны. — Было столько всего... Как Ванечка?

— Спит, — испуганно отвечал муж. — А ты-то что не спишь в такое время? Где ночуешь? У подружки или?..

— «Или», Паш, «или». Буду спать дома. — Наташа произнесла это погромче — для соседки, которая вся обратилась в слух. — Я сегодня узнала кое-что...

— Насчет чего? — Он все никак не мог прийти в себя. — Ташка, ну что ты себе вбила в голову, что ты можешь узнать!

— Насчет того самого, — с упором произнесла она. — Помнишь, ты говорил, что я затеяла глупость? Что нельзя ходить по улицам и всех расспрашивать?

Он вдруг проснулся:

— Ты нашла парня? Анютиного парня?

— Почти нашла. Во всяком случае, знаю, как он выглядит, как вел себя с нею... И еще кое-что.

— С Москвой платный разговор, — раздалось у нее за спиной. — У меня номер местный!

— Я оставлю вам денег, — не оборачиваясь, бросила Наташа. — Паш, и еще кое-что. Я звоню так поздно, чтобы ты знал — возможно, я его сейчас увижу!

Эффект был потрясающий. Муж охнул, а за ее спиной раздался сдержанный вскрик. Наташа обернулась, прижимая трубку к уху, и увидела, что Елена Юрьевна стоит совсем близко.

— Его?! — закричал Павел. — Его?! Да ты с ума сошла? Ты что — назначила встречу? Ночью? Ташка, Ташка, где ты? У соседки? Дай ей трубку!

Полная сильная рука протянулась и без всяких церемоний вырвала трубку у Наташи. Та даже не успела возразить.

— Это я, — резко заговорила Елена Юрьевна. — Слушайте, Павел, с вашей женой что-то не то. Я прямо вам говорю — ее пора везти к врачу. Сейчас половина второго, а она скачет через заборы, как сумасшедшая коза!

Павел продолжал что-то кричать в ответ. Наташа не разбирала всех слов, но уловила общий смысл — он требовал немедленно остановить жену! И тут Елена Юрьевна сухо попрощалась и повесила трубку.

— Погодите, я не все сказала! — возмутилась Наташа, но ее оборвали:

— Хватит, поговорила уже. Оставайся ночевать у нас.

— Я перезвоню... — Наташа потянулась было к телефону, но рука соседки преградила ей путь, как опустившийся шлагбаум. Довольно увесистый шлагбаум, надо было признать — Наташа даже слегка ушиблась.

— Ты останешься ночевать, а утром позвонишь, кому захочешь, — отчеканила та. — Никуда я тебя в таком состоянии не пущу!

— Да вы не понимаете, у меня же... Мне же... — Наташа начала запинаться от волнения. У нее в голове не укладывалось, что с ней опять поступили как с несмышленой девчонкой. И это в тот самый миг, когда она возомнила, что избавилась от детских страхов!

— Пойдем, постелю. — Та властно взяла гостью под локоть. — Посмотрела бы ты на себя! Аж страшно... Была нормальная баба, а теперь...

Наташа вырвалась и отворила дверь. Обернувшись, она прошипела, что не позволит с собой так обращаться. Она, слава богу, не маленькая, сама уже мать и может отвечать за свои поступки. Елена Юрьевна колыхнула жирными плечами:

— Ну да, ну да, взрослая совсем, умная. А как насчет часов?

— Что?

— Эта твоя байка про часы, — пояснила та. — Я все думала, думала — к чему ты мне все это наплела? Зачем таскала меня на чердак? Ведь неспроста же, не ради шутки, какие уж тут шутки, когда вся семья перемерла... — Она вздохнула. — А теперь поняла — ты же, бедная, сама в это веришь...

— То есть... Вы это к чему? — отступила подальше Наташа.

— К врачу тебе надо, вот что. И нечего тут околачиваться, приключений искать. Понимаю, тебе тяжело, это же не шутка — полной сиротой осталась! Но все-таки так нельзя. Распустилась совсем. — Елена Юрьевна говорила уже куда мягче, почти ласково. Но в ее голосе все-таки звучали поучающие, властные нотки. — Я же добра тебе хочу, дурочка! Я же матери твоей слово дала, что присмотрю за вами за всеми! Ну и за кем мне теперь присматривать? Ты одна осталась!

Наташа уже стояла на крыльце. Она смотрела в освещенную прихожую, видела стоявшую там соседку, слышала ее голос, но никак не могла поверить в реальность происходящего. Ее только что в глаза назвали сумасшедшей. Павел только намекал, а вот эта сказала прямо. А что скажет Елена Юрьевна, то скажут все — ее мнение среди соседей неоспоримо.

«А если я и вправду сошла с ума? — подумала она. — Если выдумала все, и часы не шли, и не было ничего, никаких следов, никаких свидетелей?» Но тут же вспомнила о человеке, ждущем ее в собственном саду. Уж этот-то человек не был галлюцинацией. Он был реален, он говорил с ней.

— Ну, иди сюда, — манила ее соседка. Теперь она заговорила еще тревожней. — Неужели правда собираешься к себе? И с кем это ты встречаешься?

— С мужчиной, — ответила Наташа, сознавая, что таким ответом подписывает своей репутации смертный приговор.

— То есть... А, да ну вас всех! — вдруг с досадой выкрикнула та и захлопнула дверь. Уже в последний момент Наташа уловила ее раздраженный возглас: — Старайся еще для нее! Своя семья есть!

Мужчина все еще ждал, покорно стоя на нижней ступеньке крыльца. Это успокоило Наташу окончательно. За это время она бы сто раз успела позвать кого-нибудь на помощь или просто в свидетели — он понимал это и все-таки дождался ее, не сбежал. Это было самой лучшей рекомендацией.

— Пойдемте в дом, — сказала она, минуя его и на ощупь отпирая дверь. — Вы тут уже бывали?

— Да. — Он топтался у нее за спиной, Наташа даже слышала его тяжелое дыхание, и от этого ей снова становилось не по себе. «В чем-то мой муж и соседка правы — я совершаю ненормальные поступки. Сама отпираю дверь чужому человеку, да еще не видя его лица».

— Подождите тут, — приказала она и порадовалась, что голос звучит спокойно. — Не входите пока.

Он послушался. Войдя в сени, Наташа включила свет и резко обернулась. Гость, слегка ослепленный, поднес руку к лицу и тут же опустил ее, моргая глазами. На нем были квадратные очки без оправы, серая рубашка поло, спортивные штаны. Лицо округлое, розовое — что называется, кровь с молоком. Чуть-чуть свинячий очерк носа, придающий этому молодому мужчине какой-то детский, чуть обиженный вид. Ершик коротко подстриженных светлых волос. Тип, каких тысячи...

«Он», — поняла Наташа и жестом пригласила гостя войти. Тот переступил порог, не переставая растерянно помаргивать.

— Так вы бывали у моей сестры, — сказала она, проходя в кухню. Он следовал за ней.

— Ну, я...

— Это не вопрос, — остановила она его. — Я все про вас знаю.

Мужчина забеспокоился:

— Аня вам рассказывала?

— Аня мне ничего про вас не рассказывала, — уничижительным тоном выговорила Наташа. — И кроме нее нашлось кому рассказать. Вы думали, все удастся провернуть без свидетелей?

Тот совсем опешил и сумел только пробормотать в ответ, что не понимает, о чем идет речь. «Почему со мной так обращаются?» — вот что было написано на его растерянном лице.

— Садитесь же, — с прежней злобой бросила она, указывая на стул. — Есть разговор.

— У меня тоже есть, — слабо промямлил он, опускаясь на сиденье.

Женщина уже поняла, что скрутить этого типа, во всяком случае морально, не составит большого труда. «Сразу скорчился, забормотал. — Она с презрением осматривала его, будто товар сомнительного качества. — И что Анютка в нем нашла? Ах, боже мой, какая же она была дурочка, наивная дурочка!»

— Я не понимаю, почему вы на меня так накинулись, — пробормотал тот, не поднимая глаз. Руки он сцепил в замок и покачивал ими перед грудью, будто молился. На самом деле это был нервный, привычный жест — Наташа сразу его отметила. — Я вашей сестре не сделал ничего... ничего плохого.

— А как же? — фыркнула она. — Только хорошее! Я как раз хотела вас поблагодарить.

— Боюсь, что и хорошего... тоже ничего... — Он поднял глаза и снял очки. Без них он выглядел вко-

нец растерявшимся — так бывает с плохо видящими людьми, внезапно оставшимися без линз. — У меня на душе тяжело. Я и пришел, чтобы все вам рассказать...

Глава 10

Услышав первую фразу, Наташа криво улыбнулась. Она угадала — Анюта познакомилась с этим парнем в феврале. Он с этого и начал:

— Это было первого февраля, точно. Я число запомнил — легко запомнить. Честно говоря, — он попытался ответить на улыбку хозяйки, — все так смешно получилось...

— Что вы находите смешным? — Наташа села подальше от него, поближе к окну. Бояться она перестала, тем более что была уверена — соседка не будет этой ночью спать безмятежным сном, будет начеку. И освещенное окно кухни не укроется от ее внимания. «Уж если что случится, я закричу, если успею, конечно».

— Ну, наша встреча была какой-то смешной. Она шла по подземному переходу и остановилась посмотреть заколки для волос. Вы же знаете, там вечно чем-то торгуют...

Наташа кивнула.

— А я на нее наскочил сзади. Не успел притормозить, да и народ как раз хлынул с электрички... Она чуть не упала, я ее поймал, ну и — познакомились...

— Прямо как в какой-то рекламе, — хмыкнула женщина. — Смешного ничего не вижу, потому что в результате этого знакомства моя сестра покончила с собой.

Тот взвился:

— Да не из-за меня же!

— Это вам еще придется доказать. Мне и всем остальным, — отрезала она. — Вы курить собираетесь? Ну нет, тут не курят!

Парень поспешно спрятал только что вынутую пачку сигарет. Он сидел как на иголках и просительно заглядывал в лицо Наташе, будто надеясь на снисхождение. Но тем самым еще больше раздражал ее. Она говорила с ним так резко и своенравно, как, пожалуй, не говорила в своей жизни еще ни с кем и никогда.

— Прежде всего представьтесь, — потребовала она.

— Дмитрий, — снова вскочил он и даже протянул руку.

Наташа смерила его таким ледяным взглядом, что сама себе подивилась. Парень медленно сел и от замешательства принялся теребить свисавший со стола угол клеенки. Он был настолько растерян, что в других обстоятельствах Наташа почувствовала бы к нему жалость. Но не теперь.

— Дмитрий, а дальше как? — все так же сухо продолжала она.

— Замятин.

— А паспорт у вас есть?

Тот похлопал себя по нагрудному карману поло, затем порылся в карманах штанов...

— Нет, не взял. Я как-то не рассчитывал, что придется его предъявить...

— А на что вы рассчитывали? — делано удивилась Наташа. — Моя сестра погибла, вы даже на похороны не соизволили прийти, а теперь осчастливили меня

своим появлением! Что вы там копались у двери, пока меня не заметили? Чем занимались? Она что — дала вам ключи?

Тут он вконец перепугался:

— Что вы, что вы! Я пробовал, открыто или нет... Я только хотел... Да не такие у нас были отношения! — воскликнул он вдруг и побагровел.

— Не такие? — выразительно повторила за ним женщина. — А какие же?

— Ну, зачем вы сразу так... — бормотал он, отводя взгляд. — Мы просто дружили.

— А по моим данным — не просто дружили, а сожительствовали.

— Да кто вам сказал?! — Дмитрий снял очки и принялся протирать их концом рубашки. — Слушаете всякие сплетни...

— А кого мне было слушать? Вас не было. Я стала копать сама и кое-что выкопала, — зло сказала она. — Натворили дел, а теперь отпираетесь. А еще мужчина! Хотя... — Наташа махнула рукой. — Эта фраза уже всякий смысл потеряла. Мужики все больше вырождаются. Что вы с ней сделали?

— Ну, если вы так настроены, то я тоже могу сказать, что женщины все больше становятся похожи на мужиков, — еле слышно ответил он, продолжая полировать стекла своих очков. — Подойти нельзя — сразу в штыки, сразу агрессия...

— А приходится! — Теперь она не усидела на месте. — Что делать — самооборона! Что делать, если вокруг расплодились такие уроды!

— Я же говорил — сразу оскорбления... — Он снова вооружил глаза стеклами и теперь прямо взглянул на нее. Впервые — прямо. — Но ваша сестра была не такая, потому она мне и понравилась. Я сразу понял, что она очень беззащитная...

— И воспользовались этим!

— Вы ошибаетесь. — Дмитрий заговорил немного увереннее, что сразу охладило воинственный пыл хозяйки дома.

Она присела к окну и, отодвинув занавеску, посмотрела в сторону соседнего участка. У соседей было темно, но она была уверена — стоит только закричать...

— Я не втирался к ней в доверие, — продолжал он, все больше набираясь храбрости. — Тогда, после нашего столкновения, я просто извинился, потом обратил внимание, что у нее тяжелые сумки. Именно сумки, знаете, тряпочные, а не пакеты, с какими все сейчас ходят... Странно как-то — у такой милой молодой девушки такие старомодные авоськи...

Он говорил сущую правду — по крайней мере, в этом не солгал. Анюта всегда таскалась на рынок с вылинявшими тряпичными сумками, которые смастерила когда-то сама. Не то чтобы ей было жаль нескольких рублей, чтобы купить пакет, но так уж она привыкла. Девушка выросла в режиме жесткой экономии — сперва вынужденной, потом уже бессмысленной, которую навязал ей Илья. Нет, он бы не стал возмущаться, увидев, что сестра притащилась с рынка с недолговечными пакетами, неразумно растратив его кровные деньги, но Анюта предпочитала не рисковать даже в таких мелочах. А возможно, думала ее старшая сестра, та даже ничего не замечала — действовала сила привычки. Илья смотрел на нее как на дармоедку, которую ему повесили на шею, сама Анюта воспринимала свое положение так же и всячески старалась услужить своему кормиль-

цу. Его деньги были для нее чем-то инородным, будто упавшим с неба, и девушка обращалась с ними крайне осторожно.

— Она так запыхалась, да еще я толкнул ее, — продолжал Дмитрий. — Не мог же я ее бросить!

— А лучше бы бросили, — проворчала, отворачиваясь, Наташа.

— Ну, не знаю. Я просто взял у нее авоськи и помог ей донести продукты до дома. По дороге поговорили... Ну и познакомились.

— Вы прямо рыцарь, — издевательски заметила она. — Сколько я в жизни сумок перетаскала — ни одна живая душа не помогла. А тут вдруг моей сестре повезло! Конечно, вы сразу ее этим купили!

— Да не собирался я... — начал было он, но женщина оборвала:

— Ладно, это все лирика. Где деньги?

— Как?!

— Вы меня отлично поняли. Не надо разыгрывать дурачка. Где деньги?

Дмитрий даже рот приоткрыл от изумления. В этот момент он и впрямь выглядел по-дурацки.

— Лучше меня не злить, — предупредила его Наташа. — Я знаю, что вы постоянно брали у нее деньги. Куда вы их дели?

— Никогда в жизни не брал! — воскликнул тот.

— Врете. Буквально этим вечером я нашла свидетеля, который все видел. Да что там — не одного свидетеля, а, как минимум, двух. А может, и третий вас вспомнит. — Она подумала о продавщице из ювелирного. — Если устроить очную ставку, вас вспомнят все. Уж очень хорошо они вас описали — я сразу поняла, кто пожаловал в гости.

— Но я... — путался тот. — Я в самом деле никогда...

— Брали вы у нее деньги — из рук в руки. При свидетелях, никого не стесняясь. Чего же теперь застеснялись, а?

Он выглядел как человек, которого внезапно остановили на улице и отхлестали по щекам — без всякой причины. Потерянный взгляд, безвольно отвисшая нижняя губа, заикающийся голос.

— Я только...

— Только — что? — продолжала наступать Наташа. — Хватит врать, мы только тратим время. Брали вы деньги? Хочу, чтобы вы сами это сказали!

— Брал, — выдохнул он и как-то сразу осел, будто сдулся.

— Сколько? Когда?

— Несколько раз, — почти шептал Дмитрий. — Весной...

— Да понятно, что весной. Какую сумму?

— Не помню точно... — Ей приходилось напрягать слух, чтобы различить слова. — Я брал только в долг, я собирался вернуть... Я примерно только помню сколько... У меня еще нет... Я принесу, заработаю...

— Да что вы болтаете! — раздраженно закричала она. — Сумму он забыл! А хотите — назову?! Пять тысяч долларов!

Его даже покачнуло от такого известия. Дмитрий силился что-то сказать, но не мог. Наташа торжествовала:

— Что, дурно сделалось? Вы что же, думали, мы в лесу живем, в тайге?! Некому за нее заступиться, никто ничего не видел? Знаете, куда вам теперь дорога?! В тюрьму! В тюрьму!

Она распалилась и наступала на него, сжав кулаки. Был момент, когда Наташа была готова его ударить — избить это ненавистное одутловатое лицо, сорвать очки с перепуганных глаз, свалить его со стула и истоптать каблуками. В этот миг она превратилась в разъяренную фурию, от которой не осталось ничего от хорошей жены, матери, преподавательницы литературы, которую ученики ценили за легкий характер...

— Да я вас в порошок сотру, уничтожу! — кричала она над самой его головой. — Мерзавец, сволочь, альфонс!

Дмитрий отодвинулся от нее вместе со стулом. Вероятно, ему тоже почудилось, что дело без рукоприкладства не обойдется. Он только и сумел, что пробормотать какую-то невнятицу.

— Что-что?

— Никогда в жизни... — лепетал этот здоровый парень, который мог одним ударом повалить на пол хрупкую женщину. Но сейчас он казался беззащитней младенца. — Никогда! Столько денег!

— А сколько же?!

— Да это абсурд. — Он сделал попытку двинуться со стулом дальше, но не смог — за ним была стена. — Пять тысяч долларов! Никогда в жизни таких денег не видел!

— Я зато видела! И они пропали!

— У Анюты были такие деньги? — потрясенно шептал он. — И они пропали? Господи боже... Да ведь я их не брал!

— А кто брал?

— Не знаю...

Этот ответ привел женщину в исступление. Она, по крайней мере, рассчитывала на переговоры с этим негодяем. Но он даже отказывался признать свою вину! «А что я могу с ним сделать? — Мысли мелькали у нее в голове, будто вагоны несущегося под откос поезда. — Устроить у него дома обыск? Тащить его в милицию? Он должен был спрятать деньги, но где?»

— Ей-богу, — заговорил Дмитрий уже чуть громче. — Таких денег у нее никогда не брал. Я задолжал, это правда, но не так уж много... Тысяч восемь-девять... Рублей, конечно. Больше не брал, да я просто не смог бы отдать такой долг!

— Можно подумать, вы об этом думали, когда обирали мою сестру. — Наташа, наконец, разжала кулаки. У нее даже пальцы заболели — так сильно она их напрягла. — У меня есть свидетель, что вы брали у нее деньги. И я могу доказать, какая именно сумма пропала после ее смерти.

— Но я...

— Молчите!

Она заходила по кухне и, остановившись у окна, вдруг обнаружила, что в доме Елены Юрьевны горит свет.

— Ну вот, и соседи проснулись, — удовлетворенно сказала она. — Сейчас наверняка явятся сюда узнать, почему такой крик среди ночи.

Дмитрий вскочил. Обернувшись, она увидела его на пороге родительской спальни — парень как будто собирался там спрятаться.

— Чего испугались? — издевалась Наташа. — Не бойтесь, это не уголовники, хорошие люди.

— Я умоляю вас, — хрипло сказал он, — не вмешивайте сюда никого. Я виноват и перед ней, и перед вами, но только косвенно...

— О, какие фразы!

— Я вам все скажу, я солгал, но сейчас скажу правду. — Он задыхался и опасливо смотрел в сторону окна. — Да, вы правы, у нас было... Было. Я виноват перед ней, очень сильно. Но ваша сестра тоже виновата... Не бывает же, что в этом виновен только один, всегда двое... Всегда!

В груди у Наташи что-то оборвалось. Хотя она не сомневалась, что именно этот человек был любовником Анюты, но услышать это из его собственных уст было настоящим потрясением. Анюта — и любовник. У ее сестры, которая до последнего момента оставалась для нее чудаковатым ребенком, был любовник. Настоящий, живой, из плоти и крови — и вот он перед ней. «Это было все равно что изнасиловать ребенка», — подумала она. И в то же время сознавала, что была не права. Анюту никто не насиловал. И Дмитрий немедленно это подтвердил:

— Я просто помочь захотел, донести сумки... Она меня поразила... Не то чтобы очень понравилась, но лицо у нее было какое-то... Несовременное, что ли? Она выглядела будто героиня девятнадцатого века, когда порядочные женщины еще не красились...

И в самом деле, Наташа часто думала, что ее сестра не принадлежит ко времени, в котором живет. Именно поэтому многие ошибались, считая ее блаженной. Но живи она лет на сто пятьдесят раньше, она была бы просто засидевшейся в девках мещаночкой, с литературными интересами, добрейшим на свете сердцем и наивным взглядом на мир.

— И знаете, она как-то сразу мне доверилась, — рассказывал Дмитрий. Его голос звучал мягко, почти растроганно, и Наташа волей-неволей проникалась его ностальгическим настроением. Она уже поняла, что соседи не явятся сюда — они просто встревожены и прислушиваются изо всех сил. «Кричать не буду, — думала она. — Неизвестно, что он тут наговорит, может, лучше, чтобы никто не знал. Лучше для Анюты».

— Мы пришли сюда, выпили чаю. Потом она мне книги свои показала, рассказала, чем интересуется, что читает. Про вас говорила — что вы летом с сыном приедете.

— О боже, — вздохнула Наташа. — Привела в дом неизвестно кого! Да еще всю душу перед ним вывернула!

— Почему неизвестно? — удивился он. — Я же представился. Паспорта, конечно, не показывал, но это нужно уличному патрулю, а не девушке...

— И как же это у вас вышло? — перебила Наташа. — Сразу, наверное, воспользовались случаем?

Он поднял руки, будто защищаясь, подошел к столу и уселся на прежнее место:

— Вы все время пытаетесь меня обвинить во всех смертных грехах, но вы не правы. Я вас хорошо понимаю. Потерять такую сестру... Мне тяжело, а что уж говорить о вас!

— Ваши сантименты мне не нужны. Когда вы с ней сошлись?

— В марте, — после короткой паузы сознался он. — Буквально под праздник... Я занес ей букетик, знаете, в виде знака внимания... Даже и не думал ни о чем, но все так сложилось...

«В марте, перед восьмым числом, — быстро соображала Наташа. — А на исповеди не была с февраля. Знакомство она бы скрывать от священника не стала, а вот связь... Не сходится. Куда-то пропал целый

месяц. Он лжет, я чувствую, но не могу понять в чем! Насчет денег — ложь. Насчет прочего... Да кто его может проверить!»

— Вы же понимаете, как это иногда случается, — виновато говорил Дмитрий. — Будто само собой... Дни, что ли, бывают такие странные!

— Не знаю, — оборвала его Наташа и тут же смутилась. В самом деле, зачем этому типу знать о ее интимной жизни? Да, она не изменяла мужу. Но размахивать этим фактом, как флагом, да еще перед кем! Перед кем!

— Простите, я... А вот у меня такое постоянно бывает, — заторопился он. — Не подумайте, что я какой-то местный Казанова, просто...

— Вы тут живете?

— Да, я здешний, — смешался он. — Бывают моменты, когда от тебя чего-то ждут, ну и приходится...

Наташа снова разгневалась:

— Вы что — хотите сказать, что моя сестра затащила вас в постель?! Принудила?

— Да что вы, напротив...

— Значит, вы настояли на своем?

— Не так, не так! — Дмитрий был в полном замешательстве. — День был такой странный, я же говорю.

Судя по его словам, он действительно не питал к Анюте никаких мужских чувств. Он не воспринимал ее как объект желания — смутный или не смутный, вообще никакой. Она была для него только интересным собеседником. Не в смысле начитанности — затронув эту тему, он слегка возгордился. Дмитрий полагал, что уровень образования у него намного выше. Но Анюта так искренне и чисто судила обо всем, так близко к сердцу принимала любую прочитанную книгу, что он просто не мог устоять перед искушением навещать ее снова и снова.

— И выбор книг у нее был прекрасный, — сказал он. — Конечно, благодаря ее подруге. Татьяну знаете?

— Да, — бросила Наташа.

— Она никогда не подсовывала Анюте барахла, та читала только хорошие книги. И судила о них так интересно, со своей точки зрения. Мне никогда не приходилось такого слышать — ну, я и увлекся.

Накануне Восьмого марта, когда даже самые последние пропойцы и забулдыги задумываются, а не купить ли своим дамам букетик цветов, Дмитрий решил навестить Анюту. Он считал это вполне естественным поступком и явился ближе к вечеру с букетом мимозы. Ему обрадовались — впрочем, как всегда. Напоили чаем, накормили. Анюта поставила цветы в воду.

— Ну а потом, — смущался Дмитрий, — я все искал предлог, чтобы уйти, потому что и так уже засиделся, а мне еще нужно было поздравить маму... Восьмого я не мог, был занят. Я сидел-сидел, а разговор все шел... И стало уже так поздно, что она стала волноваться, как я пойду в темноте... Тут такая слякоть, вы же знаете... Можно шею себе сломать, если поскользнешься.

Наташа знала про местную слякоть все. Она не носила приличной обуви вплоть до того времени, как стала учиться в Москве. По Акуловой горе разгуливала в резиновых сапогах или старых кроссовках. Только лето было милосердно к местным модницам, да и то они предпочитали покупать светлые туфли, поскольку на них не была заметна густая пыль.

— И тут она спросила: не останусь ли я ночевать? — продолжал Дмитрий.

— А вы, разумеется, согласились!

— Вовсе не «разумеется», — обиделся он. — Я случаем не пользовался, когда же вы это поймете! Тогда я просто задумался: а почему бы не остаться, раз мы друзья?

И он остался. Анюта постелила ему в спальне родителей, снова заварила чай. Хлопотала так, будто принимала самого дорогого гостя, радовалась, что и у нее бывают гости — совсем как ребенок, который играет в «дом».

— Я даже удивлялся — как можно к тридцати годам сохранить такую детскость, — вздохнул он. — Совсем дитя, и такие наивные глаза!

Наташа молчала. Она как будто видела все это — визитера, сумевшего покорить сердце сестры разговорами о литературе, жалкий букетик мимоз, старательно застеленную родительскую постель, темный мартовский вечер...

— Я остался, — потупился Дмитрий. — А теперь не знаю, поверите вы мне или нет... Но я к ней в комнату не входил. Она сама ко мне пришла!

— Не верю, — с трудом ответила Наташа.

— Так все и было. Я и сам не верю, до сих пор... Даже думаю — может, у меня в голове какое-то затмение, что-то перепутал...

Она пришла к нему сама. Это было, когда он уже засыпал. Дмитрий настолько привык считать Анюту блаженным ребенком, существом не от мира сего, что страшно удивился, когда дверь его комнаты отворилась, вошла темная фигура и присела на край постели. Анюта спросила, удобно ли ему, а потом протянула руку и нащупала под одеялом его пальцы. Пожала их...

— Я до последнего момента думал, что она не понимает... Что ей ничего не нужно! Но когда она пожала мне руку, я все понял. Уж очень было красноречиво... Так ласково!

Наташа смотрела в окно. Окна у соседей снова погасли. Тревога миновала — там поняли, что с ней ничего не случится. Но все уже случилось, она узнала правду. Да, ее сестра просто послушалась голоса сердца. Она ждала слишком долго, чтобы сопротивляться, когда в ней заговорила кровь. «И разве ее можно обвинить? — подумала Наташа. — Ей был тридцать один год. В таком возрасте уже перестают отчитываться перед родителями, где гуляла, с кем, почему... А у нее даже отчитываться было не перед кем. Свободный человек, совершенно одинокий. Если бы я была тут, она бы никогда не решилась завести роман».

Впервые Наташа подумала, что, возможно, все случилось к лучшему. Как бы ни обернулось дело впоследствии, но ее сестра умерла, успев узнать, что такое земная любовь.

— Мне не хочется вам рассказывать, как это было, — бормотал Дмитрий.

— И не надо.

— Только поверьте, меня не за что винить. Это произошло почти из жалости.

— Постыдились бы, — бросила Наташа, глядя в темное окно. — Моя сестра была привлекательной девушкой, при чем тут жалость. Сейчас еще скажете, что вы пошли на связь из милосердия — вроде как нищенке подали на вокзале!

— Нет, конечно. Анечка была милой, вы правы. Милой до невозможности... И такое правильное личико, такие глаза... А волосы, если она их распускала — просто прелесть! — Он заговорил увлеченно. — Прической только все портила — сворачивала какой-то шиш на затылке, как старая дева.

— Она и была старой девой. До встречи с вами, — уточнила Наташа.

— Да... Она мне вообще-то нравилась... Но я ее не хотел. Не хотел как женщину, поэтому был потрясен, когда она... Ну, словом, я не соблазнял ее. Наоборот...

И, вконец запутавшись, мужчина замолчал. Наташа верила и не верила ему. Да, у ее сестры были сильные, глубокие чувства. Полюбив, она была способна на многое. В том числе и на такой смелый поступок, как прийти ночью в спальню к мужчине, лечь к нему в кровать. «Это наверняка было так, — подумала она. — Если бы Дмитрий сам осмелился к ней приставать, его бы постигла такая же участь, как Егора, — а уж его-то я видела. У того воспитание не такое тонкое, и все-таки он понял... Но однако, какой странный лексикон у этого типа! Похоже, получил какое-то образование. Конечно, Анюта влюбилась по уши — в кого еще ей было влюбляться? И познакомились так романтично — столкновение, услуга, ну прямо что-то из Александра Дюма! А она была такой романтичной! Наверняка навоображала себе с три короба, придумала целый роман!»

— Утром я просто не знал, куда деваться, — неловко признался тот. — Так внезапно все вышло, так странно! Знаете, у меня в этих делах опыт не очень большой, но я сразу понял, что произошло нечто очень необычное и отмахнуться от этого нельзя. Таких женщин, как она, не берут так просто и не бросают...

— Вы что — жениться решили? — Наташа с трудом придала голосу иронический оттенок. Против воли, она все больше и больше верила этому человеку. Уж очень искренне он говорил, уж очень все это совпадало с образом сестры, который сохранился у нее в памяти.

— Жениться я не мог, — потупился Дмитрий.

— Уже женаты?

— Пока нет еще, — прошептал он.

— Да что вы, как школьник, бормочете! — рассердилась Наташа. — Говорите прямо, что у вас на уме! Переспали с девушкой, воспользовались ее наивностью, а потом не сумели жениться. Известная история! А вам очень хочется выглядеть покрасивее!

— Нет. — Он так и не поднял глаз. — Дело в том, что невеста у меня тогда уже была...

— Как?!

— Ничего не поделаешь, Анюта появилась позже. Я ведь этого не хотел!

Наташа вскочила и развела руками:

— Ну, вы тип... Не знаю, что о вас думать! Так душевно, мило разговариваете и вдруг заявляете, что сошлись с девушкой против своей воли. Получается, что она вас изнасиловала?!

— Ну что вы, — смутился Дмитрий, — просто я не удержался.

— Хоть в этом признались! Между прочим, могли бы и удержаться, если у вас невеста! — язвила она. — Наверное, были в полном сознании, когда Анютка к вам зашла. Может, она и вовсе ничего такого не хотела, это вы ее подтолкнули...

На это он ничего не ответил.

— Так что ваша невеста? — продолжала Наташа. — Почему вы не к ней ходили, а к моей сестре? И откуда такая щепетильность, скажите на милость? Ну прямо что-то из Островского: чувства — сами по себе, свадьба — сама по себе! Где приданое больше — туда и идут!

— Перестаньте, — глухо ответил он. — Моя невеста уже ждет ребенка, я не могу ее бросить. Так я и сказал.

Это известие подкосило Наташу. Теперь она поняла все. Порыв сестры, вообразившей, что она обрела в этом странном чуждом мире родственную душу. Ее увлечение. И ее чувства, когда она узнала, что встала на пути чужого счастья и отнимает у будущего ребенка отца...

— Потому она и покончила с собой, — хрипло выговорила Наташа.

— Нет! Уверяю вас, что нет! Я сказал ей это прямо тогда же, наутро! А это было два месяца назад — нет, почти три!

— Что ж вы так поторопились?

— Нельзя было молчать... Невозможно было ее обманывать...

Судя по его словам, он сразу пожалел о случившемся. Больше всего его поразила горячность Анюты, бросившейся к нему в объятия. Он понял, что для этой постаревшей девушки внезапная связь не была чем-то случайным — она собиралась отдать ему не только тело, но и душу — а значит...

— Поймите, для нее это было — все. Рок, судьба, как пишут в романах. Все как в пьесах ее любимого Метерлинка: если двое встречаются, то уж один обязательно умрет. А скорее всего, умрут оба, потому что жить с таким чувством нельзя. Она все восприняла как должное, не было ни единой сцены.

— Как у Метерлинка, — автоматически повторила Наташа. — У него всегда смерть рядом.

— Слышали бы вы, как она толковала о Метерлинке! — оживился Дмитрий. — Так интересно, оригинально! Она ничего не усложняла, да и слов для этого у нее бы не хватило, какое там... Она просто говорила: смерть — это тоже персонаж его пьес, хотя в списке действующих лиц ее иногда нет.

— Хватит о литературе, давайте о жизни!

Он во всем признался Анюте тем же утром. Дмитрий утверждал, что просто не мог поступить иначе. Он не желал огорчать девушку, которая так ему доверилась, но что было делать? Невесту бросить было невозможно, а то, что случилось...

— Это был мой грех. Мой самый тяжелый грех за всю жизнь.

— Вы еще и религиозны?

— Не так, как она. Совсем не так.

Дмитрий просунул руку под воротник поло и показал крестик на ладони.

— Я крещен, а больше ничего. Не помню, когда был в церкви. Крест у меня от мамы, она велела носить. Ну, я и ношу, мало ли что...

— Понятно. Заручились страховкой на всякий случай, а там уж — есть Бог, нет его...

— Не смейтесь над этим, — смутился он, снова пряча дешевенький желтый крест. — Бог есть.

...Анюта, услышав страшную новость, повела себя весьма странно. Она не стала упрекать возлюбленного — зачем тот не сдержался, не сказал прежде.

Не заплакала, не стала ничего требовать, заявлять о своих правах... Она задумалась и вдруг сказала, что очень этому рада.

— Чему — этому? — Наташа не верила своим ушам.

— Да тому, что у меня есть невеста и будет еще ребенок.

— Вы с ума сошли?

— Скорее она.

И в самом деле, было отчего сойти с ума! Анюта, едва пережив первый любовный опыт, внезапно заговорила как зрелая женщина, давно лишившаяся всяких иллюзий. Она сказала, что вовсе не намерена мешать чужому счастью и мечтает только об одном — чтобы всем было хорошо.

— Вы врете!

— Это правда.

Дмитрий уверял, что та держалась мило, очень просто, и в ее речах не было ни тени язвительности. Никаких упреков — напротив, она как будто чувствовала себя виноватой.

— Дальше!

Анюта сказала своему незадачливому возлюбленному, что никогда не имела в мыслях выйти за него замуж, а напротив — мечтала, что они будут встречаться как хорошие друзья. Не больше. Но раз уж судьба их свела...

— Она так и сказала — судьба свела, и смотрела на меня так серьезно!

— Моя сестра на все смотрела серьезно.

Девушка утверждала, что ничего страшного не случилось. Сама же его и успокаивала. Если они были вместе — так тому и быть, и нечего мучиться угрызениями совести.

— А вот этому я ни за что не поверю! — воскликнула Наташа.

— Однако это было так.

Так или нет — но Дмитрий несколько дней опасался появляться на Акуловой горе. Утренний разговор с Анютой он воспринял как каприз заневестившейся девушки, которая нипочем не хочет уронить своего достоинства. Он полагал, что это были пустые слова, а на самом деле она раздражена и строит какие-то планы, чтобы отомстить ему... Или еще хуже — чтобы завладеть им целиком, отодвинув в сторону соперницу.

— Анюта никогда бы так не поступила!

— Вы правы, — признался Дмитрий. — Я ошибся в ней... Она и в самом деле была совершенно необыкновенным человеком.

Анюта не знала адреса своего друга и потому не могла его отыскать, вздумай он скрываться. Ей оставалось только надеяться на случайную встречу, и эта встреча состоялась. Они столкнулись на улице, возле продуктового магазина. Девушка обрадовалась, зарделась и схватила Дмитрия под руку. Ему некуда было деваться, и он проводил ее до дому.

— Она налила мне чаю, как прежде, — вздохнул он. — Только теперь расспрашивала меня о невесте, о ее здоровье. Я все ждал какого-то подвоха, не мог поверить, чтобы у женщины был такой характер. Ревности — ни на грош! А я чувствовал себя преступником.

«Ты и есть преступник, — думала Наташа, глядя на его раскормленное лицо. — Болтай-болтай о чувствах! А деньги ты все-таки у нее брал!»

— Она сказала, что все обдумала и приняла решение. Решила, что мы будем друзьями, такими же, как прежде. И даже извинилась... — Он покраснел.

— За что же это? — взвилась Наташа.

— За то, что понадеялась...

— Стало быть, она все-таки надеялась на вас!

— Да. И мне это было больно. Ни одна женщина не смогла бы спокойно принять такой удар, а она — смогла. Уж не знаю, что тут помогло, может быть, религия...

— А вы на Бога не надейтесь, — отрезала Наташа. — Очень легко прикрывать свои подлости религией! Дескать, покаешься — все спишут! Так? Вы просто негодяй! Вы не должны были с ней больше видеться, а я точно знаю, что вы виделись!

Они и виделись — Дмитрий не отрицал. Он еще не раз заходил к Анюте, в ее уединенный домик на горе. Он дошел в своей откровенности даже до того, что без принуждения признался — дружба не осталась просто дружбой, как идеалистически предполагала Анюта... То, что случилось однажды, случалось еще не раз...

— Случилось! — негодовала Наташа. — Вы об этом говорите так, будто поскользнулись и упали! Это случается, а когда мужик заваливает девушку — это уже не случай, а расчет! Вас что — невеста не удовлетворяла?

Дмитрий обиделся:

— Как вы грубо об этом говорите! Все было не так...

А было все настолько обыкновенно, без бурных страстей, без слез и истерик, что ему даже в голову не приходило, что эту случайную связь нужно прервать. Анюта принимала его ухаживания так просто и спокойно, как будто они были много лет женаты. Никакого намека на страсть — она была покорна и доверчиво подчинялась его желаниям. Своих желаний у нее, казалось, вовсе не было. Ее немного тяготило то, что она не сдержала своего слова — ведь они не остались только друзьями, как хотела девушка. А может, она хотела совсем иного — того, что и происходило между ними по крайней мере раз в неделю. Дмитрий даже перестал опасаться последствий и приходил в гости регулярно, будто на службу.

— Не подумайте, что я ею пользовался, — сказал он. — Я был привязан к Анюте... Я даже любил ее... Но не так, чтобы бросить невесту.

«Ох, сволочь, — бессильно негодовала Наташа. — И сидит с таким довольным видом, будто хорошее дело сделал! Нечего сказать — осчастливил мою сестру!»

— Я никогда не проявлял инициативы, если вы об этом, — краснел Дмитрий. Этот здоровенный парень вообще краснел очень легко — кровь мгновенно приливала к его лицу. — Хотя она тоже... Все происходило как-то само собой...

— Да перестаньте вы говорить глупости! — не выдержала Наташа. — Скажите одно: когда вы ее бросили?

— В начале мая. Только не бросил, а... Я жениться скоро должен был, — запинался он. — Ну и подумал, что это нечестно, что нужно подумать и о будущем, что так дальше продолжаться не может...

— Зачем же вы у нее деньги брали, если у вас такая чувствительная совесть?

— Я сейчас без работы, — признался он. — Мне совсем не на что было жить, она заметила, ну и стала предлагать помощь... Я отказывался, честное слово! Но просто некуда было податься. И потом, я же

не насовсем брал, я в долг брал! И только такую сумму, которую мог бы отдать. Ни о каких пяти тысячах долларов я даже не слышал!

— А кольца?!

Этот вопрос привел его в совершенный столбняк. Некоторое время он смотрел на Наташу совершенно бессмысленным взглядом, так что та даже стала опасаться, что парня хватил удар. Наконец он прошептал:

— Откуда вы узнали?

— Люди вас видели.

— Я... О боже мой... — Он поник. — Это самый позорный момент в моей жизни...

— Так уж и самый? То, что вы сотворили с моей сестрой, — еще позорнее!

— Нет, это было уж слишком. — Дмитрий говорил будто сам с собой, не слушая собеседницу. — Я сказал Анюте, что скоро свадьба... Это было уже в самый последний раз, когда я сюда пришел. Не думайте, я не бросил ее внезапно. Я предупредил, что дальше так тянуться не может, и она согласилась со мной. А потом...

Потом он сказал, что его материальное положение по-прежнему плачевно, помощи ждать неоткуда, а у Анюты он больше одалживаться не может — не имеет морального права. Та выслушала, задумалась, а потом попросила проводить ее до станции. Дескать, хотела зайти на рынок.

— Я и проводил ее, не мог же отказаться. У меня и в мыслях не было, что она задумала! А она сразу кинулась в ювелирный магазин, купила два кольца, да еще коробочку к ним попросила... Красивую коробочку...

Он вдруг разрыдался. Это была самая настоящая истерика — парень спрятал лицо в ладонях, его плечи тряслись, голос дрожал. Сыграть такое было невозможно. Наташа притихла.

— И была такая милая, радостная, говорила — это подарок, это на счастье, не думай ни о чем... О господи! Господи, что же это такое!

Наташа тоже плакала, едва замечая это. Слезы текли по щекам, падали на ворот платья, она машинально их утирала. Если до сего момента она еще не верила Дмитрию, то теперь поверила всему. Она узнала свою сестру по этому, совершенно невероятному, поступку, который могла совершить только та. Анюта как будто оказалась рядом с ней — остановилась за спиной, положила руки на плечи и ласково сказала: «Это я».

Глава 11

Рассвет был недалеко — отодвинув занавеску, Наташа видела, что небо начинает светлеть. Ветви деревьев выделились на его фоне, будто нарисованные черной тушью на сером шелке. Она приоткрыла окно, и влажный густой воздух поплыл в душную комнату.

— Если хотите курить — курите, — тихо сказала Наташа, не оборачиваясь.

За ее спиной тут же раздалось чирканье зажигалки — гость, несомненно, стосковался по сигарете.

— Что же было дальше? — Она продолжала смотреть в окно.

После короткой паузы Дмитрий признался, что больше ему сказать нечего. Получив кольца, он как

будто пришел в себя и понял, что продолжать отношения с этой странной девушкой нельзя. Кто-нибудь из них сойдет с ума — он или она, но скорее всего он.

— Почему же вы? — обернулась Наташа.

Дмитрий со скорбным видом разглядывал дымившуюся в пальцах сигарету.

— Потому что я уже испереживался.

— Ох, бедный! — иронически заметила Наташа.

— А она была как будто выше всего этого. — Собеседник словно не заметил ее иронии. — О, такую девушку ничем не заденешь, она как будто не отсюда, и грязи не замечает... А я-то замечал и все понимал... Что бы вы обо мне ни думали.

— А если замечали, — Наташа подошла к столу, — то должны были оставить ее еще раньше. Еще до того, как стали с ней сожительствовать.

— Я не средневековый рыцарь, — печально признался Дмитрий. — Это у них были обеты, прекрасные дамы... А я — обычный человек и не слишком сильный.

Женщина только пожала плечами. На рыцаря Дмитрий уж точно не походил, но она всегда считала, что моральные достоинства средневековых мужчин сильно преувеличивают. В частности, она как-то услышала, еще учась в институте, что в своеобразном разговорнике, который крестоносцы брали с собой в походы, чуть не на первом месте стояла фраза: «Мадам, могу ли я переспать с вами?»

— Но после этого я здесь ни разу не бывал, — сказал он. — По крайней мере, в этом могу поклясться.

— Ни разу?

— Можете мне поверить.

— Вот и соврали, — спокойно сказала она, стараясь уловить его грустный взгляд. — Вы были тут, и знаете когда? Всего несколько дней назад.

Он удивился:

— С чего вы взяли?

— Станете отрицать?

— Да я и не думал приходить! Я только сегодня приехал и сразу пошел сюда, потому что услышал, что Анюта умерла!

— Кто вам сказал?

— Не помню... — смешался он. — Кто-то из знакомых...

— У вас были общие знакомые?

— Нет, но... Кто-то обмолвился в разговоре.

«Он лжет, — поняла Наташа. — Вот сейчас он точно лжет, потому что крутится на стуле, места себе не находит. С одной стороны, с ним несложно — сразу видно, когда впадает в панику. Но с другой... Я ведь его совсем не знаю. Как ему верить? Может, он прекрасный актер? До слез меня довел, а вдруг все это ложь, и не было этой истории с кольцами, купленными на чужую свадьбу? Нет, это что-то уж прямо из романа Достоевского! И вся эта история похожа на выдумку!»

— Кстати, вы женились? — Она поставила чайник на огонь. Ей хотелось есть, но Наташа не желала этого делать при таком визитере. Тогда пришлось бы угостить и его.

— Пока еще нет.

— Кольца, стало быть, еще при вас?

Дмитрий засуетился:

— Я могу их вернуть, если хотите!

— Хотелось бы, — бросила она, отворачиваясь и наливая чашку чаю. Подчеркнуто — одну.

— Я принесу их вам, когда скажете...

— Завтра. Нет. — Женщина снова поглядела в окно. Было уже совсем светло. — Сегодня. Ближе к вечеру, скажем, часов в семь.

— Хорошо. — Его голос звучал уныло. — Я не хотел их брать, поверьте.

— И все-таки взяли. — Она пила чай, стоя к нему спиной. — Плохие вы придумываете оправдания. Уж если человек не хочет чего-то делать — он этого не сделает.

— Не всегда так бывает!

— Всегда, если человек стоящий. А если тряпка, размазня или просто подлец — тогда идет на компромисс. Ну, признайтесь. — Она взглянула на гостя через плечо. — Вы же обрадовались, что Анюта избавила вас от лишних расходов на свадьбу?

Он молчал, и женщина тихонько засмеялась. Смех получился горьким.

— Мне жаль вашу будущую жену. Она знает обо всей этой истории?

— Нет, боже упаси!

— Оставьте вы Бога в покое, надоело! Спасать должны были вы сами, и прежде всего мою сестру, которая вам доверяла.

— Вы жестоки. — Его голос звучал совсем убито. — Анюта была права...

Чашка со стуком опустилась на стол. Наташа развернулась, не веря своим ушам. Что сказал этот тип?

— Она говорила, что вы самая умная из всей семьи, самая удачливая. И еще — самая жестокая, — повторил Дмитрий.

— Вы врете! — с трудом произнесла Наташа. — Моя сестра никогда бы так не сказала!

— Она это сказала, — непреклонно твердил Дмитрий. — Это ее собственные слова.

— Убирайтесь отсюда. — Наташа подошла к двери и открыла ее. — Вечером я вас жду, и не вздумайте пропасть! Я вас из-под земли достану.

Он двинулся было к двери, но женщина остановила его:

— Нет, погодите, нужна какая-то гарантия, что вы вернетесь. Паспорта, значит, у вас нет... Ну а другой какой-нибудь документ?

Дмитрий покачал головой, но она заметила, что его левая рука инстинктивно скользнула по карману спортивных штанов. Она нахмурилась. «Врет, опять врет. Что-то у него при себе есть, может, даже паспорт. Но как быть? Не обыскивать же его?»

— Я ничего с собой не захватил, пришел по-домашнему, — извинялся он тем временем. — Я приду вечером, даю слово.

— Ваше слово мне не нужно. — Она напряженно раздумывала. Как можно заставить этого человека вернуться? Если она отпустит его сейчас, то, может быть, навсегда. И с чем останется? У нее было столько вопросов, а решился только один — она выслушала историю Анютиного романа, выяснила вопрос с кольцами... Из того, что рассказал Дмитрий, по-прежнему было не ясно, куда исчезла внушительная сумма денег, хранившаяся на чердаке, и кто был тот ночной гость, который напугал Наташу. Ведь кто-то же был в доме в ту ночь, когда пошли часы! И наконец, почему ее сестра решилась умереть?

«Зря я взбесилась, — думала она, продолжая задерживать гостя на пороге. Дмитрий никуда не рвался — он стоял понуро, будто лошадь, ожидающая удара кнута. Она уже совсем перестала его бояться. — Нужно было схитрить, вынудить его на откровенность. А теперь... Как? Он будет врать, что ничего не знает, ни в чем не виноват. Да, отделался от меня, как от глупой девчонки, любовной историей, а про главное умолчал! Я уверена, что деньги прикарманил он, да и о том, что случилось с Анютой, тоже что-то знает... И это он сломал часы! Часы...»

Она перевела взгляд на запястье Дмитрия — там поблескивал массивный браслет от часов. Ничего выдающегося — такие продаются везде. Явно не золотые, явно не элитные, обычные «Сейко» или «Ориент»... «Но для него они должны иметь ценность, если у парня денежные затруднения».

— Отдайте мне ваши часы, — потребовала она.

— Как? — испугался он, отводя назад руку. — Зачем?

— В залог, разве не ясно? Я желаю знать, что вы вернетесь.

— Но как же я без часов, — говорил он, уже расстегивая браслет. — Ну что же... Берите.

Она приняла часы, мельком взглянула на них и положила на стол.

— Вечером поменяемся — кольца на часы. И еще — на правду.

— Я рассказал все! — умоляюще произнес он.

— Все о вашей связи — может быть. — Наташа пошире открыла дверь и вдохнула густой ночной воздух. — Но о деньгах ничего не сказали. И еще о том, почему Анюта умерла.

— Этого я не знаю!

— Идите. — Она почти вытолкала его на крыльцо и заперла за ним дверь. Снова взяла часы, осмотрела их, пожала плечами. Не дешевые, не дорогие — так, нечто среднее, настолько же усредненные, как внешность их владельца. Наташа положила часы на стол, проверила, заперты ли все окна, и отправилась спать.

* * *

Солнце заливало постель, и женщина, раскинувшись на смятых простынях, начала шевелить во сне пересохшими губами. Она приоткрыла рот, облизала губы, перевернулась на бок и вдруг открыла глаза.

— Ух, — проворчала Наташа, стараясь снова заснуть. Но свет и жара постепенно становились все более назойливыми. Она села, отводя со лба спутанные влажные волосы.

Судя по солнцу, было уже за полдень. Она спала мертвым сном и, если бы не жара, проспала бы еще несколько часов. Вчерашний день вымотал ее совершенно. Наташа вздохнула, спустила ноги на пол. Половицы были приятно прохладными, и она босиком прошла на кухню. Взглянула на часы, оставленные на столе, — почти начало второго.

«Что-то надо было сделать, — мучительно соображала она, ополаскивая лицо над раковиной. — Именно утром... Господи, будто с похмелья! Как же я устала от всего этого!»

И вдруг вспомнила. Татьяна. Татьяна сказала, что они увидятся утром в библиотеке. Наташа чер-

тыхнулась и, наскоро одевшись, бросилась вон из дому.

В библиотеке было то же солнце — яркое, совсем летнее. Татьяна сидела за столом и перебирала карточки. Увидев визитершу, она едва разжала губы, чтобы поздороваться. Судя по ее лицу, застывшему и неприязненному, она совсем не одобряла ее вчерашнего позднего визита. Наташа поспешила извиниться:

— Простите, что я зашла так бесцеремонно, но дело не терпело... — Она без приглашения уселась и вздохнула: — А может, и терпело. Я уже ничего точно не знаю.

— Какое дело? — Тонкие пальцы невозмутимо перебирали засаленные карточки.

— Видите ли, я встретила Людмилу, у нас с ней был разговор, и она мне кое-что сказала...

— Обо мне, конечно? — Татьяна быстро подняла взгляд. Ее лицо было совершенно непроницаемо.

— Да, о вас. Вы знакомы с ней?

— К сожалению. — Та отодвинула ящик с картотекой. — Предпочла бы не знакомиться, но что поделаешь!

— Почему она вас ненавидит?

Женщина встала и задернула занавеску — то ли спасаясь от солнца, то ли от посторонних взглядов. Потом перешла к полкам и занялась стоящими на них книгами. Некоторые она доставала, раскрывала, осматривала переплеты, вклеенные кармашки с карточками, и было ясно, что вся эта деятельность придумана ею только для того, чтобы занять руки. Наташа поняла, что хозяйка библиотеки встревожена.

— Она бы съела меня, если бы могла, — сумрачно призналась Татьяна. Теперь она была в самом дальнем углу комнаты. — Не слушайте того, что она обо мне болтает.

— Но почему? — повернулась на стуле Наташа. — Что у вас случилось?

— Да так, личные трения.

— Из-за моей сестры? — догадалась та. — Вы что-то высказали Людмиле, когда та была невестой Ильи? О, я поняла! Людмила ужасно с нею обращалась, помыкала еще хуже, чем...

Татьяна взвесила на руке растрепанный толстый том и бережно вернула его на полку.

— Нет, не из-за вашей сестры, — все так же замороженно отвечала она. — Нам с Людмилой приходилось сталкиваться лично.

— Можно узнать как?

— Нет.

Наташа прикусила язык. В самом деле, какое она имела право лезть в чужую жизнь? Предположим, Людмила не была ей такой уж чужой, особенно учитывая последние новости. Но Татьяна... Всего-навсего — подруга ее покойной сестры. Правда, единственная, что осложняло дело.

— Поверьте мне, что эта женщина с радостью отправит меня на тот свет, если сумеет, — продолжала Татьяна, переходя от полки к полке. — С ее характером вы, наверное, уже сами знакомы.

— Да уж!

— Ну вот, а я с ней общалась чаще и дольше, чем вы. Вы бывали тут редко, а я всегда под рукой. Не знаю, почему она на меня так обозлилась, — очередная книга захлопнулась, выпустив в воздух легкое

облачко пыли, — хотя признаюсь, я тоже ее сразу невзлюбила. Мы бесим друг друга, но я никогда не делала ей ничего плохого.

— Верю. — Наташа видела библиотекаршу со спины, но даже по ее затылку могла понять — та очень напряжена. — Людмила способна оговорить кого угодно.

— Что она сказала обо мне?

— Ничего конкретного. В основном упирала на то, что вы бы могли многое рассказать о смерти моей сестры, просто не хотите. И к тому же знаете, что у Анюты был любовник. И... — Наташа сделала паузу и нерешительно докончила: — Что вы — лгунья.

Наступила минута тишины. Татьяне потребовалось время, чтобы усвоить услышанное. Наконец она отозвалась, по-прежнему стоя спиной и перебирая какие-то брошюрки:

— Что еще?

— Больше ничего.

«Ничего, за исключением того, что я узнала вчера от твоей соседки... И что я видела собственными глазами. Тот мужчина, который вышел из твоей комнаты, не был привидением, не был порождением чьей-то клеветы. Он был реален, как и твой муж, умерший такой загадочной смертью».

— Я ничего не могу сказать о том, почему умерла Анюта, вы уже слышали, — тихо, очень спокойно ответила Татьяна. Теперь она повернулась. Узкое лицо было бледно и казалось постаревшим. Она сцепила руки и смотрела на Наташу так, будто упрекала в чем-то. — Все, что могла, я рассказала. Я знала только о книгах. Вот они. — Татьяна указала на полки. — Это все, что мне известно о ее смерти. Она приготовилась к ней, это своего рода завещание. Может быть, Людмила это имела в виду? Или она думает, что я украла эти книги?

— Я ведь не говорю, что поверила ей!

— Зачем тогда вообще передавать мне ее сплетни?

Ответить было нечего. Библиотекарша была права, а Наташа потихоньку начинала злиться. «Какая же она неприступная! Что бы я ни сказала, всегда оказываюсь виновата, а она — чиста!»

— Она постоянно говорит обо мне гадости, хотя мы вовсе не знакомы так близко, чтобы она действительно знала о моих делах, — продолжала Татьяна, присаживаясь к столу и снова придвигая к себе картотеку. — Все это домыслы. Не знаю, что творится у нее в голове, но не хотела бы я туда заглянуть.

— Она говорила так уверенно, будто в самом деле что-то знала, — осторожно заметила Наташа.

— Она не знала ничего, — отрезала библиотекарша. Ее пальцы, вцепившись в край ящика, побелели.

Наташа взглянула на них, потом поймала взгляд темных, лишенных блеска глаз... И вдруг поняла, что боится этой женщины. Боится и не доверяет ей.

Она медленно встала, оправила юбку:

— Конечно, это глупости. Мне ли не знать, что такое сплетни... Когда я выпроваживала ее из дому после смерти Ильи, она такого наговорила соседям... Выходило, что это мы с Анютой убили брата на большой дороге.

Татьяна не шелохнулась — только пальцы чуть-чуть разжались и коснулись края стола.

— Она дура, да вдобавок — злая дура. — Наташа сделала попытку улыбнуться. — И я сразу подумала, что не бывает более непохожих людей, чем вы и

она. А стало быть, вы просто обязаны друг друга ненавидеть.

— Я ее не ненавижу, — спокойно ответила Татьяна. — Я просто стараюсь ее не замечать. Это и было все ваше дело?

«Нет, не все!» — кричало что-то внутри Наташи, но она больше ничего не добавила. Попрощалась и вышла.

На улице было лето. Женщина стояла на крыльце, подставив лицо лучам высокого солнца, и не думала ни о чем. Это было чудесно — не думать, просто существовать, как растение, поворачивающее листья к свету и теплу... Она вспомнила о сыне, и очарование рухнуло. «Я должна вернуться домой как можно скорее. Вчерашний звонок был просто безумным. Муж напуган до смерти, и я не удивлюсь, если он опять примчится сюда. Бесчеловечно так издеваться над семьей. И потом, этот ночной разговор мог закончиться очень скверно... Мне повезло, что Дмитрий — такой тюфяк! На его месте мог оказаться уголовник».

— Добрый день!

Она обернулась. Лариса стояла в палисаднике и помахивала в знак приветствия измазанной в земле лопаткой.

— Опять у нас? — продолжала та, раздвигая кустарник. — А я хочу кое-что посадить.

— Поздновато, — ответила Наташа. — Завтра — июнь.

— Да пусть его, — махнула лопаткой Лариса. — Были у Таньки?

Наташа испуганно обернулась, но дверь библиотеки была закрыта.

— Перестаньте, — дружелюбно сказала Лариса. — Что ее стесняться? Вчера я немножко выпила, вы не обижаетесь?

Она упорно обращалась к собеседнице на «вы», как будто вместе с опьянением с нее слетела и былая фамильярность.

— Да ведь и я выпила, — напомнила Наташа, и неловкость сразу исчезла. Женщины посмотрели друг на друга и одновременно рассмеялись.

Сегодня Лариса выглядела получше. Лицо по-прежнему было опухшим, но глаза приобрели осмысленное выражение, и голос звучал твердо.

— Вчера я вам наговорила всякого, — извиняющимся тоном заметила она. — Забудьте.

— Хотелось бы. — Наташа снова оглянулась на дверь библиотеки. — Но я не могу.

Лариса бросила лопатку и подошла поближе, вытирая испачканные землей руки о рабочий фартук.

— У вас что-то случилось? По глазам видно.

«Да, случилось. — Наташа все еще смотрела на библиотеку. — Моя жизнь разрушена, семья погибла, и люди говорят, что мой родной дом — нехорошее место. Я каждый день узнаю что-то новое о своей сестре, но, в сущности, так ничего и не знаю. Да, что-то случилось».

— У вас лицо такое странное, — продолжала Лариса, подходя еще ближе. — Вам нехорошо?

«Да, мне очень нехорошо. Мне так нехорошо, что я готова бросить все и уехать. А потом пойти на сделку с Людмилой и отдать ей все, что та пожелает. И забыть обо всем и больше не делать из себя посмешище, зада-

вая людям вопросы. И еще забыть то, что говорила про меня сестра... Неужели она действительно это говорила? Я никогда не была с нею жестока».

— А ну-ка, сядьте, — неожиданно твердо произнесла Лариса, беря женщину под локоть и отводя в сторону.

Та огляделась и обнаружила себя на полянке, где традиционно собирались по вечерам местные алкоголики. Несколько пыльных деревьев, ящики, холодильник без дверцы, в котором лежала пустая пивная банка. Наташа безвольно присела на один из ящиков. Отсюда ей были хорошо видны окна Татьяны наверху, но из библиотеки та ее видеть не могла.

— Вы же сейчас сознание потеряете, — испуганно повторяла Лариса.

— Мне получше, — промолвила Наташа. — Я сейчас пойду...

— Куда?

— Не знаю...

Она и в самом деле не знала — куда еще идти, что делать? Вчера думала, что сделала открытие, а сегодня снова осталась ни с чем.

— Посидите-ка, — испуганно сказала Лариса. — Куда вы пойдете в таком состоянии! Я ведь видела, какой вы вышли из библиотеки. Это Таня вас расстроила?

Наташа хотела ответить «нет», но промолчала, справляясь с дурнотой. Мимо по шоссе то и дело проезжали тяжело нагруженные грузовики, и их грохот больно отдавался в ушах.

— Что у вас за дела? — поинтересовалась Лариса, усевшись рядом на другом ящике. — Вы подружки? Я вас тут раньше не видела.

— Нет, мы не подруги, — собственный голос все еще казался Наташе чужим, — но моя сестра с ней дружила.

— Это кто же? — задумалась было Лариса и вдруг вскрикнула: — Анютка, что ли? Вы — сестра Анюты? — И развела руками: — Никогда бы не подумала! Вы так не похожи!

И в самом деле, сестры совсем не походили друг на друга. Младшая — чуть пополневшая к тридцати годам, смуглая и темноглазая, старшая — худая, голубоглазая, рыжая. Разные темпераменты, интересы, манеры... Их трудно было принять за родственниц.

— Я ее часто тут видела, — сообщила Лариса. — Бедняжка... Как она на такое решилась?

— Никто не знает.

— Да, вот беда... — Лариса искренне расстраивалась. — Есть же люди, у которых совсем совести нет!

Наташа насторожилась:

— Это вы о ком?

— Да о нем, о ком еще. — Прежний горестный тон и взмах руки.

— Погодите-ка. — Наташа окончательно пришла в себя. — Вы говорите о мужчине?

— Да какой он мужчина! Так, паршивец, — бросила Лариса. — Таких топить надо. Прямо тут, в болоте, чтобы далеко не бегать.

Наташа вздрогнула:

— Как его зовут?

— Димка, — бросила та. — Подумаешь — тайна. Тут все его видели, неужели вам никто не сказал?

— Никто. А я ведь спрашивала!

— Вот козлы. — Та сплюнула и достала сигареты. — Хочешь? — Лариса неожиданно снова перешла на

«ты». Возможно, эти переходы зависели от перепадов настроения, и вряд ли она сама их замечала. — Не куришь? Ну, слушай.

То, что Анюта часто бывала в библиотеке, не было новостью. Наташа отлично знала, где ее сестра находила отдушину в своей однообразной и довольно скучной жизни. Она бывала и наверху, у Татьяны, — здесь тоже не было ничего удивительного. Странности начинались дальше...

— Мне сразу не понравилось, что твоя Анюта к ней ходит, — рассказывала Лариса. — Совсем бы этого не нужно... Уж очень они непохожие.

— Да? А мне показалось, наоборот.

— Да что ты — небо и земля! — возбужденно возразила Лариса. — Татьяна — хитрая, себе на уме, а эта была такая простая... Ну прямо нездешняя какая-то.

«Татьяна — хитрая? И эта — туда же».

— Она мне в прошлом году, на Пасху, принесла яички, — растроганно вспоминала Лариса. — А я же почти ее не знала! Яички и куличок такой маленький... А у меня было шаром покати, я так ничего ей и не подарила в ответ...

На ее глазах показались слезы. Наташа подумала, что похмелье все-таки сказывается, несмотря на то что женщина казалась с виду вполне трезвой. И вдруг одернула себя. Неужели человек не может прослезиться лишь оттого, что вспомнил что-то хорошее? Может быть, Дмитрий не лгал, и Анюта и вправду назвала ее жестокой?

— Такая была милая девушка, — продолжала предаваться воспоминаниям Лариса. Ее опухшее лицо даже просветлело. — Я сразу хотела ее предупредить, чтобы не связывалась с Татьяной, та ее вокруг пальца обведет, но... Как-то язык не повернулся. Всегда думаешь — какое мое дело, правда? А потом ругаешь себя, что промолчала, только поздно. — Она извлекла из кармана фартука неожиданно чистый и выглаженный носовой платок.

— О чем предупредить? — не выдержала Наташа. — Что вы говорите? Разве Татьяна — какая-то аферистка?

— Не знаю я ничего, — горестно сообщила Лариса летнему небу. — Но мне она не нравится. Я бы ей денег в долг не дала.

«Уж точно не дала бы, ты бы их пропила».

— Анюта ходила к нам, ходила, а потом вдруг перестала, как отрезало. После Нового года почти не бывала. Я обрадовалась, подумала — девушка взялась за ум. А потом, в феврале, увидела ее в коридоре с парнем... С этим очкастым Димкой.

Наташа задохнулась:

— Вы уверены? В коридоре? А не путаете?

— Да брось, я их ясно разглядела. Они от Таньки вместе вышли, а я как раз открывала дверь. Мы чуть не столкнулись.

Наташа была ошеломлена. Дмитрий ничего не говорил о том, что бывал у Татьяны... Он как будто даже не знал ее лично... Но зачем было лгать этой добродушной алкоголичке, которая приписывала себе ученую степень и так сочувственно относилась к чужому горю?

— И они вместе были там? — недоверчиво переспросила она, указывая пальцем на барак. — Вы не ошиблись? У вас в коридоре так темно!

Лариса даже рассердилась:

— Знаешь, на зрение пока не жалуюсь. И уж поверь — твоя сестра там с ним и познакомилась. Я по-

тому и не хотела, чтобы Анюта ходила к Таньке. Вот Димка — тот пусть шляется сколько угодно. Они — два сапога пара. Пусть хоть каждую ночь шушукаются, мне-то что! Думает, если придет в сумерках, никто его не заметит. Болван! — Носовой платок исчез.

— Так это он ходит к Татьяне по ночам?!

— Он-он, — подтвердила та. — Я не знаю, что он там у нее делает, но таскается чуть не каждый вечер. Может, они вместе книжки читают... — Ее губы скривились, глаза сощурились и совсем исчезли в складках припухших век. Этой язвительной гримасой Лариса давала понять, что сама в такую версию не верит. — Уж не прятались бы, конспираторы... Что у Таньки за манера! Я ведь помню, как у нее начиналось с первым мужем. И с этим — очень похоже.

— Не может быть... — пробормотала Наташа.

Она вспомнила вчерашнее столкновение в коридоре с каким-то мужчиной. «Это был он? Я пошла к реке, улица была темная, изредка попадались прохожие, но лиц я не различала. А когда подошла к дому, он уже был там. Значит, все это время Дмитрий шел впереди?»

— Давно он сюда ходит? — спросила она.

— С прошлой осени, — участливо ответила Лариса. — Сразу двоим головы заморочил, гад! Рано или поздно мы все на эту удочку попадаемся...

— На какую удочку? — Наташа была в какой-то прострации. Встретились в переходе, помог донести сумки... А Татьяна?! Делала вид, что ни о каком парне не слыхала!

— Мужики дурят нам головы, а мы верим, — пояснила та. — Хотя твоей сестренке было уже пора кого-то найти, но все-таки не такого...

На этот раз она рывком открыла дверь. В комнате никого не было — только сама хозяйка возилась у окна, заваривая чай.

— Вы мне солгали, — заявила Наташа.

Библиотекарша медленно обернулась. В ее взгляде не было даже любопытства — она смотрела тяжело и холодно.

— Как это понимать? — поинтересовалась она.

— Вы солгали, вы знали, что Анюта встречалась с парнем, и кто этот парень — вам тоже известно! Вы видели, как я мучаюсь, бьюсь, и все равно врали!

Наташа начинала задыхаться, и это ее бесило. Ей бы хотелось сохранить хладнокровие под взглядом этой женщины, которая великолепно держала себя в руках.

— Нет, я сказала правду, — прежним размеренным тоном ответила та. — Я никогда не видела никакого парня рядом с Анютой. — И снова принялась доливать чайник кипятком.

— Бросьте свой чай! — Наташа сорвалась на крик. — Их видели у вас вместе! Вы свели их! — И в качестве последнего аргумента она расстегнула сумочку и бросила на стол часы, конфискованные ночью у Дмитрия. — Смотрите! Знакомая штучка? Вчера они были на нем?

Та едва скользнула взглядом по циферблату и, слегка пожав плечами, снова отвернулась к окну. Но Наташа видела, что библиотекарша больше не занимается завариванием чая. Ее руки легли на залитый солнцем подоконник. Она как будто высматривала кого-то.

— Зачем вы мне лжете? — срывающимся голосом проговорила Наташа. — Это преступление...

— И кто же преступник? — так же ровно и невыразительно поинтересовалась библиотекарша.

— Не знаю. — На миг женщина спрятала лицо в ладонях. Лицо горело, пальцы тряслись. Так обмануться в человеке, которого она считала почти другом... Которого считала другом Анюты...

— И я не знаю. — Татьяна с изумительным спокойствием налила чай в две кружки, поставила одну перед гостьей. — Успокойтесь. Не знаю, откуда у вас эти дикие мысли. Какая-то алкоголичка наговорила чепухи, явно хотела получить на опохмелку, а вы сразу поверили!

— Может, она и пьяница, но говорила правду.

— И что же она сказала? — Теперь Татьяна говорила с насмешкой. — В чем меня обвинила? Я свела мужа в могилу, так? Эту сказку вы уже слышали? Конечно, слышали, иначе не смотрели бы на меня такими безумными глазами!

— Это меня, во всяком случае, не касается.

— Но вы поверили ей.

— Не важно — поверила или нет. Не поверила!

«Поверила, — отозвалось что-то в душе. — Вот теперь поверила».

— Значит, я устроила у себя дом свиданий? — продолжала та. — Анюта встречалась у меня с любовником?

Она рассмеялась, и этот смех ужалил Наташу. Она могла смеяться над этим! Смеяться, хотя после похорон прошло всего несколько дней!

— А было все не так. — Татьяна расхаживала по уютной солнечной комнате и невозмутимо попивала крепко заваренный чай. — Анюта часто поднималась ко мне, это для вас не секрет. Но она была не единственным моим другом. Были и другие, и кое с кем она могла пересекаться.

Наташа молчала.

— Возможно, она как-то раз кого-то встретила... И они ушли вместе. — Теперь Татьяна говорила очень осторожно, выбирая выражения. — Но я даже не помню, было ли такое. И во всяком случае, я не устраивала у себя никаких оргий. У меня дочь, если вы еще не забыли. Куда бы я дела девочку?

— Но вы мне ничего не сказали об этом. — Наташа сама чувствовала всю беспомощность своих возражений. Да, та была права, опять права! И каждый бы это признал!

«А если я впрямь сошла с ума, что так вцепилась в эту историю? — подумала она вдруг. — Елена Юрьевна уже не выбирает выражений, прямо говорит, что с головой у меня непорядок. Я подозреваю всех... А что я могу сказать конкретного? Только домыслы, только фантазии... Не могу забыть, как эти проклятые часы наверху пошли, а потом выглядели такими мертвыми, будто стояли уже тридцать лет...»

Она спрятала часы Дмитрия в сумку. Татьяна едва скользнула по ним взглядом.

— Вы наслушались сплетен. Неужели не знаете, что если в таком маленьком городе немножко отличаешься от толпы, то на тебя неизбежно будут клеветать?

— Нет, — с трудом вымолвила Наташа. — Это неправда. Люди не так злы, как вы говорите.

— Поверьте, они очень злы.

Снова этот непроницаемый взгляд темных глаз, сжатые в ниточку тонкие губы.

— Они не злы, — проговорила Наташа. — Они просто все подмечают, потому что народу тут живет немного. И если так много людей настроены против вас, значит, вы чем-то это заслужили.

— Замечательная логика! — с деланой веселостью заметила Татьяна.

— Какая есть.

— А вы, однако, дура, — неожиданно грубо сказала библиотекарша. Ее тон резко изменился — в нем не было уже ни холодности, ни деланой веселости. Только безграничное презрение. — Не думала я, что вы так глупы.

Наташа уже стояла на пороге. Она отворила дверь и снова увидела яркий день, цветущие деревья... Но как будто через темные очки — мир выглядел угрожающе померкшим.

Глава 12

— А разве я не говорил, что этим кончится? — нравоучительно повторял Павел, разогревая на водяной бане баночку морковного пюре. — Сама измучилась, всех измучила и ничего не добилась!

Наташа делала вид, что не слышит, и играла с сыном в старую добрую игру «По кочкам, по кочкам, по маленьким дорожкам...». Когда она говорила: «В ямку — бух!» и слегка раздвигала колени, так что Ваня туда проваливался, кухня оглашалась его смехом. Малыш хохотал солидным баском, чем до слез смешил родителей.

— Я ведь собирался за тобой ехать. — Павел попытался всунуть ребенку в рот ложку с пюре, но тот не желал обедать — он требовал продолжения игры. — Ну вот, — расстроился отец. — Стоило тебе вернуться, и мальчишка сразу избаловался!

Но в его голосе не было настоящего огорчения. Он был очень рад добровольному возвращению жены. Втайне Павел уже думал, что ее придется увозить в Москву силой, особенно после безумного ночного звонка. В ту ночь он почти не спал, и весь день безуспешно пытался дозвониться Елене Юрьевне — сперва с работы, потом из дома. Наконец та взяла трубку и раздраженно сообщила, что видела в окно Наташу — судя по всему, живую-здоровую. Тогда он слегка успокоился, но решил назавтра же ехать за город. Однако жена опередила его и вернулась домой в половине второго ночи. У нее был такой замученный вид и диковатый усталый взгляд, что Павел не стал ее терзать расспросами и поскорей уложил спать.

— Как у нас хорошо. — Это была одна из немногих фраз, произнесенных Наташей с тех пор, как она переступила порог. Женщина все еще выглядела очень уставшей и недовольной, и единственное, что вызывало на ее лице улыбку, был басистый хохот сына.

— Ну, после деревни в городе всегда хорошо, — заявил Павел, снова зачерпывая пюре и пытаясь накормить упрямого отпрыска.

Наташа не ответила, что совсем не это имела в виду. Ей хотелось сказать, что хорошо находиться в квартире, где нет никаких загадок и тайн, куда не приходят случайные люди, оставляющие в залог часы и потом бесследно исчезающие...

— Он так и не пришел вчера вечером? — повторил муж, уже ознакомленный с последними новостя-

ми. — Ну, я бы на его месте тоже тебе не показывался. Хорошо ты его отделала — прямо не верится.

Ваня обреченно глотал пюре. Впрочем, он быстро вошел во вкус и забыл об игре. Мать держала его на коленях, отец кормил, им занимались, и это привело ребенка в самое благодушное настроение.

— Обманул меня, мерзавец, — твердила Наташа. — Даже залог не помог.

— Значит, кольца остались у него, — соображал Павел. — А часы — все еще у тебя? Покажешь?

— Посмотри в сумке.

Он вернулся из прихожей, вертя в руке браслет и рассматривая марку на циферблате.

— Интересно, стоят они этих колец или нет?

— А кто их знает. — Наташа теперь сама кормила сына. — Мне был важен принцип, а не цена. И потом, хотелось с ним еще пообщаться...

— Он симпатичный?

Женщина подняла глаза на мужа и слабо улыбнулась:

— Не в моем вкусе. Надеюсь, ты не ревнуешь?

— Вот еще! — Тот обиделся. — Мне интересно, на кого запала твоя сестра.

Наташа вздохнула и снова подбросила сына на колене. Слегка — после обеда такая качка могла вызвать морскую болезнь. Симпатичный? Во всяком случае, не на ее взгляд. Но она ведь была предубеждена против Дмитрия. Возможно, парень и в самом деле недурен собой и может нравиться женщинам. Ее мысли вернулись к Татьяне. «Да как это может быть? Она намного его старше. Правда, она была старше и первого мужа, лет на десять. Бывают такие, которых под старость тянет на мальчишек, но про

Татьяну я такого и подумать не могла. Все это очень странно».

Вчера она весь вечер безрезультатно прождала Дмитрия, начиная с половины седьмого и чуть ли не до самой полуночи, до отправления последней электрички. Когда женщина поняла, что ее обманули, она даже не пришла в ярость — слишком устала за день. Ей было ясно, что парень сюда больше уже не явится — слишком нелюбезный прием ему оказали. Наташа поняла, что испортила все дело своим грубым напором, но исправлять что-то было уже поздно. Она решила вернуться в Москву, и ей пришлось бежать всю дорогу, чтобы успеть на поезд, уходивший в полночь. Ждать до утра женщина не хотела — теперь родной дом наводил на нее слишком мрачные мысли.

— Ты поверила тому, что он рассказал? — продолжал Павел, рассматривая оборотную сторону часов. — Нет, гравировки нет. Жаль.

— Почему?

— Я думал, может, это ему кто-то подарил. В таких случаях делают надписи... Ты думаешь, он назвал тебе настоящее имя?

— В том, что он Дмитрий — я убеждена, одна женщина назвала его так же, а она его знает лучше меня. А фамилия... Можно проверить. Он обмолвился, что местный, нужно поискать в адресном столе, есть ли такой Замятин. А может, и другие источники найдутся.

— И охота тебе с этим возиться. — Павел бросил часы в ее сумочку с таким видом, будто это было мерзкое насекомое, которое, пожалуй, могло и укусить.

— Неохота, но надо.

— Деньги все равно пропали, — вздохнул он. — Иди докажи, что он взял... Ни за что не вернет, и будет прав! Нашла ты этого типа, узнала кое-что о сестре — разве не хватит? Я бы на твоем месте все это бросил!

— Не могу, — еле слышно ответила Наташа. — Там дело нечисто, такое нельзя просто оставить и забыть. Если я это сделаю, то еще долго буду мучиться. Ведь речь идет о моей сестре!

Ваню уложили спать, и ребенок, слегка покапризничав, быстро утих. Спал он всегда в одной и той же позе — руки-ноги в стороны, носом в подушку, так что родители боялись, что однажды чадо задохнется во сне. Но ничуть не бывало — сын просыпался веселым, розовым и, всегда голодным.

— А что делать с Людмилой? — уже шепотом спросил Павел, когда они вернулись на кухню. Комната была всего одна, и когда им хотелось уединиться, другого места не оставалось.

— Боюсь, она будет судиться, — мрачно ответила Наташа.

— А как ты думаешь, дадут за дом сорок тысяч? — все тем же заговорщицким тоном спросил муж.

Женщина нехотя улыбнулась:

— И ты туда же! Никогда!

— Но она ведь была в агентствах. Кто знает. — Павел был не на шутку взволнован. — А вдруг повезет? Место престижное, дом приличный, а дураков с деньгами много...

Наташа не стала обижаться, хотя вовсе не считала, что ее родовой дом может купить только дурак. Но за сорок тысяч... Тут нужно найти истинного любителя Акуловой горы.

— Предположим, она ничего не отсудит, — возбужденно говорил муж, — и все достанется нам. В самом деле — что за дикость! За что ей достанутся такие деньги? Чей это ребенок — еще требуется доказать! Генетическая экспертиза...

— Она согласна на любую экспертизу. Говорит, что ребенок не от мужа.

— Да? — Он слегка попритих. — Ну, в таком случае ей придется все же доказать, что он от твоего брата.

— А если она докажет? — Наташа вспомнила напористость Людмилы, ее уверенный насмешливый тон и хозяйские повадки. — Я почти уверена, что докажет.

— Ну, тогда, — расстроился Павел, — придется с ней делиться. И все-таки — двадцать тысяч, Ташка! Куча денег!

— Да что ты помешался на деньгах! — не выдержала она. — Деньги для тебя важнее, чем я!

Муж посмотрел на нее каким-то странным, очень тяжелым взглядом, и она смутилась. Было же время, когда она вошла в его семью без копейки денег, без всяких надежд на приданое. Кто же знал, что так скоро и нелепо погибнет Иван, убьют Илью, отравится Анюта... «Паша ни на что не рассчитывал, когда на мне женился. И его родители никаких планов не строили. Так вышло, что я стала богатой наследницей и вот теперь попрекаю его деньгами. Это несправделиво». Она снова вспомнила то, что сказал ей напоследок Дмитрий. Это был лживый, скользкий человек, в этом Наташа успела убедиться, но слова жгли ее, не давали покоя. «Анюта говорила, что я жестокая. Анюта многое видела и

понимала, хотя с ней никогда не считались. А если она была права?»

— Прости, — тихо проговорила Наташа. — Я не хотела так резко... Давай пока забудем о доме.

— Хорошо, — довольно холодно согласился муж, и в тот день они ни словом не обмолвились о том, что случилось на Акуловой горе.

Наташа занималась запущенным хозяйством, устроила большую стирку, позвонила своим коллегам и немногочисленным подругам. Ей приятно было окунуться в эту привычную жизнь, пусть не слишком легкую, но зато безопасную.

Павел весь день был дома и почти не отходил от жены. Она смеялась, что он бродит за нею по пятам, будто караулит каждый ее шаг.

— Так соскучился?

— Ужасно! Ты ведь туда больше не поедешь?

— Придется как-нибудь. — Она отжимала детское белье и швыряла мокрые скрученные жгуты в таз. — Я-то думала отметить девять дней, а теперь подсчитала и вижу — они уже позади. Где была моя голова?

Павел выразился в том смысле, что не нужно принимать близко к сердцу похоронные формальности, но жена с ним не согласилась. Ей было очень неловко, что так вышло. Конечно, никто ее не упрекнет, соседи ничего не скажут, но про себя решат, что сестра, видно, не слишком горюет о покойной.

— Сороковины обязательно нужно будет отметить, — размышляла вслух женщина, снова склоняясь над тазом. — Так что снова туда поедем. И ты со мной — обязательно.

Павел обреченно согласился.

— Ну почему у тебя такой вид? — Она мельком взглянула в недовольное лицо мужа. — Тебе так ненавистен этот дом?

— Мне не нравится все, что там произошло.

— Только не говори о нехорошем месте, иначе я с ума сойду, — бросила она и выпрямилась, услышав телефонный звонок. — Кто это так поздно?

Когда сын был совсем маленьким, они отключали телефон, как только он засыпал. Но позже они обнаружили, что мальчика совсем не тревожат звонки — у него был настолько крепкий сон, что можно было громко говорить у него над головой, включать музыку, телевизор... Ваня продолжал спать, ни на что не реагируя.

Павел пошел снимать трубку и некоторое время отсутствовал. Наташа слышала, как он негромко разговаривает, и решила, что звонит кто-то с его работы. Опять перенесут дежурство — не иначе. Но тут муж выглянул в коридор:

— Подойди-ка.

Вид у него был крайне недовольный. Наташа удивленно взяла трубку и услышала знакомый голос.

— Это я, — заявила Елена Юрьевна. — Ты же в Москве, правильно?

Отрицать это было бы трудно. Наташа все больше недоумевала. Соседка знала этот номер, но прежде никогда сюда не звонила.

— Раз ты в Москве, кто тогда у тебя дома? — зловеще поинтересовалась та.

— А там кто-то есть? — Наташа сделала знак мужу не уходить. Он и не собирался — по его напряженному взгляду она поняла, что Павел уже успел все выспросить. — Свет горит? Вы видели кого-нибудь?

— Свет видела, — заявила Елена Юрьевна. — Только что выглянула в окно, смотрю — у вас все комнаты освещены, и тени по занавескам ходят.

— Тени?! Там не один человек?!

— Вроде бы не один. Учти, я туда не сунусь, пусть даже с мужем! Нам своя жизнь дорога!

— Вызовите милицию! — воскликнула Наташа. — Чего же вы ждете?

— А я подумала, что ты пустила кого-то пожить. — высказалась та. — Ну ладно, позвоню. Только ты бы и сама подъехала!

Павел, понимавший, к чему клонится разговор, делал отчаянные знаки — нет, нет и нет! Наташа дала отбой и повернулась к нему.

— Нужно ехать, и быстро. Ты со мной?

— А Ваня с кем останется?

— Позвони маме, пусть она...

И тут он совершил поступок, которого женщина никак не ожидала от уравновешенного, обычно покладистого супруга. Павел выдернул телефонный шнур из розетки, обмотал вокруг аппарата, а сам аппарат невозмутимо сунул в ящик старого письменного стола... И запер ящик на ключ.

Наташа остолбенела.

— Ты никому больше не позвонишь, и я тоже. И мы никуда не поедем, — твердо сказал Павел. — Если тебе понравилось рисковать головой из-за пустяков, то мне это не по вкусу. Я тебя не пущу.

— Но там в доме — грабители!

— Что они украдут? — усмехнулся он. — Ваше старое барахло? Газовую плиту? Манную крупу?

— Но я не могу сидеть спокойно, если там — посторонние люди!

— Через несколько минут там будет милиция, так что можешь не волноваться. За такое время ничего украсть не успеют. Успокойся!

Но Наташа не последовала мудрому совету и не успокоилась. Она волновалась, и даже очень. Мысли шли вразброд, она сама себя не понимала. Да, нужно ехать, немедленно, она так и должна поступить... Но потом женщина смотрела на сына, который возился в манеже, и ее настроение менялось. Скоро ночь, она снова едва успеет на последнюю электричку, даже если выскочит из дому в чем есть. Потом — минут сорок пять езды да еще полчаса пешком от станции... Она будет на горе глубокой ночью... И зачем? Ни милиции, ни грабителей, ни даже соседки в ее доме уже не окажется. Нужно ли предпринимать столько усилий, чтобы снова пройтись по комнатам?

— Ну, ладно, — сдавленно сказала она, собравшись с мыслями. — Ты прав. Поедем туда завтра. Но верни телефон на место!

— Вот завтра и верну, — непреклонно заявил он. — Иначе ты сразу начнешь звонить соседке, она уломает тебя, и ты опять туда потащишься...

— Постой, — растерялась женщина. — А ты?! Ты со мной не поехал бы?!

— Но мне завтра на работу.

Муж обнял ее за плечи и тихо, ласково попросил не забивать себе голову пустяками. Наташа горестно вздохнула ему в шею, сказала, что постарается, и только тогда он разжал руки.

Той ночью ей долго не спалось. Она лежала, глядя в стену, слушая тиканье часов, изредка прерываемое шумом проезжавших за окном машин. Теперь ей никуда не хотелось ехать. Не хотелось даже ду-

мать о том, что она не сможет завтра повозиться с сыном, пойти в свою школу, сказать, что выходит на работу, навестить знакомых... Проклятый дом, нехорошее место — как было бы хорошо забыть о нем, все бросить! Пусть все идет, как идет, пусть даже явится за своей долей Людмила. «Пока я не избавлюсь от дома, покоя мне не будет. Что за жизнь я сейчас веду?» Наташа чувствовала себя как человек, идущий по тропе через болото. Кочка, которая казалась надежной, неожиданно проваливалась под ногой, тропинка заводила в трясину... А настоящая дорога была где-то в другом месте.

Она закрыла глаза, прислушиваясь к дыханию спящего сына.

* * *

— Гляди, гляди, — шептала Елена Юрьевна, застыв у открытого окна. — Вон они мельтешат. Теперь в Анюткиной комнате роются.

Она не разрешила включить свет, чтобы не спугнуть воров. За обширной спиной Елены Юрьевны жались муж и старшая дочка, гостившая сегодня у матери с внуками. Больше в доме никого не было, о чем женщина очень жалела. Если бы взять двух зятьев да прибавить сына — вот тогда и милиция бы не потребовалась! Сами бы всех повязали. А с тепершними силами она не решалась начать военные действия.

— Что же они не едут? — дипломатично расстраивалась дочь. Она вовсе не казалась испуганной. Ей не было никакого дела до соседского дома, и хотелось одного — чтобы беда не коснулась ее самой и ее детей. То была сорокалетняя женщина, довольно красивая, но уже сильно расплывшаяся. В ее фигуре и лице уже ясно виделись нынешние черты и формы Елены Юрьевны. Годам к пятидесяти дочь обещала превратиться в такую же связку воздушных шаров.

Муж Елены Юрьевны держался, по обыкновению, неприметно. Этот человек давно уже усвоил простую истину: если имеешь собственное мнение, самое мудрое — оставить его при себе. Куда как меньше ответственности, и шуму — тоже меньше... Стычки с властной и своевольной женой остались в далеком прошлом — сами супруги их давно забыли. Лишь в первые годы брака молодой муж пытался настаивать на своем, однако каждый раз наталкивался на яростный протест. Вскоре стало ясно, что жена и умнее, и деятельнее его, и для того, чтобы прожить безбедно и счастливо, остается только ее слушаться. И Сергей Аристархович, усвоив это, слушался — несомненно, только себе на пользу. Он жил безмятежно, не принимая никаких решений, подчиняясь чужой воле и являясь главой семьи лишь формально. И если бы кто-то подменил его нынешнее существование полной свободой и властью — он бы почувствовал себя очень несчастным. Жену Сергей Аристархович искренне и горячо уважал. Та платила ему снисходительной и ревнивой заботой.

— Они скоро не приедут, — металась у окна Елена Юрьевна. Ее пышная фигура совсем закрывала обзор, и мужу с дочерью оставалось только слушать комментарии. — Знаем мы эту милицию! К тому времени успеют весь дом по бревнышкам разобрать... Ах, боже мой, что делать?

Дочь первая высказала здравое мнение.

— А что там брать? — равнодушно спросила Ольга.

— Замолчи, — резко обернулась мать. — Много ты понимаешь!

— Ну, правда, мама, — лениво отвечала та, украдкой зевая и прикрывая рукой рот. — Подумаешь, ограбление века... Лишь бы дом не подожгли, тогда на нас может перекинуться. Сегодня ветер.

Но дом, казалось, поджигать не собирались. Во всяком случае, никакого огня, кроме электрического, нигде не было видно. Елена Юрьевна волновалась и то приседала, то вставала на цыпочки. Преданный супруг невольно повторял все ее движения, хотя сам ничего не видел и ни о чем не думал — просто следовать за женой во всем давно вошло у него в привычку.

— А потом Наташка с меня спросит, — причитала женщина. — Что делать, а?

— Спать ложиться, — преспокойно заявила Ольга. — И зачем тут стоять? Ну, вызвала милицию — и хорошо.

— Они все равно нас разбудят!

— Ну, когда разбудят, тогда и встанем.

И, ни слова больше не говоря, дочь удалилась в спальню. Мать бросила на нее уничижительный взгляд, который пропал даром — та все равно не разглядела бы его в темноте.

— Посмотри на эту корову! Мать с ума сходит, а она... Может, теперь и ты сбежишь? — прошипела она мужу.

Сергей Аристархович наотрез отверг такое предположение. Он останется на посту, что бы ни случилось.

— Стоим и смотрим, как дураки! — убивалась женщина, снова прилипая к окну. Ее властность и любовь к порядку жестоко страдали в эти минуты. Она очень хотела вмешаться и остановить безобразие... Но боялась. — Теперь ничего не вижу. Ну почему в доме никого из мужиков нет!

— Я ведь тут, — робко проговорил супруг.

Он не мог видеть презрительной улыбки, которая на миг посетила лицо жены. Елена Юрьевна была настолько умна, что никогда не демонстрировала свое превосходство без нужды и не унижала мужа попусту. Именно этим она и завоевала его абсолютную, совершенно безграничную преданность.

— Ленуся, а если нам свет включить? — так же нерешительно предложил Сергей Аристархович. — Может, это их вспугнет?

Та гневно обернулась:

— Жить надоело, что ли? Свет включить! Они увидят и решат, что мы сможем их опознать! А что потом?

— А что? — испугался он.

— Да то, что придут к нам и всех перережут во сне!

На этот раз Сергей Аристархович замолчал надолго. Он понял, что сморозил глупость, и теперь старательно пытался загладить ее молчанием.

— Ну, где же милиция. — Женщина перешла в кухню и тихонько приоткрыла створку окна. — Ничего не слышу. Наверное, все время следили за Наташкой, дождались, когда уедет, а потом залезли... Я давно чувствовала, что дело неладно... Ох, нехорошее место...

Супруг молчал как убитый. Он тоже считал, что соседский дом понес слишком много потерь, что люди в нем умирали уж чересчур часто, а зачастую — даже странно. Но все-таки нехорошим местом в пол-

ном смысле слова он этот дом не считал. Сергей Аристархович вовсе не был суеверен.

— Позвоню Наташке еще раз, — решила женщина и подняла трубку. Но несколько попыток успехом не увенчались. Она нахмурилась: — Чем они там занимаются? Не могу дозвониться.

— Может, тоже вызывают милицию?

— Дурак!

На этот раз она не выдержала и шепотом обрушила на мужа все, что накипело на душе. Прежде всего Елена Юрьевна сообщила, что вызывать милицию за город, находясь в городе, — дело трудное и неблагодарное. Второе — зачем это делать, если Наташа знает, что милиция уже вызвана? И третье — она устала до смерти от глупостей, на которые только и способны члены ее семьи. Бьешься для них, стараешься, а когда доходит до дела — некому помочь, не на кого положиться...

Она бы шептала еще долго — а этот зловещий шепот доводил Сергея Аристарховича до полного оцепенения, он боялся его больше крика, — но тут Елена Юрьевна случайно глянула в окно и замолкла, не веря глазам.

— Там погасили свет! — воскликнула она, повысив голос и забыв об осторожности.

Муж тоже бросился к окну. Так и было — теперь дом Лычковых стоял темный и казался необитаемым.

— Тихо, — прошептала женщина, слушая ночную тишину. Шелест ветра, неожиданно налетевшего со стороны реки. Крик лягушек. И ничего больше.

— Ушли, — снова осмелился высказаться Сергей Аристархович, но на этот раз его не одернули. Жена целиком погрузилась в созерцание и подслушивание. Наконец она шевельнулась.

— Кажется, в самом деле ушли, — пробормотала женщина. — Что теперь делать?

— Ленуся...

— Что — Ленуся? — Ее голос снова налился прежней властной силой. — Только и слышу — Ленуся. А когда нужно помочь — тебя нет!

Муж мог бы вполне резонно ответить, что таким поведением он только старается соответствовать жене, но не произнес ни слова. Чем кончались такие диспуты — ему было слишком хорошо известно.

— А милиция не едет, — горестно твердила женщина, вглядываясь в темноту. — Как перемерли все!

Супруг чувствовал, как в воздухе носится какое-то решение, еще не принятое, но уже вполне явственное. И не ошибся.

— Пойдем туда, — наконец, заявила Елена Юрьевна. — Не могу я больше ждать. Олька спит?

— Кажется, спит.

— И так всегда, — жаловалась женщина, торопливо повязывая пояс халата. — Не на кого положиться, не на кого! А потом говорят — я то неправильно сделала, я се неверно сказала! Все валят на меня. Сами бы делали и говорили, раз такие умные!

Супруг молча последовал за воительницей. Елена Юрьевна ничем не вооружилась, не обратила внимания даже на топор, по обыкновению стоявший в углу сеней. Но Сергей Аристархович проявил себя дальновидным хозяином и даже в какой-то мере защитником семьи. Он незаметно прихватил топор и понес его так, чтобы тот не попался на глаза супруге. Он полагал, что осторожность еще никому не мешала, хотя втайне и восхищался смелостью жены, которая шла в чужой дом, как на приступ крепости.

Они вошли на участок Лычковых с дороги, через калитку. С первых же шагов Елена Юрьевна начала зычно окликать:

— Эй, кто дома? Кто дома?

Дом молчал. Он по-прежнему смотрел темными слепыми окнами, но распахнутая входная дверь красноречиво свидетельствовала о том, что в нем кто-то побывал. Елена Юрьевна даже не замешкалась на крыльце, а сразу прошла в кухню. Муж побежал за ней. Она не оглядывалась — настолько была уверена, что тыл был ей обеспечен. Возможно, женщина догадывалась даже о топоре, тайком припасенном Сергеем Аристарховичем. Между супругами к шестидесяти годам давно установилось безмолвное взаимопонимание. Они знали и любили друг друга больше, чем можно было предположить, глядя со стороны.

— Эй! — все так же властно проговорила Елена Юрьевна, нашаривая выключатель. — Кто тут... — И осеклась.

Вспыхнула лампочка, кухня осветилась... Сергей Аристархович тяжело вздохнул, Елена Юрьевна попятилась, едва не сбив мужа с ног.

Разгром был полный.

Женщина остекленевшим взглядом обводила раскрытые дверцы шкафов, рассыпанные по полу крупы и муку, сорванную со стола клеенку, разбросанную по полу и частью перебитую посуду... Посреди кухни валялась опрокинутая табуретка. Сергей Аристархович осторожно поднял ее, поставил и бесшумно присел. Он уже понял, что дело быстро не кончится, и не желал мучиться, утруждая распухшие от ревматизма ноги.

— Что же это такое... — растерянно проговорила Елена Юрьевна. Ей случалось иногда терять свой всегдашний апломб, и в такие минуты она изумительно молодела, превращаясь в воображении мужа в ту красивую, статную девушку, чьи голубые глаза смотрели очень нежно, наивно... Но уж никак не властно. Властность пришла потом.

— Ленусь, они что-то искали, — удивительно твердо проговорил Сергей Аристархович. Он обожал такие минуты и был согласен даже на то, чтобы ограбили его собственный дом — только бы увидеть жену такой, какой он ее некогда полюбил.

— Я вижу. — Она по-прежнему потерянно оглядывала кухню.

— Деньги, наверное, — предположил Сергей Аристархович уже менее уверенно.

— Какие деньги! — Она моментально вспылила, и от призрака молоденькой голубоглазой девушки не осталось и следа. — Какие деньги, дурак! Кто хранит деньги в доме, а сам уезжает?! Кто, я тебя спрашиваю?

Сергей Аристархович и глазом не моргнул. Всю эту науку он знал наизусть и потому промолчал.

— Наташка все ценное давно увезла в Москву. — Елена Юрьевна прохаживалась по кухне, стараясь ничего не трогать. — Разве она оставила бы в доме деньги, нашел богачку! Думай, что говоришь! — И, неожиданно впав в истерику, вытерла набежавшие слезы: — Почему вокруг меня одни дураки?! Почему?!

Вопрос был риторический. Сергей Аристархович молчал и даже не слишком прислушивался к словам жены.

— Напортачили, а мне отвечать, — жаловалась она неизвестно кому. — Еще и притянут...

— Ленуся, кто тебя притянет?

— Милиция, кто еще. И Наташка поможет. Сумасшедшая, психованная девка....

Слова замерли у нее на губах. Отворив дверь из кухни в соседнюю комнату, Елена Юрьевна заметила там какую-то фигуру, хотела закричать, но крик остался у нее на губах. Она немедленно узнала женщину, которая повернула к ней бледное, какое-то серое лицо.

— Ленуся, что там... — начал было Сергей Аристархович, с готовностью занося топор, но тоже осекся. Жена включила свет, и он все увидел сам.

Библиотекаршу они знали очень хорошо.

Пауза была тяжелой, но недолгой. Первой пришла в себя Елена Юрьевна. Она машинально проверила, затянут ли пояс халата — он всегда имел обыкновение развязываться, — и негромко поздоровалась. Это было самое лучшее начало, которое она могла выдумать.

Татьяна ответила, но банальный «добрый вечер» не устроил соседку.

— Что вы тут делаете?

Татьяна невозмутимо поднялась со стула:

— Жду милицию.

— Как?

Елена Юрьевна снова онемела. Подобный оборот событий даже не приходил ей в голову. На мужа нечего было рассчитывать — он полностью следовал жене, а значит, от него нельзя было добиться ни слова.

А Татьяна вела себя совершенно сводобно. Она придвинула стул к окну, поправила занавеску, с улыбкой вышла в кухню. Супруги осторожно посторонились.

— Я шла мимо и вдруг увидела в окнах свет, — рассказывала Татьяна, слегка щурясь на лампочку. — Думала, что Наташа еще не спит, зашла... А тут все перевернуто, и никого во всем доме нет. И я вызвала милицию.

— Да тут же нет телефона! — простонала Елена Юрьевна.

Татьяна открыла сумку и показала мобильный телефон:

— У меня есть.

Мобильник вызвал новую бурю эмоций. Всем было известно, как скромно, почти бедно жила библиотекарша. И вот у нее телефон... Откуда? Елену Юрьевну грызли самые черные подозрения. Муж безмолвствовал.

— Как вы думаете, что тут произошло? — с прежней невозмутимостью продолжала Татьяна, оглядывая кухню. — Все выглядит так, будто буря разразилась... Вы ничего не слышали?

— Мы видели, — неожиданно вмешался Сергей Аристархович. — Тут какие-то люди по комнатам ходили.

— Воры, значит, — подвела итог библиотекарша. — Но что они хотели украсть? Кстати, где Наташа?

Елена Юрьевна пришла в себя. Она не могла себе простить, что потеряла контроль над ситуацией. Из-за кого? Из-за этой дамочки, к которой она всегда относилась с недоверием?

— Наташечка в Москве. — Она нарочно заговорила ласково. — Сейчас приедет. Я уже ей позвонила.

— Тут все окна горели, — снова вступил супруг. — Мы сразу поняли, что воры залезли...

Но в тот же миг его поразил страшный, совершенно бесцветный взгляд Елены Юрьевны. А он знал — когда глаза его благоверной выцветают и в них остаются только зрачки, похожие на мух, утонувших в молоке, тогда жди беды... И очень пожалел, что не удержал язык за зубами.

— А что это вы тут делали? — уже совсем недружелюбно поинтересовалась Елена Юрьевна. — Вам совсем не по пути.

— Знакомых навещала.

Голоса женщин мгновенно наполнились таким ядом, что Сергей Аристархович даже закрыл глаза.

— Каких это знакомых?

— А вам-то какое дело?

Обмен репликами ускорялся. Было ясно, что столкнулись испытанные борцы, которые не собираются дешево сдавать свои позиции. Елена Юрьевна, вспомнив уроки жизненной дипломатии, смягчилась первой. Она заговорила приятным, сдобным голосом, который появлялся у нее в самые страшные минуты. Сергей Аристархович сидел ни жив ни мертв.

— Мне, конечно, никакого дела нет, — говорила та. — Но все-таки странно, что вы тут оказались в такое время. Вы же знали, что Наташа уехала?

— Не знала, да я и не к ней вовсе шла.

— А давно вы тут сидите?

Татьяна взглянула на остановившиеся кухонные часы и пожала плечами:

— Не знаю. С полчаса, наверное.

— А милиция все не едет? — ядовито заметила Елена Юрьевна.

— Вы же знаете — их не дозовешься.

— Да, знаю, — горестно заметила женщина. — Зато недавно умерла знакомая, так из морга приехали через десять минут. «Скорая» бы так ездила или милиция... Да, жизнь...

Сергей Аристархович приоткрыл один глаз и, убедившись, что женщины не собираются вступать в открытый бой, открыл и второй.

— Я что-то не понимаю, — продолжала Елена Юрьевна. — Вы говорите, что сидите тут уже полчаса, а мы ведь с мужем видели, что тут ходят воры.

— Воры? — удивилась Татьяна. — Вы видели воров?

— Тени видели, на окнах.

— Не знаю, — продолжала Татьяна. — Когда я пришла, никаких воров не было. Правда, дверь была открыта нараспашку, и свет везде горел. Я зашла, посидела, потом вызвала милицию.

— А свет зачем погасили?

— Чтобы зря не горел, — исчерпывающе ответила Татьяна.

Снова установилось нехорошее молчание. В выцветших глазах Елены Юрьевны ясно читалось: «Ни на грош тебе не верю! Врешь, я еще выведу тебя на чистую воду!» Темные глаза библиотекарши безмолвно отвечали: «Ну и дура же вы, драгоценная Елена Юрьевна. А еще считаетесь очень умной!»

Безмолвный диалог был прерван резким стуком в дверь. Елена Юрьевна подскочила и поспешила навстречу прибывшему наряду.

— Вот, вот. — Она торопливо указывала на разбросанные вещи, рассыпанные крупы... — Смотрите, что натворили!

— А кто хозяева? — спросил молодой милиционер с испитым бледным лицом.

— Их нет, они в Москве.

— А вы кто?

— Соседи, — неожиданно отозвалась Татьяна, хотя она жила слишком далеко, чтобы считаться соседкой.

Сергей Аристархович только усиленно кивал и старался припрятать топор так, чтобы тот не бросался в глаза. Он хотел пристроить его под столом, но не удержал и уронил. На стук обернулись все, особенно озадачился милиционер.

— Мы увидели свет и вызвали милицию, — убив мужа взглядом, заговорила Елена Юрьевна. — Потому что Наташа, то есть хозяйка, уже уехала в Москву. Я сразу поняла, что тут кто-то чужой. А когда мы с мужем сюда пришли, тут была она... — И она обличительно указала на Татьяну.

На библиотекаршу этот невежливый жест не произвел ровным счетом никакого впечатления. Она сухо улыбнулась и поведала свою краткую версию происшедшего.

— Я сразу же позвонила в милицию, — сказала она. — Можете проверить, если звонки регистрируются. Мне показалось подозрительным, что дом открыт, все разбросано и хозяйки нет. Но я не знала, что она уже в Москве. — И холодно взглянула на притихших супругов. — Я шла не к ней, хотя в последнее время мы с ней много общались, — продолжала она. — Я хотела прогуляться перед сном, а заодно зайти к своим постоянным читательницам, спросить, когда они собираются возвращать книги. Пришлось оставить дочку дома одну... — Еще один выразительный взгляд. — Я не рассчитывала, что буду отсутствовать так долго. — Женщина встала и повесила на плечо старую бесформенную сумку. — Мне пора бежать, а то ребенок забеспокоится. Мой паспорт нужен? Побыстрее, пожалуйста.

И пока ей задавали короткие стандартные вопросы и списывали данные паспорта, женщина стояла с непроницаемым лицом. Даже сама Елена Юрьевна, искушенная в житейских загадках, ничего не смогла на нем прочесть.

Глава 13

— Вот так и работают, не надрываются! — сердилась Елена Юрьевна, демонстрируя Наташе следы вчерашнего погрома. — Приехали, поглядели, всех нас записали... И велели, чтобы хозяева сами посмотрели и сказали, что пропало и сколько стоило. Короче, с рук долой. Думаешь, они что-то найдут?

Наташа растерянно оглядывалась, держа за руку сына. Ребенок все порывался шлепнуться на пол и поиграть с интересными штучками, которые там валялись. Эти штучки — содержимое кухонных шкафов — так и остались лежать где попало. И конечно, Ване, как любому здоровому ребенку, такой беспорядок был очень по душе. Он бесстрашно схватил нож, за что был наказан. Мать в сердцах дала ему шлепка и отобрала интересную игрушку.

— Что они украли, не пойму? — Наташа усадила сына на пол, прямо в солнечный квадрат, и снова

осмотрелась. — Тут и красть нечего! Всю крупу высыпали... О боже, опять мыши заведутся!

— И я говорю, — всполошилась соседка. — Нашли куда забраться! Натворили черт знает что, а зачем?

— Значит, Татьяна была тут?

— Змея! — мгновенно вспыхнула та. — Это еще нужно разобраться, что она тут делала! Говорила — к читательницам шла! Это среди ночи?!

Наташа молчала. Странно, но она никогда еще не была так напугана и ошеломлена. Даже когда узнала о смерти сестры. Даже когда неожиданно пошли часы на чердаке, а на подоконнике в Анютиной комнате появился чей-то след. Только сейчас, глядя на разоренный, перевернутый чужими людьми дом, она поняла, как зыбко и непрочно ее положение. Сюда может войти кто угодно. Это действительно опасное место.

Она инстинктивно перевела взгляд на сына. Тот, ничуть не обиженный шлепком, продолжал возиться на полу. На этот раз он выбрал безопасные игрушки — две картофелины — и с упоением катал их по половицам, тихо и сосредоточенно жужжа себе под нос. Ване, как всегда, не было дела до того, что творилось вокруг. Этот мальчик жил своей собственной жизнью, и его единственным всегдашним желанием было, чтобы ему в этом не препятствовали.

— А где твой муж? — осведомилась Елена Юрьевна. — Его что — все это не касается?

— Он на работе.

Наташа только сейчас поняла, какой план составил Павел и как просто она попалась на его удочку. С утра, подключив телефон, он заявил, что не будет звонить родителям, чтобы те забрали Ваню к себе.

Обойдутся и без этого — ребенок может отлично прокатиться за город вместе с матерью, заодно подышит свежим воздухом. Наташа согласилась — мысли у нее были заняты другим. Но сейчас она понимала, что тем самым муж хотел связать ей руки. Невозможно пускаться в авантюры, имея на руках ребенка, которому не исполнилось и двух полных лет. Она будет вынуждена вернуться с ним в Москву в тот же день.

— Он что — отпроситься не мог? — возмущалась Елена Юрьевна.

Наташа отмолчалась, а соседка возмущенно пожала плечами:

— Ну и мужики сейчас пошли — ни на что не годятся! И мой такой же. Ну так что, по-твоему, украли?

— По-моему, ничего не пропало. — Женщина заглянула в спальню... — Странно. Вы говорите, они включили свет? Ничего не побоялись...

— Наверняка за тобой следили, — возбужденно говорила соседка, следуя за нею по пятам. — Стоило уехать — и сразу полезли в дом. Вот что бывает, когда бросаешь дом без присмотра!

Наташа убедилась, что сын целиком поглощен игрой с картошкой, и обернулась к соседке:

— Поднимемся на чердак?

Та не стала возражать, но ее взгляд был красноречивей всяких отповедей. «Опять?» — читалось в этих выцветших голубых глазах. Наташа сделала вид, что ничего не заметила.

Наверху тоже было солнце — мутное и пыльное, с трудом преодолевшее немытые стекла маленького окна. Старая мебель стояла на своих местах, но Наташа на нее даже не взглянула. Она сразу бросилась к часам.

— Смотрите!

Упрашивать не приходилось — Елена Юрьевна мигом оказалась рядом и с жадностью рассматривала семейную реликвию Лычковых.

Часы лежали на полу. Чья-то рука сбросила их, растерзала, почти оторвав дверцу, скрывавшую механизм. Кукушка лежала поодаль — птица казалась убитой, хотя живой, конечно, никогда и не была.

— Вы понимаете, что это значит? — спросила Наташа, поднимая с пола деревянную птичку.

— Кто-то постарался, — еле слышно ответила потрясенная Елена Юрьевна. — Вот варвары...

— Нет. Не только это.

— А что же, Наташечка?

Женщина обернулась, бережно держа в ладонях птичку, как будто та могла очнуться от тепла и человеческого дыхания.

— Они обыскивали часы. — Наташа протянула к соседке сложенные лодочкой ладони. — Они знали, где искать.

— Что искать, Наташа? — Та не ответила. — Разобрали аж на детали! — Елена Юрьевна продолжала копошиться в обломках. — Прямо растерзали... Ироды!

Наташа ей не вторила. Она успела опомниться и поняла, что невзначай сболтнула лишнее. Хорошо, что соседка ничего не знала о тайнике, иначе поднялся бы такой шум... Зато сама она отлично понимала, что произошло. Тот, кто знал о часах и об их содержимом, вчера навестил пустой дом. Ничего не найдя на чердаке, вор в ярости перевернул вверх дном жилые комнаты, но, конечно, и там ничего не нашел. «Этот человек знал о тайнике в часах, но понятия не имел, что денег уже нет. Иначе не стал бы крушить часы! Кто же это был? Дмитрий? Татьяна?! Но я же говорила им, что деньги пропали, зачем же тогда... Кто?!»

— Вот сволочи... — с натугой вымолвила Елена Юрьевна, собрав самые мелкие детали в подол широкого ситцевого платья и с трудом поднимаясь с колен. — Ничего святого для них нет! Хоть бы пожалели память о твоем отце!

Наташа покачала головой, продолжая нянчить кукушку:

— Откуда им было знать, что часы — память об отце?

— Ну ты посмотри, что они наделали? Может, удастся починить? У меня есть знакомый часовщик, может, он возьмется?

— А стоит ли? — задумчиво говорила Наташа, продолжая оглядывать чердак. — Елена Юрьевна... Вы помните наш с вами разговор?

— О чем?

— Да о доме. Вы, кажется, хотели его купить?

Та замерла, прижимая подол к животу. Наташа улыбнулась:

— А я вот решилась продать. Только цена...

— Наташка, мы договоримся!

От радости та всплеснула руками и выпустила край платья. Детали рассыпались по полу, но женщина даже не заметила этого. Она была так возбуждена, что напрочь позабыла о своих благих намерениях — привести часы в прежний вид.

— Мы купим дом, говорю тебе! — радостно причитала она, делая серьезные попытки обнять Наташу. Но та ловко уклонялась от ее тяжеловесной ласки. — Мы первые! Нам нужно!

— Я ведь обещала, что первым делом предупрежу вас, — прежним замороженным голосом продолжала Наташа. — Вот только цена вас, может, не устроит...

— Сколько?

— Сорок тысяч.

Если бы часы все еще могли отсчитывать время, они отсчитали бы очень тяжелую минуту. Елена Юрьевна не двигалась. Она смотрела куда-то в угол, потрясенно шевеля губами и мелко моргая. Наташа тоже молчала, прислушиваясь, чем занимается внизу сын. Судя по звукам, ребенок постепенно добирался до чайной посуды...

«Ну и пусть все перебьет, — думала она. — Все равно в Москву эти чашки не потащишь. Может, лучше вообще ничего отсюда не брать. Я так устала! Как никогда в жизни!»

— Сорок — чего? — наконец, вымолвила Елена Юрьевна.

— Сорок тысяч долларов, — монотонно ответила Наташа. — Вы не пугайтесь — эту цену называют в агентствах.

Та мигом стряхнула с себя одурь:

— Это после всего, что я сделала для тебя?! Это после того, как я всю ночь караулила твой паршивый домишко, чтобы последнего не утащили?!

— Успокойтесь, прошу вас. — Наташа сама поражалась своей невозмутимости. Но случилось уже слишком много всего, чтобы она принимала неприятности близко к сердцу, как раньше. — Я не собираюсь на вас наживаться, тем более сама получу только половину этих денег.

— А вторую — кто? — агрессивно наступила на нее соседка. Елена Юрьевна была разъярена. Казалось, ей нанесли удар в самое сердце, причем в чувствительнейшее место. Только сейчас Наташа поняла, как сильно та хотела заполучить дом. Но огромная сумма, конечно, отметала всякую возможность полюбовной сделки. Цена была грабительской, и Наташа назвала ее только по принуждению.

— Вторую получит Людмила.

Елена Юрьевна внезапно расплакалась. Наташа глазам своим не верила — несгибаемая соседка, которая всю жизнь гордилась своей железной выдержкой, рыдала в три ручья. «Вот так и сдаешь — вдруг, из-за пустяков, — думала молодая женщина. — Кто бы мог подумать — плачет! Она плачет только на похоронах, и совсем не так, а будто по обязанности».

Но теперь соседка заливалась искренне. Казалось, у нее сердце разрывалось от горя. Она с трудом могла говорить.

— Такого я не ожидала... Ох, такого я не ожидала от тебя!

— Да успокойтесь...

— После всего, что я для твоей семьи сделала... Помнишь хотя бы? Или все забыла уже? — заливалась слезами Елена Юрьевна. — Что я тебе сделала, кроме хорошего?

— Но не я же назвала цену! Это Людмила хочет получить сорок тысяч, а я сама взяла бы меньше. Вы же знаете... — Наташа делала робкие попытки утешить свою названую мать, но ничего не выходило. Та продолжала выплакивать горе.

— Где же я возьму столько денег? — взывала она к дощатым чердачным небесам. — Ворую я, что ли? Печатаю их? Что же это за люди такие?

«Люди» в лице Наташи безмолствовали. Сцена представлялась ей тяжелой, но женщина решила потерпеть. Она начинала понимать, что соседка преувеличивает свое несчастье и нарочно распаляет себя жалобами. «А сама наверняка попутно обдумывает... Это она плачет, чтобы выиграть время».

— Значит, решила поделиться с этой дурищей? — продолжала жаловаться та, причем вопрос, казалось, относился к пауку, свившему себе гнездо в углу чердака. — Значит, тебе чужие ближе, чем свои? Не ждала я такого! Если бы знала, близко бы к тебе не подошла!

Паук был чрезвычайно смущен этими обвинениями, а еще пуще — патетическими жестами, на которые соседка не скупилась. Он сжался на краешке паутины и вдруг стремительно перебрался в самый темный угол, как будто оправдываясь: «Да я что... Я-то ничего! Меня самого продадут вместе с домом, что-то еще дальше будет, так в чем же я виноват?!»

— Я бы и копейки ей не дала, — утешала Наташа Елену Юрьевну. — Но та утверждает, что я ей должна.

— Ничего ты не должна, у них с Ильей даже свадьбы не было! — удивительно трезво откликнулась вдруг та. Даже слезы перестали течь, но голос по-прежнему был хриплый, плаксивый. — За что ей платить?!

— Она говорит, есть за что.

И Наташа поведала тайну Людмилы. Елена Юрьевна пришла в ужас и в еще большее негодование. Она несколько раз порывалась перебить соседку, и, наконец, не выдержала, даже не выслушав до конца:

— Да она дурачит тебя, идиотку! Она же за полную дуру тебя считает! Где это видано — делить дом с такой родней, как она! Откуда мы знаем, чей у нее ребеночек! Пусть это у ее мужа спрашивают! И ничего она не докажет, вот увидишь! — И привела последний, самый веский аргумент — если бы ребенок был от Ильи, она бы первая знала об этом! — Два года сын был от мужа, а на третий — вдруг от Ильи! Не слушай ничего — продавай дом прямо сейчас! — Теперь она почти кричала: — Немедленно!

— Но как я могу...

— Сможешь! — Елена Юрьевна дрожала от негодования. — Все это отговорки, сможешь! Это Людка ничего не сможет, а ты продавай дом, и посмотрим, как она повертится! Как уж на сковородке! — И тут же выложила свой план.

Наташа не могла не признать — здравого смысла в нем было немало. Соседка утверждала, что до тех пор, пока на имущество не наложен арест и Людмила не завела судебного иска, Наташа является единственной и бесспорной владелицей дома.

— А значит, ты можешь продать его прямо сейчас!

— Но ведь, кажется, нужно подождать...

Ее слабые возражения моментально разлетелись в пух и прах. Соседка была неумолима. Разве Наташа не может сейчас же вступить в право наследования? Разве было завещание?

— Какое завещание! Кто бы его составлял — Анюта?!

— Ну, видишь! Твои отец и мать, — в ее глазах появились новые слезы, впрочем очень быстро высохшие, — разве они позаботились об этом! Думали, четверо детишек как-нибудь сами разберутся... Разве Иван оставлял завещание? Где ему! А Илья? Этот мог бы, да смерти своей не предвидел. Ну а уж

про Анечку и говорить нечего... — И она опять смахнула слезы.

Наташа была окончательно сбита с толку.

— Это только при наличии завещания приходится ждать, пока вступишь в права. А ты автоматически — наследница. Давай готовить документы, только потихоньку, слышишь? Я помогу тебе! У меня и знакомые такие найдутся. — Женщина страшно суетилась. — Даже не думай, даже не думай, все будет сделано в лучшем виде... Но только — сорок тысяч, боже мой, надо же загнуть такое! Ну, Людка! А ты сама сколько хочешь?

Последний вопрос прозвучал как-то особенно. Соседка все еще говорила взволнованно, но казалось, что теперь это волнение было деланым. Она как будто пыталась замаскировать под ним свой здравый смысл и вполне меркантильные интересы.

— Я думала — тридцать, — почти против воли ответила Наташа.

— С ума сошла! — снова возмутилась Елена Юрьевна. — Двадцать пять.

— Да это же грабеж! Разве так торгуются!

— Дурочка... — ласково и уже совсем спокойно протянула та. — Ну чего ты добиваешься? Чтобы сюда явилась эта стерва и в самом деле отняла у тебя полдома? Тебе это больше понравится? Ведь ясно же, что выгоднее продать дом соседям. Не первый год друг друга знаем! Я же вырастила вас всех!

Наташа вертела в руках кукушку и не думала ни о чем. Она чувствовала себя такой же разбитой и бесполезной, как часы, детали которых похрустывали у нее под ногами.

— Стоило так надрываться, чтобы тебе потом плюнули в лицо! — трагически продолжала Елена

Юрьевна. — Мне муж всегда говорил: «Ленуся, зачем ты так мучаешься, ведь никто не скажет спасибо!» А я ему: «Молчи, дурак, ты людей не знаешь!» Получается, в тебе я ошиблась... Вот ты вредная какая оказалась! Только бы не мне, а там — кому угодно, так?

Наташа невольно засмеялась. Соседка, слегка ободренная ее веселостью, продолжала:

— Ты думаешь, что Людка умнее всех родилась? Сорок тысяч заломила, стало быть, в лучшем случае ты получишь двадцать. Но только сорока-то тысяч вам никто не даст, сумасшедших нет. Ну, может, на тридцать пять еще найдете дурака... Но вернее всего, продадите дом за тридцать, как ты и сказала. И что ты тогда получишь? — Она взяла Наташу за плечи и развернула к лестнице: — Нечего тут торчать. Дело ясное, нужно торопиться. — Елена Юрьевна тяжело дышала и каждый раз с опаской отыскивала ногой ступеньку. — Если бы еще за сорок продали... Тогда бы еще ничего... Ух! Но таких денег никто вам не даст, так что плакали твои двадцать тысяч.

Наташа уже была в кухне и с ужасом наблюдала за тем, как ее отпыск, перемазанный с ног до головы, поедал сырую картофелину. Ванюша часто ел совершенно несъедобные вещи — и хоть бы раз у него заболел живот. В нем сказывалась железная крестьянская натура, унаследованная от Лычковых.

— А от меня получишь двадцать пять! — поставила точку Елена Юрьевна. — Ну, сообрази же!

Наташа не ответила. Да, ее попросту загнали в угол. С одной стороны — шантаж, с другой — трезвый и безжалостный расчет. Двадцать пять лучше двадцати, а деваться жертве некуда. На пять тысяч больше... Но

какими деньгами окупятся нервы, которые ей вымотает обманутая в своих ожиданиях Людмила? А если суд? А если скандал?

Соседка как будто сердцем учуяла ее колебания и усилила нажим. Теперь ее голос звучал по-домашнему ласково, хотя Наташа предпочла бы прямую грубость. Уж очень все это было неискренне.

— Мы совершим сделку очень быстро, — уверяла та. — Даже не заметишь!

— А если Людмила проверит, какую сумму я получила, и все равно отнимет половину? Тогда я вообще останусь ни с чем.

Елена Юрьевна рассмеялась:

— Ну ты и дитя! Кто же показывает в договоре настоящую цену? Поставим минимальную стоимость, и все. Даже если эта шваль умудрится отсудить у тебя половину, сколько она получит? — и, внезапно решившись, с жертвенным видом добавила, что в таком невероятном случае рассчитается с Людмилой сама. — Составим между собой расписочку, — хлопотала воинственная дама. — Я дам обязательство уладить все конфликты между вами, если такие возникнут, а ты напишешь, что получила с меня деньги сполна. И никто не будет в обиде. Ну а что касается договора... Двадцать пять тысяч я тебе передам прямо перед тем, как идти к нотариусу. А уж остальное — не твоя забота.

Наташа тем временем делала тщетные попытки умыть перепачканного сына. Она шепотом отчитывала его, едва прислушиваясь к сладким речам соседки, однако все, что та говорила, постепенно западало ей в душу. В самом деле — она уж слишком напугалась возможной стычки с Людмилой. Пусть та перевернет весь город вверх дном, но между продавцом и покупателем все останется в тайне. И никакой нотариус ей не поможет, никакое агентство, потому что агентства на горизонте попросту не будет. И все же...

— Вы готовы с ней ругаться? — спросила она, поворачиваясь к Елене Юрьевне.

Та развела руками:

— Ну, деточка... Ты меня насмешила. По-твоему, я когда-нибудь боялась этой дуры? Она только на словах грозная, а если ее немножко поприжать — сразу запищит.

— И вы берете это на себя?

— Ты же меня знаешь!

«Да. — Наташа задумчиво вытирала пухлые щеки ребенка. — Я знаю ее даже слишком хорошо. И если она говорит правду... Ну и пусть я получу меньше, чем ожидала, зато все будет кончено, мне даже ездить сюда будет не к кому. И никаких больше стычек, никаких воспоминаний... Раз в год проведаю могилы, закажу панихиду, раз уж так принято... А если Людмила вздумает на меня наброситься, Елена Юрьевна мигом собьет с нее спесь. Да и притом в Москве Людмила не такая грозная. Она, как вампир, сильнее возле того места, где находится ее логово».

— Я согласна. — Она слегка подтолкнула сына, давая понять, что церемония омовения закончена, и вручила ему кукушку. Иначе он мог выбрать себе очередную грязную, а то и опасную игрушку. — Давайте готовить документы.

В первый момент та не поверила своему счастью. Потом набросилась на Наташу, обдав ее жаром своего большого тела, и почти задушила в объятиях:

— Умница! Я всегда знала, что ты — самая умная из всей семьи! Сообразила все-таки, что тебе же выгоднее! Дай я тебя поцелую!

Наташа даже не пыталась вырваться. Ей было горько. Сердце учащенно билось, щеки пылали, будто она только что сделала что-то очень дурное. Ей казалось, что даже кухонные часы смотрят на нее с упреком. «Тут будут жить чужие люди...»

Ваня, увидев, что его мать застыла в руках толстой бабули, отчаянно заревел. Последний отпрыск семьи Лычковых как будто оплакивал участь родового гнезда, которое уже никогда не будет ему принадлежать.

* * *

Несколько часов подряд они бегали по разным учреждениям, которые должны были выдавать документы для продажи дома. Наташа чувствовала себя безвольной марионеткой, которую дергает за ниточки сильная рука, но это ее даже устраивало. Теперь она ни о чем не думала. Сейчас ей не приходилось принимать решений. Ответ — вопрос, подпись, справка...

Елена Юрьевна пылала в каком-то яростном азарте. Она зычно, по-приятельски покрикивала на медлительных чиновниц, мигом прорывалась в самое начало любой очереди и действовала так напористо, что нужные справки являлись будто сами собой. К тому же у нее и на самом деле везде оказались хорошие знакомые.

— Вот увидишь, — твердила она, — мы все сделаем скоренько. Людка даже опомниться не успеет.

Наташа реагировала вяло. В основном она занималась сыном, у которого были самые простые, но все-таки насущные желания. Попить, посидеть, в туалет, поиграть вон с той кошкой... С кукушкой Ваня не расставался ни на миг — птичка привела его в восторг.

— Главное, сбегай в милицию и скажи, что тебя не обокрали, — учила ее наставница. — А то затянут дело... Это может нам помешать — ведь пока идет следствие, ничего не разрешают делать. У меня вон дядя умер — то ли сам с крыши упал, когда ее чинил, то ли его сосед столкнул — они были в ссоре... Так его не разрешили кремировать, пока следствия не закончат. А хоронить рядом с родителями уже места не было, пришлось везти бог знает куда... Главное, что зря, так ничего и не выяснили. Свидетелей не было.

— Да ведь у меня и правда ничего не взяли, — отвечала Наташа, хватая сына, который в этот миг намеревался самостоятельно посетить какой-то кабинет. — Хуже всего обошлись с часами, но...

— Да какая им цена, твоим часам!

«Да не скажи, — думала женщина, покорно следуя в очередную контору. — Знала бы ты, какая начинка была в этих часах! Кто же все-таки в них копался? Не думаю, что Дмитрий. Если он обобрал Анюту, так какой смысл повторять попытку? А вдруг Татьяна?»

Будь то три дня назад, она бы не задумываясь отправилась в библиотеку и задала прямой вопрос. Тогда она еще верила, что может получить искренний ответ. Но теперь...

«Да она меня попросту оскорбила, дурой назвала. Что ж, только дура могла так довериться чужому человеку...»

— Быстрее! — подгоняла ее Елена Юрьевна. — Там закрывают в четыре!

Наташа прибавила шагу и взяла сына на руки, чтобы тот не отставал. Ребенок был упитанный, и эта приятная тяжесть на время отвлекла ее от тревожных мыслей. Сын был здоров, дела как-никак да шли, а будущее не обещало больше никаких неприятных сюрпризов.

К пяти женщины расправились со всеми бумагами. Все произошло так ошеломляюще внезапно, что Наташа даже не смогла в полной мере оценить предприимчивости своей соседки. Зато та безмерно собой гордилась.

— Если бы ты сама попробовала все это провернуть, так прошаталась бы по инстанциям месяц! — говорила Елена Юрьевна, жадно попивая лимонад из горлышка.

Они отдыхали в маленьком скверике, напротив здания городской администрации. Скамейки вокруг были заняты молодыми мамашами с колясками. Подошла бродячая собака, посмотрела глупыми доверчивыми глазами, Елена Юрьевна слегка топнула на нее ногой. Собака пригнула голову к земле и криво потрусила прочь.

— Молись богу, что попала на меня, — самодовольно продолжала соседка. — Я уж все эти инстанции не раз проходила. Сперва Ольгу замуж отдала — нужна им была квартира или нет? Потом вторая дочь... Спроси, чего мне все это стоило? Ну а теперь сын...

Она сунула опустевшую бутылку в пакет. Наташа улыбнулась про себя. Экономность Елены Юрьевны порой доходила до нелепого. «Собирается выложить двадцать пять тысяч долларов, но пятьдесят копеек ей потерять жалко...»

— Вот теперь я с ним и разберусь, — довольным тоном говорила Елена Юрьевна. — Совсем от рук отбился, шалопай! А все потому, что живет не со мной, все шляется по своим бабам. Ко мне не заходит, да и не звонит почти. Думаешь, мне это легко видеть? Ну, зато теперь все — женится, будет на глазах...

Наташа молча следила за сыном, который помогал какой-то девушке катать коляску. Мамаша выглядела так молодо, что ей самой впору было иметь няньку. Ваня переваливался вслед за коляской на толстых кривоватых ножках. Это нехитрое транспортное средство будило в мальчике сладкие воспоминания. Его самого не так давно лишили коляски, и теперь он с завистью смотрел, как в ней катается другой счастливчик.

— Да, детки... — вздыхала Елена Юрьевна, глядя в ту же сторону. — Сперва-то им радуешься, а потом, как начнут свой нрав показывать... Пошли? Поешь у меня, у тебя-то в доме разгром, даже приготовить не из чего. И зачем они все раскидали, гады?

Наташа знала зачем, но не издала ни звука.

Они миновали продуктовый магазин, где работала Людмила, и лицо Елены Юрьевны приобрело очень странное выражение. На нем было написано какое-то кисло-сладкое торжество, как будто она и хотела сдержаться, не выдавать своих чувств, да не могла. Наташа даже улыбнулась, отчего соседка мгновенно вспылила:

— Думаешь, я все делаю ей назло? Нет, милая. Если жить назло, так и умрешь нехорошей смертью! Я просто о своей семье забочусь.

— Разве я что-то сказала?

— Не сказала, а подумала.

Ваня неожиданно оживился. Ему, по всей видимости, очень не понравилось такое обращение с матерью, и он крепко стукнул Елену Юрьевну кулачком под коленку. Та едва не споткнулась и громко охнула.

Тут уж Наташа не вытерпела и расхохоталась. Неожиданно ей сделалось очень весело и легко. Чего еще желать? У нее растет милый сын, она замужем за хорошим человеком, и бояться ей нечего.

— Полтора года щенку! — изумлялась Елена Юрьевна, оглядывая бутуза, который с храбрым видом стоял перед ней, выставив вперед кулачки. — А уже руки распускает! Как ты его воспитываешь?!

— Да он же за меня заступился, — небрежно ответила мать. — Вы уж очень сердито говорили.

Соседка поджала было губы, но, вовремя сообразив, что ссориться невыгодно, снова заулыбалась. Они дошли до библиотеки и как раз собирались перейти дорогу, как вдруг Ваня снова заплакал. Сегодня он на удивление часто выходил из себя — ребенка наверняка нервировала окружающая обстановка. Он не мог не чувствовать, что взрослые вовлекли его в какие-то неприятные дела, и потому расстраивался. Однако сейчас мальчик указывал куда-то в сторону барака:

— Мам! Мам!

Женщины замедлили шаг. Елена Юрьевна удивленно что-то пробормотала.

Возле входа в библиотеку на корточках сидела Лариса и за обе руки держала рвущуюся в дверь Олечку. Девочка была в настоящей истерике. Ее платьице было застегнуто криво, на ногах — домашние тапочки, а отросшие до плеч волосы перепутались, как клубок колючей проволоки. Было видно, что ее одели наспех, кое-как, неумелой рукой. Оля кричала:

— Пусти меня! Пусти меня, алкашка!

— О боже ты мой, — причитала испуганная Лариса. — Ну, перестань, мамы там нет!

— А ты все равно пусти меня!

Лариса хватки не ослабила, зато Наташа, растерявшись, выпустила сына. Тот, как истинный рыцарь, мигом бросился на помощь даме, которая была старше его вдвое, и даже сделал попытку напасть на Ларису... Но тут упал, не удержавшись на ногах, и заревел сам. Его басистый, густой плач как будто привел в себя заплаканную девочку. Она с удивлением посмотрела на мальчишку, валявшегося в пыли, а потом резко дернулась и освободилась из рук Ларисы.

Елена Юрьевна сочла, что должна вмешаться.

— Что тут творится? — очень авторитетно и холодно спросила она, критически осматривая фигуру кандидата физических наук. — Почему она плачет?

— Да понимаете, — совершенно упала духом Лариса. — Ах, здравствуйте, Наташа... Я не знаю, что с ней делать. Библиотека закрыта, а она говорит, что ее мама там.

— А где она? — Это заговорила Наташа. Она уже успела извлечь из пыли ребенка и теперь шепотом уговаривала его замолчать. Ваня ревел, крепко стис-

нув кукушку, и при этом не переставал рассматривать Олю. Зато та успокоилась совершенно и глядела на него с холодным превосходством маленькой женщины.

— Да я не знаю, — оправдывалась Лариса. — У них все было тихо до полудня, а потом Оля стала плакать. Мы с мужем поняли, что ребенок заперт... Долго ждали, говорили с ней через дверь, а потом сломали замок. Нельзя же было ее так оставить!

Лариса лепетала что-то невпопад, как будто сознавая свою неправоту. Елена Юрьевна смотрела все более сурово. Она властно привлекла к себе девочку, и та неожиданно послушалась твердой руки.

— А кто вас просил приставать к ребенку? — жестко спросила женщина. — Сто раз вам говорили, чтобы ни к кому не лезли. Вечно в чужие дела суетесь.

— Но раз ее заперли...

Ваня всхлипнул в последний раз и потянулся к Оле, с явным расчетом поиграть с красивой девочкой. Но та заносчиво мотнула кудрями и неожиданно отпустила забористое ругательство в его адрес.

— Ах ты! — Елена Юрьевна крепко, по-хозяйски стукнула девочку по затылку.

Все замерли. Оджидали бури, новых слез, а Наташа со страхом вспоминала, каким взрывным нравом отличается Олечка... Но девочка как будто осталась довольна перенесенным наказанием. Она сделала вид, что ничего не заметила, и разом приняла вид примерного, идеально воспитанного ребенка.

— А где же Татьяна? — все тревожней спрашивала Наташа. — Почему она оставила дочь одну? Она так боялась этого... Даже меня попросила с ней посидеть, потому что...

«Потому что соседи алкаши», — прозвучало у нее в голове, но, конечно, женщина не сказала этого вслух.

— Не знаю, ушла куда-то, а ее заперла, — оправдывалась соседка. — Она давно ушла — Оля долго плакала, правда, маленькая? Мы дверь только через два часа сломали!

— Мама вчера вечером ушла, а мне велела спать! — неожиданно выкрикнула девочка.

— Погоди. — Наташа начала медленно холодеть. — Вчера вечером? Но вчера вечером она была у меня... — И напоролась на ледяной взгляд Елены Юрьевны.

Выждав паузу, та заговорила сама, обращаясь исключительно к Ларисе:

— Я ее вчера видела. Она сказала, что ходила к своим абонентам, чтобы потребовать задолженные книги. А теперь пойдет домой, потому что дочь заперта.

— Ничего не знаю, — искренне расстраивалась Лариса. — Не может быть, чтобы она на всю ночь исчезла, наверняка пошла куда-то с утра. И зачем мы только сломали дверь? У самих же будут неприятности... Но девочка так плакала. Киска, ты же плакала?

Оля показала ей язык, но так, что Елена Юрьевна ничего не видела. Зато Ваня видел и немедленно высунул язык в ответ.

— Где же она? — Наташа поднялась на крыльцо и попробовала открыть дверь библиотеки. — Странно. По расписанию должна работать... Елена Юрьевна, куда она ушла после того, как записали ее данные?

Та поморщилась:

— Детка, да разве я за ней следила? Мы с мужем ходили по дому, смотрели как и что... Боялись, что

тебя обчистили до нитки. Какое нам дело до Татьяны?

Олечка снова начала плакать — на этот раз совсем тихо, горестно, как бы про себя.

— Это невозможно понять... — начала было Наташа, но тут же осеклась.

От Акуловой горы по перелуку бежал мужчина. На ходу он что-то выкрикивал и нелепо размахивал руками. Лариса встрепенулась:

— Мой!

— Нашли! — кричал тот, с трудом приближаясь к крыльцу. — Сейчас нашли!

— Да что нашли? Ты где был, ирод?! — негодовала жена. — Ты где опять нажрался?!

— Я у свояка был, на горе! Нашли Таньку!

Гонец обессиленно рухнул на деревянные ступени и застонал. Он был заметно пьян и страшно взволнован. Ваня открыл рот да так и застыл. Оля насторожилась.

— Где же она? — все таким же холодным менторским тоном спросила Елена Юрьевна.

— Там, в гаражах. — Мужчина указал направление дрожащей рукой. — Бог ты мой...

— Где мама? — закричала было девочка, но Елена Юрьевна крепко зажала ей рот. Она выпрямилась, будто готовясь грудью встретить опасность, но губы у нее тряслись.

— Что значит — в гаражах? — переспросила она. — Почему — в гаражах?

— Мертвая... — неожиданно завыл мужчина. — Убили! Олька, ты теперь сирота!

Он бился в пьяной истерике, слезливой и расслабленной, но на него уже не обращали внимания. Только Лариса тупо смотрела на мужа, как будто до сих пор не могла осознать смысла сказанных им слов. Ваня притих, крепко взявшись за руку матери, как будто в самом деле что-то понял. Наташа оцепенела. А Оля, рот которой все еще был зажат горячей влажной ладонью, закрыла глаза.

Глава 14

Трясущийся в лихорадке пьяница не смог сказать ничего вразумительного. Жена тормошила его, кричала ему в ухо — все напрасно. Он твердил свое — что Таня погибла, и больше ничего не желал сообщать.

Елена Юрьевна уже отпустила девочку. Та стояла рядом с ней, поникшая, хмурая, и ковыряла носком тапочки землю. Наташа первая пришла в себя — и, как ни странно, ей помогло присутствие сына. Одно то, что Ваня был рядом, внушало ей уверенность и придавало сил.

— Гаражи-то невелики, можно осмотреть, — решительно сказала она. — Идем туда. Может, он что-то перепутал?

Но муж Ларисы не перепутал ничего. Едва отойдя от барака, компания увидела милицейскую машину, а потом, свернув направо, наткнулась на заграждение. Молоденький милиционер не разрешал идти дальше.

— Мы — друзья Татьяны, — выговорила Наташа. Сын крепко сжал ее руку.

— Нельзя.

— Но мы хотим ее видеть!

— Нельзя, я сказал!

Она попыталась что-то рассмотреть за его спиной, но увидела только черный провал — сквозной проход под гаражами. В дальнем его конце слабо маячил свет и возились какие-то тени.

Этого провала Наташа боялась всегда. Однажды, еще в юности, она пошла через него, чтобы сократить путь через гаражи, и натерпелась такого страху, что навсегда зареклась. С бетонных сводов капала вода, под ногами были лужи. В конце туннеля чернела старая забытая машина, и девушке почему-то показалось, что оттуда вот-вот кто-то выскочит. Кто-то или что-то, потому что присутствие «чего-то» ощущалось в самом сыром воздухе. Она едва не повернула назад, но преодолела себя, выдержала характер, дошла до конца и убедилась, что машина — это только ржавый скелет и никого внутри нет. Но впечатление надвигающегося ужаса, бесформенного и ледяного, осталось у нее навсегда.

«Неужели там? — Она подхватила на руки сына, который за все это время не издал ни звука. — Все-таки это случилось там. А я чувствовала... Только, скорее, предчувствовала то, что еще случится...»

Наташа вдруг подумала, что так и не знает, в каком месте напал маньяк на Инну, когда та шла через гаражи. Но если бы ее спросили о месте, она бы почти с уверенностью утверждала, что все случилось именно здесь.

Елена Юрьевна не так легко смирилась с тем, что ей преградили путь. Она начала повышать голос и выталкивала на первый план Олю, которая тоже держалась на удивление тихо. Милиционер не реагировал, женщина распалялась, и Наташе пришлось взять ее под локоть:

— Не надо. Посмотрите на ребенка.

Оля была бледна, как лист финской бумаги. Глаза остановились и начисто лишились всякого выражения. «Она все понимает, — подумала Наташа. — Что же с ней теперь будет? Отца — нет, матери — тоже... Ах, дядя!»

Она торопливо указала на дом, возвышавшийся над болотом:

— Ее нужно отвести к дяде. Я знаю, где он живет.

— Какой он ей дядя, — прошептала Лариса. — Троюродный.

— Все-таки родня!

— Я туда не пойду, — сипло проговорила Оля. — Я не хочу туда.

— Ну почему? — Наташа ласково погладила ей плечо, но девочка отшатнулась. — Там ведь у тебя сестренки!

— Не пойду, и все. Я к тете пойду, — с вызовом ответила девочка.

— А где она живет?

— Я покажу. — И Оля первая развернулась и зашагала прочь. Она шла так быстро, насколько позволяли ее коротенькие ножки, громко сопела носом, и взрослые только старались не отставать. Для своих четырех лет Оля была удивительно резвым и самостоятельным ребенком. Ваня понемногу приходил в себя и теперь тоже просился на землю, но мать его не отпускала. Она чувствовала себя спокойнее, сознавая, что мальчик у нее на руках. После того, что случилось, она не желала отпускать сына ни на шаг от себя.

Взрослые слегка отстали и заговорили шепотом.

— А вдруг твой муж ошибся? — спросила Елена Юрьевна. — Вдруг там не Таня?

— Нет, почему бы он ошибся, — конспиративно отвечала Лариса.

— Но он ее не видел?

— Все равно. Все сходится. Что же девочка всю ночь просидела одна?

Наташа слегка прибавила шагу и нагнала женщин. Ей было нелегко идти с ребенком на руках, но она не жаловалась.

— А далеко живет ее тетка? — спросила она, наблюдая за Олей, которая двигалась впереди, как заведенный автомат.

— Понятия не имею, — заметила Лариса. — Вообще впервые слышу о тетке.

— А она не выдумывает?

— Или путает что-то, — проворчала Елена Юрьевна. — Совсем еще кроха, зачем мы ее послушали?

Но девочка шла так уверенно, будто в самом деле знала дорогу, и взрослые следовали за ней. Ваня уснул. Мать почувствовала, как его голова разом отяжелела, а руки, сжимавшие ее шею, расслабились.

«Но вечером я должна увезти его домой, — в тревоге подумала женщина. — И я так и сделаю. Но... что случилось с Татьяной?»

— Сюда, — заявила Оля, сворачивая в какой-то двор. Остановившись у оштукатуренного трехэтажного здания старой посторойки, она указала на подъезд. — Я сама пойду.

— Ну нет, — возмутилась Лариса. — Куда это ты пойдешь одна?

— Да я...

— Прекрати. — Елена Юрьевна властно взяла девочку за руку. — Я иду с тобой. — И, обернувшись, добавила: — Надо еще выяснить, что там за тетя! Выдумает тоже!

Они отсутствовали минут двадцать. За это время Наташа успела передохнуть на лавочке, а Лариса — выкурить три сигареты подряд. Она очень нервничала, то и дело порывалась заговорить, но так и не произнесла ни слова.

Женщины встрепенулись — из подъезда четким военным шагом вышла Елена Юрьевна.

— Ну, что там? — бросилась к ней кандидат физических наук.

— Нормально, — процедила та и махнула рукой. — Наташка, вставай. Хватит прохлаждаться.

— Это и в самом деле ее тетя?

Последовал кивок, и Лариса внезапно умилилась:

— Какая умная девочка! Она бы и без нас нашла дорогу!

— Да уж, — мгногозначительно заметила Елена Юрьевна и больше не произносила ни слова.

Наташа рассталась с нею по дороге на станцию. У нее не было с собой вещей, и потому не нужно было возвращаться в дом. Документы, собранные за день, Елена Юрьевна забрала с собой, пообещав, что в самые ближайшие дни все подготовит окончательно. Но вид у нее был ошеломленный, голос звучал неуверенно, и Наташа забеспокоилась о ее здоровье.

— Какое там здоровье, — мрачно проронила та. — Не до жиру, быть бы живу. Ладно, я тебе позвоню, как только все будет готово.

— И обязательно звоните, если узнаете новости о Татьяне... — попросила Наташа, перехватывая спящего сына другой рукой.

— Да, и мне тоже скажите, — попросила Лариса, робко отиравшаяся рядом. Она как будто чувствовала, что не имеет полного права находиться рядом с женщинами, блюдущими семейные обязанности, не употребляющими алкоголь и всеми уважаемыми. Но оторваться от них все-таки не могла.

— Скажу. — Елена Юрьевна развернулась и пошла в обратную сторону.

Лариса вздохнула:

— И я пойду. Кто бы мог подумать...

— А ведь у вас это не в первый раз, — вырвалось у Наташи. — В начале мая уже было нечто подобное...

Но ее собеседница ничего не поняла и пропустила слова мимо ушей. Наташа прибавила шагу, крепче прижимая к себе сына. Она негодовала на свою оплошность: «Девочки просили никому ничего не говорить, а я... Но если это и впрямь тот самый тип, который напал на Инну? Место — то же самое...»

Через полтора часа она уже была дома. Павел только что вернулся и окинул жену довольным взглядом. Он перехватил сына и понес его укладывать.

— Мальчик устал? — спросил муж, возвращаясь на кухню. И осекся — Наташа сидела, уронив голову на сложенные руки, и ее плечи чуть заметно вздрагивали.

— Что случилось? — Он присел рядом. — Ташка? Ташка, ты так устала?

— Нет. — Она подняла бледное застывшее лицо. — Но я хочу тебе кое-что сказать. О Татьяне...

Пугающая новость не произвела на Павла никакого впечатления. Что было неудивительно — ведь он никогда в жизни не встречался с библиотекаршей и ее смерть была для него смертью совершенно постороннего человека.

* * *

Слухи разошлись немедленно. Уже к вечеру того же дня можно было услышать несколько совершенно различных версий случившегося. Кто-то говорил, что Татьяну убили и ограбили. В это верили мало — у библиотекарши нечего было взять. Шепотом твердили, что женщину изнасиловали, но денег из сумки не взяли. Этому верили и возмущались, жалея осиротевшую Олю.

Но куда большую популярность завоевал третий слух, которому верили все. Обсуждали, качали головами, хмурились и строили невероятные догадки. Каким-то образом стало известно о ночном происшествии в доме на горе, о загадочном появлении там библиотекарши, о ее странном поведении, даже о мобильном телефоне, бог весть как у нее очутившемся. Словом, знали все в деталях и делали выводы — Татьяна была не так проста, как казалась. Что это она там делала? Как ее угораздило попасть в дом к Наташе, раз та уехала в Москву? И правду ли она еще сказала, что случайно шла мимо?

Ночной случай обрастал догадками, которые вовсе не делали чести покойной. Татьяна, дескать, и сама приложила руку к ограблению. Что в точности украли — никто не знал, но все сходились на том, что ограбление все-таки было совершено, иначе за-

чем разорять дом среди ночи? Твердили, что Татьяна была там не одна, с сообщниками, просто те успели скрыться до прихода соседей, а она — нет. Что же было потом? Может быть, воры поссорились, чего-то не поделили и убили Татьяну, как лишнего свидетеля?

Елена Юрьевна совсем сникла. Она заперлась у себя, строго наказала мужу никого в дом не пускать, глупостей не слушать и самому не говорить.

— Потому что уж если ты что скажешь, то обязательно глупость, — ввернула она.

— Ленуся, я же ничего не говорю!

— А какого черта все уже все знают?

— Да я ни слова! Никому! — клялся Сергей Аристархович, но, надо признаться, кривил душой. Слова были... Но ведь жена не предупреждала, что нужно молчать о ночном событии у соседей! Утром он перемолвился с кем-то в магазине, куда его послали за колбасой и сливками, на обратном пути (через те самые гаражи) покурил со старым знакомым и ему тоже все рассказал... Но он совсем не собирался сообщать об этом жене.

— Значит, Лариска проболталась, — злилась Елена Юрьевна. — Ох, зачем мы ее сюда приплели! У нее язык без костей, скажет то, что есть, и еще от себя придумает... Дура паршивая, спилась со своим благоверным, сперва он начал пить, потом ее приучил... Тряпка, а не человек! Это все она, паскуда, слухи распустила! И какой бес меня за язык тянул!

Теперь женщина принялась обвинять себя. Иногда на нее находили такие приступы самобичевания.

— Сорвалась, не подумала, как все обернется... Сказала ей, что Танька ночью была тут, но я же тогда еще не знала, что случилось...

Супруг осмелел:

— Ленуся, что ты так переживаешь? Все бы всё узнали, рано или поздно. Да нам-то какое дело? Мы в стороне...

— «Мы в стороне», — передразнила она его, впрочем без злобы. Елена Юрьевна все еще терзалась угрызениями совести. — Ничего мы не в стороне, мы первые свидетели. Нас еще потаскают по судам, будь уверен! Это же надо — убийство. Причастны к убийству!

Старшая дочь, как раз собиравшаяся с детьми домой, лениво протянула, что папа прав. Мама зря так расстраивается, они ни в чем не виноваты, просто оказались по соседству.

— А ты молчала бы, медуза, — бросила ей мать. — Тебе-то все равно, ты даже в дом не входила. А мы с Сережей — последние, кто видел ее живой! С нас семь шкур спустят!

— А что мы видели? — удивлялся супруг. — Танька еще при милиции ушла, так что с нас взять! Мы же не пошли за ней, это могут подтвердить!

Но Елена Юрьевна очень страдала. Она вздыхала, полностью утратила аппетит, из-за чего к готовке не приступала и оставила мужа голодным. Дочь ушла, напоследок с легонькой насмешливой улыбочкой заявив, что прекрасно понимает, почему мама так расстроилась. Только зря все это!

Когда за ней закрылась дверь, Елена Юрьевна дала волю слезам. Муж страшно испугался. Жена плакала редко, и слезы были для него чем-то непривычным. Он растерялся, гладил ее полные плечи, пытался дать

воды, валерьянки, но все предложения отвергались. Елена Юрьевна всхлипывала:

— Почему я такая невезучая! Ну за что мне все это! Только-только все стало налаживаться, только я подумала, что дом будет наш, как все и сорвалось!

О ее планах купить соседний дом знала уже вся семья. Именно на это и намекала дочь.

— Почему же сорвалось? — волновался Сергей Аристархович.

— Да потому, что убийство... Ничего ты не понимаешь! Я ведь только сегодня просила Наташку — иди в милицию, скажи, что ничего у тебя не украли, не поднимай шума! И вот... Теперь все напрасно.

Муж не понимал, и она резко, раздраженно все ему растолковала. Ограбление — было оно или нет — еще небольшая беда. Пока они с Наташей обделают сделку, все успеют забыть об этом. Но вот что Татьяну, которая в момент ограбления была в доме, тут же убили... Это уже куда серьезнее.

— Они возьмут да опечатают дом, даже хозяйку туда не пустят. И участок весь перероют — будут искать следы. У нас не часто убивают!

— Ну и пусть, — утешал ее муж. — В конце концов, это же не навечно! Потом купим. Раз Наташа согласна, то все в порядке.

Женщина тяжело вздыхала:

— Мозги у тебя куриные, да и у всех у вас... О чем только думаешь? Я же хочу нашего оболтуса поскорее сюда переселить.

— Ну, месяц-другой ничего не значат.

— А невеста с брюхом? — злобно возразила та. — Забыл, что ли? А если дело затянется, она родит до свадьбы, тогда что?

И поскольку супруг не мог сказать, что тогда, она пояснила сама. Тогда сыночек опять не женится. Было уже так. Ему обещали дом в обмен на свадьбу, и он согласился. А раз не будет дома, то не будет и свадьбы. А невесту он просто бросит.

— Ведь ему, обормоту, — с затаенной нежностью говорила мать, — все вынь да положь. Вынь да положь на блюдечко! Так я и внуков от него не дождусь. Один уже растет где-то, я его не вижу, а почему? Потому что мы ему квартиру не купили. Не помнишь, что ли? Забыл? Он же сам говорил — купите квартиру, тогда женюсь, и внука увидите, а не купите — даже адреса не скажу.

Сергей Аристархович помрачнел. Жена напомнила ему о неприятной истории, случившейся несколько лет назад. Тогда сын внезапно сообщил, что его подружка забеременела, и потребовал создать ему материальные условия для женитьбы. И можно было бы все обделать в лучшем виде, но Елена Юрьевна оскорбилась таким требованием и уперлась. Она ни за что не желала идти на циничную сделку и прежде всего требовала, чтобы ее познакомили с невестой. Еще посмотрим, кричала она, стоит ли для нее покупать квартиру! Вдруг она какая-нибудь!

Но сын оказался наделен тем же упорством, что и мать. Он холодно заявил, что в таком случае никакой свадьбы не будет. Он не нищий и не желает унижаться, переселяясь к жене после свадьбы. Он хочет самостоятельности. А если родители не помогут — тогда пропадай все!

Мать с отцом ему не верили. Елена Юрьевна полагала, что сынок просто ломается, но в конце концов не устоит и женится, и даже слегка разнежилась,

представив себя с внуком на руках. Она втайне любила сына больше остальных детей, хотя старалась держать его в ежовых рукавицах. И все-таки умудрилась избаловать — он всегда находил подход к ее сердцу. Родители волновались, но не уступали. Сергей Аристархович колебался куда больше жены. Он предчувствовал что-то нехорошее, но сказать об этом, конечно, не решался.

Сын, убедившись в том, что его требования пропускают мимо ушей, на время исчез.

— Это он так сделал, чтобы нас помучить, — смеялась Елена Юрьевна. — Вот увидишь, явится... И с невестой под ручку.

Но невесты они так и не увидели. Через несколько месяцев шалопай объявился снова и опять потребовал квартиру — уже с угрозой.

— Вы думаете, я пошутил? — говорил он. — Смотрите не промахнитесь!

Но мать, вместо того чтобы «смотреть», влепила ему здоровенную оплеуху, по старой памяти. Она полагала, что бить детей очень даже полезно — чтобы не забывались. Сын вынес наказание с невозмутимым лицом и ушел, растирая опухшую щеку. Его не видели еще полгода.

Мать впала в панику. Она понимала, что происходит что-то не то, что-то не по ее сценарию, но поделать ничего не могла. Ей был неизвестен адрес невесты, да и сын не любил, чтобы родители знали, где он живет. Он скитался по разным женщинам, по разным квартирам и считал, что это дает ему определенную свободу, которой так не хватало в родительском доме.

— Ведь уже родила, — подсчитывала Елена Юрьевна. — Конечно, родила. Знать бы, кого?

Теперь она мучилась всерьез. Она даже поделилась с мужем своими планами. Если сын явится и снова потребует квартиру, они ее купят. Так дальше нельзя!

— Может, она и дрянь, но все-таки внук...

Она была почему-то твердо уверена, что родился внук. И уж тем более — что роды прошли благополучно и ребенок жив. Что ее внук может умереть, еще не родившись, ей и в голову не приходило.

Наконец, сын снова осчастливил своим появлением дом на Акуловой горе. Он держался очень независимо, уже ничего не просил, ухмылялся, на вопросы отвечал нехотя и сквозь зубы.

— Ну, кто? — жарко интересовалась Елена Юрьевна.

— А вам-то что? — отвечал сын. Он называл мать на «вы», как и старшие сестры.

— Да ты с ума сошел?

— Это вы с ума сошли, — ломался сынок. — Вы его не увидите.

— Да мы купим тебе квартиру! — Родители были уже вне себя.

— А мне теперь не надо. Мне подачек не надо, я все равно не женюсь.

Елена Юрьевна часто потом вспоминала его подлую улыбку и терзалась, что сама испортила все дело. Надо было понять, что с ним не сладишь, поддаться... Но как раз это и было выше ее сил. Она все еще надеялась, что сын одумается, подлизывалась, выспрашивала, даже плакала один раз...

Сынок был непреклонен. Его обидели, ему отказали, а значит, пусть теперь расплачиваются за свою глупость.

— Вы меня не понимаете, — трагически заявлял он. — Я вас проучу за это!

Отец даже сделал попытку его наказать — впервые в жизни. Но кончилось тем, что сын едва не прибил его.

— Подкаблучник! — кричало чадо, занося руку для удара. — Попробуй меня тронуть!

— Как с отцом разговариваешь! — дрожала Елена Юрьевна. Но она и сама в тот миг понимала, что ничего удивительного тут нет, она сама когда-то внушила детям презрение к отцу-подкаблучнику, так какого же почтения теперь можно требовать?

Сцена была тяжелой, но короткой. Опустив руку, сынок заявил, что надеется — родители усвоили урок на будущее. Когда он в другой раз попросит их о чем-то, пусть сто раз подумают, прежде чем отказать.

— Вы, мама, меня всю жизнь мучили, — заявил он напоследок. — Ну и радуйтесь теперь!

— Скажи хотя бы, — плакала Елена Юрьевна, — внук или внучка? Как назвали?

Он вышел, хлопнув дверью. Пожилые супруги долго не могли успокоиться. Горе их уравняло. Они сидели рядышком на той самой постели, где когда-то зачали шалопая, и тихонько переговаривались, ужасаясь и не веря случившемуся.

— Это он не всерьез, — слабо надеялась жена. — Поломается, и все-таки...

— А я думаю, что всерьез, — отвечал Сергей Аристархович.

— Но как же это можно? Говорит, что назло на ней не женится.

— А я сразу подумал, что нужно купить ему квартиру.

— Что — так сразу и купить? Не слишком ли жирно? Хотя бы показал сперва невесту.

— Значит, надо было сразу купить. Не поняла еще, кого вырастила?

— Я вырастила? — вскинулась было женщина, но под взглядом мужа тут же притихла. Он говорил правду — воспитание, как она его понимала, целиком было на ее совести. Дети не слушались отца. Точнее, попросту не слышали его робких и очень редких указаний. Авторитетом в доме была мать — это с ней воевали, это ей подчинялись.

— Дрянь человек, — скорбно говорил Сергей Аристархович. — Взял и выбросил ребенка, как щенка... Назло.

— А может, все-таки...

— Да перестань, все ясно. Я ему верю. В тебя пошел.

Тут уже была перейдена некая черта — но на этот раз все сошло с рук вечно забитому, бесправному мужу. Елена Юрьевна сознавала свою вину и убивалась, смутно представляя внучка, которого никогда не увидит. Сердце у нее переворачивалось — она казнила себя и за то, что не уступила упрямому сыну, и за то, что вырастила его таким...

— Как же так можно, — шептала она. — Не по-людски это...

— А он все делает не по-людски, а по-своему.

— Но разве он не понимает, что так нельзя... Мы ведь уже квартиру пообещали.

— Поздно.

— Да почему поздно? Квартира — разве это пустяк? Разве он не понимает этого? Живет на какие-то гроши, нигде толком не работает...

— Ему квартира твоя — тьфу! — сердито возразил супруг. — Опоздала со своей квартирой! Он теперь пошел на принцип и ни за что не передумает!

И все-таки они долго еще надеялись, что сын смягчится. Прошло больше двух лет, прежде чем они поняли, что решение сына было бесповоротным. Елена Юрьевна ужасалась его характеру, и ее слегка утешала одна мысль. Может быть, все это было вранье? Может, и не было никакой беременной невесты, и ребенка тоже не было?

— А если он просто захотел получить от нас квартиру, тогда что? — иногда говорила она мужу.

Сергей Аристархович отмалчивался. Он не мешал жене тешиться горькими надеждами, но втайне был убежден — была невеста, был и ребенок... И теперь у них могли быть невестка и внук... Или внучка. А вместо этого они получили только надутое, язвительное выражение на лице сыночка, который понял, что может терзать родителей старой тайной.

Они уже почти все забыли и со всем смирились, когда ситуация повторилась — почти один в один. Явился сын — он где-то пропадал несколько месяцев — и сообщил, что у него опять есть подруга. Да еще и беременная к тому же.

Последовал взрыв. Елена Юрьевна сперва отшатнулась, потом бросилась к сыну и крепко его обняла. О квартире заговорила сама, без принуждения. Тот ухмылялся и даже снисходительно поцеловал ее седеющие волосы. Сергей Аристархович держался как посторонний. Ему страшно не нравилось это наглое вымогательство, а еще больше — та подлость, которую когда-то совершило его детище... Но он, по обыкновению, молчал.

— Познакомишь? — заискивала мать.

— Ну нет. Сперва...

— Хорошо, хорошо! — кивала та. — Вам ведь однокомнатной хватит?

Но сын требовал трехкомнатную. Еще чего — однокомнатную, там повернуться будет негде. А ребенок начнет орать, а жена вертеться перед глазами... Он знает — у родителей денег достаточно. Или трехкомнатную, или дом!

Елена Юрьевна перенесла и это. У нее и в самом деле был скоплен порядочный куш, которым она до сих пор не знала, как распорядиться. Дочери замужем, мужья у них сносные — хотя это она одна так выражалась, а все вокруг считали, что мужья замечательные. Зарабатывают. Когда-то им помогли, но теперь семьи твердо стоят на ногах.

Елена Юрьевна рассчитывала, что из скопленных денег поможет прежде всего единственному сыну, а оставшееся пригодится в старости. Но его нынешние запросы были больше, чем она могла ожидать. Подсчитав в уме, женщина поняла, что придется отдать все. Все... Но в обмен на внуков, в обмен на душевное спокойствие. Сын устроил ей ад, и она не хотела повторения.

— Хорошо, — спокойно ответила она. — Пусть будет, как ты хочешь. Только сперва познакомь с невестой.

— Нет. Сперва квартира или дом.

Тем дело и кончилось. Женщина лихорадочно подыскивала квартиру для молодых. Она непременно хотела, чтобы те жили неподалеку. Ходить в гости, нянчить внуков — это было все, чего она желала.

И тут умерла Анюта.

Никому на свете Елена Юрьевна не призналась бы, какая мысль явилась у нее первой. «Хорошо, что Ильи нет, с ним бы я не поладила... Людмила — ничто. Наташа — с ней я договорюсь... Дом может быть мой!»

Да, Анюта была ей близка. Да, она жалела и по-своему любила эту странную старую деву, ушедшую с головой в книги и религию. Но ее смерть делала соседский дом доступным. А там... Снести забор, объединить участки. Внуки будут рядом, ближе некуда. И Елена Юрьевна тут же взялась за дело.

Но теперь все рушилось. Она проклинала про себя Татьяну, так некстати появившуюся в соседском доме. Как это усложнило дело! Могла выйти нешуточная задержка, а ведь нужно было торопиться! Сын так и не сказал, на каком месяце беременности его подруга. Если та родит до того, как купят дом...

— Тогда может быть все, что угодно, — горестно говорила Елена Юрьевна. — Он опять сделает, как в прошлый раз.

Сергей Аристархович ничего не отвечал. Он казался невероятно сосредоточенным и вдруг поднялся с места и снял телефонную трубку.

— Кому ты звонишь?

— Свояку. У него знакомые в милиции.

— И что?

— Я хочу узнать, как там все было, в гаражах. Может, несчастный случай.

— Но люди такое говорят, — приподнялась Елена Юрьевна. — Какой там несчастный случай!

Муж не слушал. Он набрал номер и, услышав ответ, заговорил.

* * *

Но детальные подробности того, что случилось, удалось узнать только на другой день. Дело не то чтобы держалось в тайне, но все-таки было достаточно громким. Вспомнили и случай с Инной, и вот почему...

Татьяну нашли в бетонированном туннеле — том самом, которого так боялась Наташа. Было неясно, почему женщина, возвращавшаяся домой поздно ночью, предпочла именно этот путь. В туннеле не было освещения, и продвигаться она могла только на ощупь. Конечно, таким образом дорога слегка сокращалась — но все же ненамного.

Женщина лежала у самой стены, поэтому ее заметили не сразу. После рассвета прошло несколько часов, прежде чем кто-то обратил внимание на груду тряпья, валявшуюся в луже под бетонным скатом. Татьяна лежала ничком. Правая сторона головы была окровавлена. Удар был смертельным, и долго искали орудие преступления — нечто тупое, тяжелое, судя по ране.

Однако никакого орудия не нашли. Зато на стене, на уровне человеческого роста, был обнаружен большой кровавый след, и на нем — несколько прилипших волосков. Его местонахождение сопоставили с ростом жертвы и поняли, что явилось причиной смерти.

Судя по всему, Татьяну догнали сзади и ударили головой о стену — именно тогда, когда она направлялась домой. В противном случае пострадал бы левый висок. Сумка была при ней, в кошельке обнаружились кое-какие деньги. Мобильного телефона, о котором твердила Елена Юрьевна, не оказалось.

Одежда Татьяны была грубо разорвана. С пиджака отлетели почти все пуговицы, юбка оказалась задранной до пояса, один чулок пополз, на туфле сломался каблук. Но нижнее белье осталось в неприкосновенности, и, как утвержали эксперты, жертва изнасилована не была.

Тогда-то и вспомнили о сестричках, которые безуспешно пытались заставить милицию найти маньяка. Инна сидела в кабинете у следователя, а Ирина дожидалась ее во дворе.

Девушка была бледна и казалась какой-то оцепеневшей. Тем не менее, на вопросы отвечала и припомнила все, что случилось с ней самой не так давно.

— Я не видела его лица.

— Разве было темно?

— Да. Где-то горел фонарь, но я все равно ничего не разглядела. Я так перепугалась...

— А какого он был роста? Выше вас?

Девушка задумалась и, наконец, сказала, что ниже.

— Вы были на каблуках?

— Нет. В кроссовках.

На этот раз ей оказывали куда больше внимания, чем когда она пыталась добиться справедливости в качестве пострадавшей. Уже никто не говорил, что с ней случилось нечто незначительное. Ее слушали и записывали каждое слово. Инна волновалась.

— Я шла с занятий шейпингом, зачем мне каблуки, — пробормотала она.

— Значит, среднего роста. Молодой? Постарше?

— Не видела... Он был против света... И потом, он сразу меня повалил, так что я лежала лицом вниз...

— И что дальше?

— Он попытался меня изнасиловать... Но у него ничего не вышло. Он что-то прошипел, я не поняла.

— Голос узнаете?

Инна покачала головой:

— Не смогу.

— Так что конкретно он делал?

— Он юбку мне задрал и кофточку порвал на спине... И за косу дернул... И когда я закричала, то стукнул по голове... Я тогда притворилась, что потеряла сознание, и слышала, как он возится надо мной. Но он ничего не сделал... Только... — И, заалев, как маков цвет, девушка призналась, что нападавший плюнул на нее. — Я сперва не поняла, что он творит, а когда догадалась, он уже убегал. Ну, я полежала еще немного, потому что боялась встать. А потом побежала домой.

— А где это было точно, сможете показать?

Инна смогла. Маньяк напал на нее рядом со входом в туннель. Сама Инна идти туда даже не собиралась — она всегда недолюбливала это темное сырое место. В детстве ей казалось, что там водятся привидения. Если встать в одном конце и поглядеть в другой, то увидишь только светлый квадрат. Это среди бела дня. А если ночью — не увидишь ничего.

Глава 15

И все-таки нашелся один свидетель. Это был сторож, находившийся при гаражах. Он показал, что незадолго до полуночи видел некоего мужчину, быстрым шагом направляющегося в глубь гаражного кооператива.

— Вы его узнали?

— Да как я мог! Он прошел под фонарем, и все.

— Он был один?

Сторож сперва сказал, что один, а потом вдруг замялся.

— Даже не знаю... Вроде бы за ним шел кто-то еще, но я не рассмотрел.

И больше ничего нельзя было узнать. Сторож искренне старался помочь, но сразу было видно, что старичок страдает от сильного похмелья и ничего вразумительного сообщить не может.

— Шел кто-то по пятам, — твердил он. — А кто это был — не понял.

— Мужчина или женщина?

Старик тужился, но припомнить не мог.

— Так это тот самый тип, который напал на девочку! — возмущался Павел. — Ну все, больше я тебя туда не пущу!

Наташа его не слушала. Ей было так тяжело, что она даже не могла говорить. Да, они нехорошо расстались с Татьяной, библиотекарша ее оскорбила. Но все-таки они были знакомы, и теперь она представить себе не могла, что это миловидное лицо, тонкие руки, глубокий голос — все было мертво.

— А когда ты мне сказала про ту девочку, я сперва не поверил. — Павел метался по кухне. Он был страшно возбужден. — Думал, она что-то перепутала, мало ли что ей померещилось. Бывают ведь такие случаи, что девушки сами выдумывают, что на них напали насильники.

— Зачем? — глухо спросила жена.

— Чтобы быть интереснее.

— Не понимаю.

— Чему же ты детей учишь в школе, если таких простых вещей не понимаешь, — возмущался он. — Ну, врут специально, чтобы другие подумали, будто они могут возбуждать желание.

— Инна не такая.

— Откуда ты знаешь — такая или нет, — по-прежнему раздраженно говорил супруг. — Немая девчонка, ненормальная, никаких кавалеров, ничего... И вдруг взяла да выдумала случай, чтобы прославиться!

— Да не хотела она прославиться! — вскочила Наташа. — Она, наоборот, умоляла, чтобы никто ни о чем не знал!

— Кокетка!

— Молчи, дурак!

Это резкое слово впервые сорвалось у нее с губ, и Наташа осеклась. Как она могла... Совсем как Елена Юрьевна со своим мужем!

Павел задохнулся. Он тоже никак не ожидал услышать такое. Мужчина дикими глазами смотрел на жену и вдруг, растянув губы в усмешку, заметил:

— А ты там не зря время проводила.

— Прости.

— Да что уж, — явно паясничая, отвечал муж. — Что мне тебе прощать? Многому научилась.

— Но ты же сам говоришь, что маньяк был настоящий, — умоляюще шептала она. — Ты же сам признал!

Павел продолжал улыбаться, но это была нехорошая, кривая улыбка.

— Когда ты развяжешься с этим гнилым местом! — сквозь зубы проговорил он. — Что тебя туда тянет, не понимаю!

— Там мой дом.

— Нет, дом тут ни при чем. — Он все больше заводился. — Дом — это только предлог. На самом деле тебе очень хочется вариться в этой каше!

Наташа не выдержала:

— Потерпи немного, скоро все кончится!

И рассказала о том, что согласилась на предложение Елены Юрьевны. Хватило нескольких фраз, в которых женщина обрисовала создавшееся положение. Она представила все выгоды этого дела, сравнила с тем, что предлагала Людмила, призналась, что уже получила все необходимые для сделки документы... Для нее все было ясно и бесспорно, но Наташа никак не ожидала, что муж взбесится. Услышав о сумме сделки, Павел позеленел, как ядовитый гриб:

— С ума сошла!

— Но почему? Ты сам подумай...

— Заткнись! — Он нервно зашагал по кухне. — Так все провалить! Сделать такую глупость!

— Но если...

— Я такого не ожидал. — Он развернулся к жене: — Двадцать пять тысяч?

— И покой, Паша, покой! И согласись, что двадцать пять — лучше, чем двадцать.

Он впал в настоящую истерику — бурную и некрасивую. Потрясая кулаками (Наташа даже пригнула голову, боясь, что муж невзначай ее заденет), Павел кричал, что ни о каких двадцати тысячах и речи быть не могло, что он не собирался делиться с Людмилой, что Людмила — дура и попала на такую же дуру, а умная соседка просто воспользовалась ситуацией, чтобы обвести обеих вокруг пальца...

— Что ты за идиотка! — орал он. — Ты что — разбогатела, тебе большое наследство оставили? Ты подумай, какими деньгами швыряешься! В другой раз таких не наживешь!

Наташа сидела неподвижная, помертвевшая. Она слышала, как в комнате возится и хнычет проснувшийся сын. Мальчик все это время не расставался с деревянной кукушкой, она понравилась ему больше всех игрушек, которые были прежде, и это тоже както болезненно трогало ее сердце. «Чувствует, что вещь не покупная, а родная, из дома. Что он скажет мне потом, когда вырастет? Что я не сумела сохранить то, что должна была сохранить? Что он хотел бы сам жить в доме на горе? Что я делаю? В другой раз такого дома не купишь. Да что там — такого! Нужен не просто такой же, нужен именно этот, потому что он — родовой!»

— Чего же мне ждать, — отрывисто проговорила она, когда Павел слегка поутих. — Людмила-то ждать не будет. Она заставит меня продать дом.

— А ты сперва выясни, имеет она какие-то права или нет!

— У меня сил не осталось.

— Значит, так, — снова взбесился он, — псу под хвост двадцать тысяч долларов! Я не знал, что женился на такой богачке! Где же были твои барские замашки, когда ты пришла ко мне и родителям нищая, оборванная?!

Женщина медленно встала, опираясь руками о кухонный стол. Она едва ощущала ноги, зато слух как будто еще больше обострился. Она слышала невнятный лепет сына в комнате. Ваня говорил довольно резво, но многие слова превращались у него в какую-

то вязкую кашу — мальчишка слишком торопился. Сейчас он жалобно просил, чтобы мама к нему пришла, ему страшно.

«Что мы делаем? Как мы можем ссориться при нем? Ведь он все слышит и почти все понимает. Дети в таком возрасте куда умнее, чем мы думаем... Только бы Паша замолчал».

Но Павел даже не собирался успокаиваться. Он метался по тесной кухне, и его искаженное лицо казалось женщине чужим, совершенно незнакомым.

— Заставить продать дом! — выпаливал он на очередном повороте. — А кто ей позволит, интересно? Почему ты сразу сдалась? Она берет тебя на испуг, разве неясно?

— И Елена Юрьевна говорит то же самое, — мертвым голосом подтвердила Наташа.

— Вот, единственный умный человек! — бросил муж. — Только уж слишком она умна, своего не упустит! Неужели ты не понимаешь, что она пользуется твоей глупостью и хочет получить дом за такие деньги, которые другим и не снились! Да ты пойди в любое агентство, расскажи, там тебя на смех подымут! Даже эти жулики такого себе не позволят! — И, слегка переведя дух, обрушился на нее с последним аргументом: — Они все пользуются твоим горем, а ты позволяешь! Так кто из вас хуже — ты или они?

Наташа старательно обошла его и отправилась в комнату. Ваня стоял в манежике, сжимая в кулачках кукушку, и испуганно глядел на мать.

— Малыш. — Она неожиданно, рывком подняла его на руки и расцеловала. Такие нежности были не в ее натуре. В семье Лычковых вообще не привыкли выражать свои чувства так бурно, но на этот раз она не удержалась. — Малыш, не слушай ничего, все хорошо.

— Мам, боюсь, — прошептал ей на ухо ребенок.

— Чего, глупенький?

— Папа тебя любит? Меня любит?

Она гладила его большую кудряво-русую голову и ничего не отвечала. Любит ли? Она всегда думала, что любит, любит очень, больше всех на свете. Но сейчас на кухне метался разъяренный, впавший в истерику мужчина, которому важнее всего было повыгодней продать дом. И уж совсем не было дела до смертей, которыми была окружена эта сделка.

— Любит, конечно, — уверенно сказала она ребенку. — Ведь он твой папа.

Ваня был сражен этим аргументом и спокойно склонил голову ей на плечо. Мать покачала его, почесала за ухом, как кота, что малыш очень любил, и осторожно отправила обратно в манеж. Все это время она продолжала прислушиваться к бормотанию, которое доносилось с кухни.

Павел не мог успокоиться:

— И что она себе в голову вбила, что она думает? Сорок тысяч! Могла бы сама их заиметь, так нет — берите, разбирайте все!

«О боже, да что с ним случилось? — испуганно думала Наташа. — Он никогда не был таким жадным!»

— Сорок тысяч! Да разве мы можем такие деньги... Нам никогда их не заработать, а она...

«Ну да, он прав, только зачем так злиться! — Она взглянула на сына и убедилась, что мальчик постепенно засыпает. Кукушку он положил рядом, на подушку, и замусоленная серая птичка касалась клювом

его щеки. — Ни мне, ни ему никогда таких денег не видать, а какие они дают возможности... Ваня скоро подрастет, нужно будет подумать о школе. На все понадобятся деньги, это ведь теперь он только спит и ест, а вскоре начнется!.. И одежда, и образование, и все на свете... Да и мы с Пашей — что мы видели в жизни, как отдыхали? Работа, работа, работа... Ни разу не были на курорте. Это же просто позор. На сорок тысяч можно сделать так много... Но ведь и двадцать пять — тоже большие деньги!»

— Спи. — Она еще раз поцеловала сына. — Все хорошо.

* * *

Свояк не помог. Он почти ничего не узнал и не сумел отвести беду. Елена Юрьевна с мужем оказались главными свидетелями и были вынуждены дать показания на другой же день.

— Да мы ее почти не знали, — оправдывалась женщина. — Ну так, в лицо.

— А говорят, что вы сразу вступили с нею в конфликт.

— Кто говорит? — восстала было та, но тут же осеклась. Елена Юрьевна вспомнила, как пыталась обличить Татьяну перед прибывшим нарядом милиции, и ей сделалось совсем нехорошо. — Ну, просто... нам показалось подозрительным, что она находится в доме.

— А раньше она там бывала?

— Не могу сказать. — Она бросила взгляд на мужа, и Сергей Аристархович немедленно присоединился к мнению жены:

— Мы не знаем, мы туда редко ходим.

— А когда вы заметили свет в окнах?

Супруги разошлись во мнениях. Елена Юрьевна говорила, что они не могут припомнить этого с точностью до минуты, так что лучше связаться с Наташей. Вдруг та запомнила, когда позвонили...

— Но позвонили-то вы сразу?

— Нет, не сразу. Мы сперва думали, что Наташа вернулась... То есть что она и не уезжала. А потом я что-то встревожилась и решила позвонить... Короче, полчаса прошло.

— Полчаса, — поддакнул муж.

— Вы говорите, что видели какие-то тени в окнах. Вам показалось, что там было несколько человек?

Тут мнения были единодушны. Супруги готовы были поклясться, что в доме находились по крайней мере два вора...

— А почему вы так решили?

— Да тени постоянно мелькали. Знаете, за занавесками!

— Все окна были освещены одновременно?

— С нашей стороны дома — да!

— И в одном окне были сразу две тени? Или поочередно?

Этот вопрос поставил пожилую чету в тупик. Елена Юрьевна хотела было ответить положительно, но почему-то не решилась. Она беспомощно посмотрела на мужа, но Сергей Аристархович ответил ей таким же потерянным взглядом — не знаю, мол, ничего, ты у нас голова, тебе и карты в руки!

— Ну так что же?

— Не могу сказать, — после некоторого колебания ответила женщина. — Мне-то показалось, что

их было много... Но вы такое спрашиваете, что я и ответить-то не умею...

— Мы же волновались, — вступил муж. — Разве мы знали, что придется давать показания? Мы ничего не заметили... Я тоже не помню.

— Но все равно, почему вы решили, что там был не один человек?

Супруги снова переглянулись и почти разом ответили:

— Нам так померещилось!

Разговор перешел на другую тему.

— Когда вы увидели, что погас свет, сразу туда пошли?

— Нет, мы сперва думали, что надо сидеть дома, ждать милицию, — заявил Сергей Аристархович. — А потом уж Ленуся решилась...

Та смущенно поглядела на следователя. Это интимное домашнее имя настолько не шло к казенной обстановке... Но следователь — не местный, московский, выписанный специально ради этого дела — даже бровью не повел.

— Мы пошли туда минут через пять, — сказала Елена Юрьевна, все еще застенчиво, по-девичьи улыбаясь. — А может, еще пораньше.

— Дверь была открыта?

Оба закивали.

— Я-то думал, придется ломать топором, — признался Сергей Аристархович. — Я взял с собой топор, на всякий случай.

— Но дверь была открыта! — воскликнула жена.

— Настежь?

— Ну да! Мы сразу поняли, что воры убежали. Внутри было темно.

— А когда зажгли свет, то чуть не упали, — встрял Сергей Аристархович. — Там все было раскидано по полу. И крупа, и мука, и картошка. И посуда тоже!

— А где же была Татьяна?

— В соседней комнате, — с негодованием ответила женщина. — И сидела тихо-тихо, как мышка. Слышала ведь, что в дом кто-то вошел, и свет через щели увидела, но молчала.

— Вы первая с ней заговорили?

— Да, мы открыли дверь в комнату и увидели ее. Так и обмерли.

Елена Юрьевна потупилась. Ей не очень хотелось акцентировать вопрос на погибшей библиотекарше. Она инстинктивно понимала, что чем меньше будет о ней сказано, тем быстрее будет продан дом. А от быстроты зависело на этот раз слишком многое...

— Что же она вам сказала? Как себя вела?

И поскольку суровая супруга продолжала хранить молчание, отвечать пришлось Сергею Аристарховичу. Впрочем, он великолепно справился с поставленной задачей. Вполне толково, без излишних подробностей и эмоций описал, как Татьяна с ними поздоровалась, как объяснила свое появление в доме, как они слегка поспорили — тут жена бросила на него косой взгляд, но промолчала... И как расстались.

— Она прямо наскакивала на милиционера, требовала, чтобы ее скорее отпустили!

— Почему же?

— Говорила, что у нее ребенок заперт. А спрашивается, что она среди ночи потащилась к каким-то читательницам, если ребенка не с кем оставить? За ней такого не водилось!

Вот это он сказал совершенно напрасно. Елена Юрьевна страдала, но помочь делу уже не могла. В них так и вцепились.

— А раньше она ходила в такое позднее время собирать книги?

— Мы не знаем!

— К вам не ходила? К соседям?

— Да мы не были записаны в библиотеке, — отбивалась женщина. — Только дети, когда учились в школе, но это же было давно! Тогда совсем другая женщина там работала!

— Ну а Татьяна? Вы же так хорошо ее знаете — она всегда так делала?

— Мы не помним. Мы не можем сказать...

Сергей Аристархович храбро оборонялся. Он заявил, что они с женой никогда не были знакомы с библиотекаршей по-настоящему. Знали ее лишь в лицо, это было чисто шапочное знакомство. Если бы встретились, сказали бы «здравствуйте» — но не более.

— Ну, вроде как продавщицу в магазине знаешь, — объяснял он. — А как ее зовут — неизвестно.

— Но про Татьяну вы знали больше?

Елена Юрьевна была вне себя. Она тоже пыталась спасти положение, но на этот раз окончательно потеряла нить и не понимала, что делает. Совершенно некстати упомянула о том, что Татьяна была дружна с покойной Анютой, которая умерла так странно, было же еще следствие, только, кажется, ничем не кончилось...

И тут грянул гром. Никто из супругов не замечал, как надвигалась беда, как в ясный летний день никто не замечает наползающую с края неба черную тучу.

— Давно они дружили?

— Давно, — улыбнулась женщина, не чуя беды. — Можно сказать, не первый год. Анюта же не вылезала из библиотеки.

— А Татьяна часто ходила к ней в гости?

— Бывала, конечно. Ходили друг к другу. Ну, как все подружки.

— А еще какие-то общие друзья у них были?

— Может, и были. — Елена Юрьевна завела к потолку глаза и пожала плечами. — Я в их дела не лезла.

— А разве Анна Ильинична не доверяла вам? Разве не говорила, с кем дружит, кто к ней ходит?

Женщина грустно улыбнулась:

— Как не доверять... Я же ее шестимесячную на руки взяла, когда их мать померла. Да они все тогда были от горшка два вершка... Кто бы мог подумать, что такое с ними случится... Доверяла. Но насчет Татьяны мы с ней никогда не говорили. Я только про себя думала, что лучше бы им не общаться.

— Почему?

— Да так. Таня была не очень-то... Не доверяла я ей.

— Ну а что вы знаете о мужчине, с которым Анна Ильинична встречалась у подруги дома?

Женщина помедлила, осмысливая услышанное, затем нахмурилась:

— Извините, что-то не пойму... Это вы о ком?

— Разве вы не знаете? У Анны Ильиничны был близкий знакомый, и она использовала комнату Татьяны для встреч с ним.

Елену Юрьевну так и приподняло со стула. Она как будто со стороны услышала свой возмущенный голос:

— Да чтобы Аня? Чтобы она могла? Да она же святоша была, как монашка, я даже боялась, что девчонка в монастырь уйдет, сделает такую глупость!

— И все-таки у нее был друг.

— Не может быть!

— Какие вам нужны доказательства? У нас есть свидетели.

Женщина опустилась на стул. Она помнила Анюту еще крохотной девочкой, неуклюже ковылявшей между грядок и доверчиво лезшей на руки любому, кому вздумается ее приласкать. А потом — тихой, забитой девушкой, целиком попавшей под власть скупого, черствого брата. И в последние годы — одинокой старой девой, правда на удивление похорошевшей и ставшей более скрытной. Но мужчина?! Мужчина?

— Свидетели, — убито проговорила Елена Юрьевна. — Какие же свидетели? Мы ничего не замечали.

— Странно.

— Почему? — Она подняла непонимающий взгляд.

— Да потому, что Анна Ильинична встречалась с этим человеком уже не первый месяц. Неужели вы никогда не видели их вместе?

— Никогда.

— И даже не догадываетесь, кто это мог быть?

Елена Юрьевна покачала головой, потрясенно глядя на мужа. Тот ответил таким же потерянным взглядом. Супруги очень многое сказали бы друг другу, но при следователе не смели. «А я-то думала, что она монашка!» — читалось в глазах жены. «За молодой девушкой не уследишь!» — безмолвно отвечал муж.

— Может, неправду говорят, — осмелилась возразить женщина. — Знаете, сколько сплетников...

— Ну, это как сказать, — торжествующе возразил следователь. — Тут у нас два независимых свидетеля говорят одно и то же. Первую мы допросили, потому что она — ближайшая соседка погибшей...

— Лариска? — Елена Юрьевна внезапно почувствовала облегчение и рассмеялась. — Да уж, свидетельница та еще! Да она годами не просыхает, нашли кому верить! Это она видела Анечку с каким-то парнем, что ли? Да она себя саму в зеркале не узнает, если увидит!

— Но есть и еще один свидетель. Знаете человека, который сватался к Анне Ильиничне?

Елена Юрьевна скривилась:

— А, этот гнилой мухомор? Егорка? — и расхохоталась, поводя жирными плечами. Сергей Аристархович, видя, что супруга развеселилась, тоже начал улыбаться. — Ну, он-то вам скажет!

— Они описывают одного и того же человека, — невозмутимо заметил следователь. — И даже называют имя. Между прочим, мы выясняли — свидетели друг с другом незнакомы.

Елена Юрьевна все еще улыбалась, когда ей сообщили то, отчего она оцепенела. Улыбка так и осталась у нее на губах, но глаза помертвели. Прошла по крайней мере минута, прежде чем женщина сумела пошевелиться.

— Они... они...

— Два независимых свидетеля указывают на то, что это был ваш сын, Дмитрий Сергеевич Дубинин. Соседка покойной говорит, что хорошо его рассмотрела, отлично описала. Знала только имя, но не знала, что он — ваш сын. Зато сосед назвал и фамилию. Ваш сын редко тут появлялся, правда?

Елена Юрьевна была ни жива ни мертва. От того, что ей пришлось услышать, все тело и даже рассудок как будто свело болезненной судорогой. Она слышала все отчетливо, но поверить не могла. Сын? Ее мальчик? Тот, кого она любила больше всех остальных детей, тот, кто так сильно ее огорчал, но в то же время и радовал? Димочка?!

— Редко, — проронил наконец ее муж.

— А вот ваш сосед, Егор, и внешность описал, и фамилию сумел назвать. Он-то его знал хорошо. Они ведь были знакомы?

— Да, — тем же замороженным дискантом, совсем не похожим на его обычный голос, отвечал Сергей Аристархович. — Знакомы были. Рядом живем.

— Где ваш сын проживает? С вами?

— Нет, — выдохнула женщина. Она обрела дар речи и вместе с ним — ярость, дающую силы продолжать борьбу. — Быть этого не может! Кто видел, что видели! Кому вы поверили: Лариска — пьяница, Егор из ума выжил, сунулся свататься к девчонке, она ему в дочки годится! Да мы все над этим смеялись! Это он из мести выдумал, клянусь вам!

— Он говорит, что неоднократно наблюдал, как ваш сын, Дмитрий, входил в дом к Анне Ильиничне. И всегда под вечер, когда темнело.

— Не может быть. — Елена Юрьевна и смеялась, и плакала одновременно. — Что он несет, этого быть не могло! Он вообще тут редко появлялся в последнее время!

Следователь был невозмутим, муж отмалчивался, а женщина зло ухмылялась:

— Они врут, а я говорю — что есть! Он тут редко бывал, приходил, только если деньги были нужны!

И сразу к нам — к Лычковым никогда не заглядывал, они даже не дружили никогда! — И гордо встала. — Вы хотя бы знаете, кто мой сын? Он — писатель! Сережа, пойдем!

Следователь даже не пытался их остановить. Он смотрел вслед удалявшейся паре с каким-то странным выражением. Тут была и жалость к престарелой чете, и интерес, и язвительность — все вместе.

* * *

Супруги еле плелись в гору и по дороге не разговаривали. Солнце заливало подлесок мягким июньским светом. Приторно пахла расплавленная сосновая смола. Им навстречу попались две высокие тонкие девушки, как-то испуганно на них взглянувшие, но старики не обратили на них внимания. Они и в самом деле разом состарились после услышанного известия.

Заговорили только дома. Дочерей с мужьями не было, блудного сына тоже. Даже соседи, обычно превращавшие их столовую в местный клуб, как будто вымерли. В этом запустении было что-то вымороченное, проклятое, и Елена Юрьевна, упав на стул, ясно почувствовала это.

— Что ж, правда или нет? — тихо проговорила она.

— А ты как думаешь?

— Не знаю. Неправда.

У нее кружилась голова. Нет, она не могла поверить подобной клевете! Ее сын, ее сокровище, единственный, любимый... И чтобы он сошелся с этой юродивой, с этой глупой девицей, которая одевалась, как старуха, читала какие-то бесконечные книжки и бегала ставить свечки в часовню?

— Этого не может быть.

Сергей Аристархович даже не возражал, настолько был убит новостью. Жена взглянула на него исподлобья:

— А ты поверил?

Он молчал. Тогда жена, распаляясь, начала причитать. Она всегда знала, что вокруг одни сплетники и подлецы, но чтобы посягнули на самое дорогое, что есть у матери... Эта Лариска — зачем ей врать? Что они ей сделали? Пить, что ли, мешали? Косились, когда видели в компании местных алкашей у холодильника без дверцы, возле барака? Смешная была сцена и очень некрасивая, но все-таки Елена Юрьевна не помнила, чтобы она бросала на них косые взгляды. В своей семье она пьянства не допускала. К ее величайшей гордости, не пили даже мужчины — а уж сын, с его беспутством, мог бы и запить... Но других она не осуждала, полагая, что, если человек пьет горькую — у него есть причина, и останавливать его — дело неблагодарное.

— А Егорка? — возмущалась она. — Что он-то завелся? Вышвырнула его Анютка — и правильно сделала. Не пара ей этот поганый...

— Да уж, — спокойно, даже излишне спокойно ответил муж.

— Правда? — обрадовалась она. — Вот он на нас и обозлился после этого. Наверное, решил, что мы ее отговорили. Ах он, сволочь! Чтобы ты завтра же к нему сходил и по шее надавал!

Сергей Аристархович как-то странно взглянул на супругу. Да, в молодости он несколько раз выполнял такие указания. Ходил и давал по шее, кому нужно. Силой его бог не обделил. Елена Юрьевна управляла семьей, как полновластная хозяйка, и ей даже в голову не приходило, что кто-то может ее ослушаться, что время проходит и они с мужем не становятся от этого ни умнее, ни сильнее.

— И чтобы сказал ему, пусть идет к следователю, возьмет свои слова обратно! Что ему в голову пришло, гаду!

— Думаешь, он ничего не видел? — все так же странно, заторможенно откликнулся муж.

— А что он мог видеть? Что Димочка ходил к этой?

Они встретились взглядами, и Елена Юрьевна едва не отвела глаза. Она назвала Анюту «этой», что подразумевало женщину легкого поведения. В ее понимании любая женщина, за которой ухаживал сын, моментально становилась «этой», потому что тем самым отнимала его у матери. Елена Юрьевна полагала про себя, что, не будь «этих», сын бы жил при ней и дела бы у него шли куда лучше...

— Ты это зря, — веско выговорил супруг. — Я ведь... тоже видел.

Слабо шипел на плите закипающий чайник. К оконному стеклу бесшумно ласкались лучи заходящего солнца, визгливо бился в углу заблудившийся комар.

— Ты видел его? — раздельно вымолвила жена.

— Видел.

— Он к ней ходил?

— В марте, — так же неторопливо отвечал Сергей Аристархович. — Я вышел на участок посмотреть, что и как, а тут он. Уже темнело, я сперва его не узнал. А потом она дверь открыла, свет упал, и я увидел...

— Да ты ошибся!

— Нет. Это был Димка.

И снова тишина. Женщина оцепенело смотрела в окно.

— Ходил он к ней, я тоже мог бы подтвердить, — прошептал Сергей Аристархович. — Я не раз видел.

— Почему же ты мне ничего не сказал?

— Не знаю.

Но знал он, и знала она — Сергей Аристархович всегда экономил слова, тем самым обеспечивая себе семейный уют и душевный покой.

— Ты что, не понимал, что я должна была знать? — Женщина встала и машинально выключила чайник, который уже плевался кипятком. — Дурак!

— Знаешь, Лена, — все так же спокойно проговорил он, — если ты еще раз так меня назовешь, я тебя побью.

— Что?!

Но, увидев его глаза, женщина осеклась. Она поняла, что муж не шутит. Да и когда он с ней шутил? А она с ним? Когда он осмеливался сказать что-то поперек? «Побьет, — поняла вдруг она. — И потом еще раз побьет!»

Среди ее знакомых (подруг у Елены Юрьевны, благодаря ее деспотичному характеру, не было) встречалось много таких, которых мужья били. Они жаловались, плакались, но как будто даже немножко гордились своей участью. Бьет — значит любит — эта старая жестокая пословица глубоко вошла в любую женскую душу с самых древних времен. Даже самая образованная женщина не может противостоять этому первобытному закону. Ты моя женщина, моя скотина — так вот тебе, получай!

Были и такие, которые сами били мужей. Почему-то эти жаловались куда больше — они несчастные, мужья у них — придурки, скоты, пьяницы, за это и получают... Но этих не жалели. Над ними смеялись потихоньку, и все.

Елена Юрьевна не относилась ни к тем, ни к другим. Била она только детей, да и то для их же пользы, как сама полагала. Поднять руку на мужа? Это было бы для нее позором. Но чтобы муж поднял на нее руку?! Это уже катастрофа, это конец всему!

— Ты с ума сошел, — еле слышно сказала она. — Не первый год вместе живем, а ты вдруг...

— Ничего не вдруг. Давно хотел, — мрачно, с озлоблением заявил Сергей Аристархович.

— Думай, что говоришь!

— Сто раз думал. Вот что, Лена. — Теперь он как будто забыл прежнее ласкательное имя, которым пользовался в минуты крайнего унижения. — Я тебя долго слушал, а сейчас ты меня послушай. Может, из нас двоих глупее — ты.

Елена Юрьевна даже захлебнулась, но смолчала. Она поняла, что возражать не время, можно только навредить. Именно за этот цепкий, чисто крестьянский ум и уважал ее супруг, да и все соседи.

— Наш сынок туда ходил, — продолжал Сергей Аристархович. Он удивительно преобразился — даже показалось, что стал выше ростом и шире в плечах. — С этим уже ничего не поделаешь. И Лариска видела, и Егор. А может быть, кто-то еще видел, так что людям рот не заткнешь. Сама должна понимать.

— Но почему? — простонала она, пугливо поглядывая на мужа. — Почему мне никто не сказал?

— Да потому не сказали, что ты на всех как собака кидаешься, тебе на язык не попадайся! Тут же всех с грязью смешала — и Лариска у тебя алкоголичка, и Егор — паршивый! Не хуже нас с тобой будут!

— Да они...

— Молчать!

Еще никогда в этом доме не произносилось ничего более крамольного. Елена Юрьевна зажала рот рукой и уставилась на мужа.

— Вот что я тебе скажу. — Он как будто не замечал произведенного эффекта. — Я сразу понял, что у них там делается что-то неладное, только сам не верил. Потому и тебе ничего не сказал. Мало ли зачем заходят к соседям...

— Правда, — униженно подтвердила она. — Следователь тоже должен это понимать!

— Молчи!

Она осеклась.

— Но тут дело нечисто. Встречались у Татьяны... Это чтобы у нас перед глазами не мелькать. Я верю этому. Молчи! — прикрикнул он снова, хотя жена вовсе и не думала возражать. Елена Юрьевна была ошеломлена настолько, что даже слова вымолвить не могла. — Потом Аня с собой покончила, а Татьяну убили.

— Но...

— Чтоб тебя! — Он с размаху ударил ребром ладони по столу и сам поморщился от боли. — Когда ты поймешь, что наш обормот ко всему причастен! Где он живет, стервец?! Шкуру с него спущу! И с тебя тоже! Молчать! Молчать! Вырастила убийцу!

Елена Юрьевна вскочила, кинулась было к дверям, но тут почувствовала то, что всегда казалось ей невероятным, немыслимым... страшным.

Муж ударил ее — ни за что ни про что. Даже не за то, что говорила, а за то, что попалась под руку. Она обернулась, и ее посеревшее, замершее лицо разом постарело на десять лет.

Глава 16

Муж требовал, чтобы Наташа говорила как можно меньше. Она отвечала ему долгим, пристальным взглядом. За минувшие два дня они ссорились часто, как никогда раньше. Павел то и дело заводил речь о продаже дома и о том, как бы на этом не прогадать. Одна эта тема бесила ее невыносимо, но она молчала. И вот ее вызвали для дачи показаний.

— Опять едешь, опять я остался с ребенком на руках, опять моя мать будет все на себе тащить! — возмущался Павел. — Погоди, а если я справку достану, что ты больна?

— Не стоит. — Она кое-как, почти не глядя, упаковала в сумку белье и косметику. — Все равно придется объясняться.

— В доме не живи, — поучал он жену уже у порога. — Ты слушаешь меня, слышишь? Живи у своей подружки, как ее там...

— Женька.

— Вот у нее!

Она повесила сумку на плечо и обернулась к сыну. Тот тоже провожал мать и, по обыкновению, молчал. Последние дни он был невесел и даже несколько раз просыпался среди ночи, чего за ним прежде не водилось. А днем Наташа ловила на себе его тревожные вопросительные взгляды. Ее мучило, что на мальчи-

ка так подействовал разлад между родителями. Это было первое настоящее горе в его жизни, а он еще и высказать его толком не мог.

— Хорошо, — сказала она, целуя сына. — Ванька, будь молодцом. Ты уже здоровый такой, так что не скучай без меня.

Сын уставился в пол и вдруг неожиданно, совсем не по-мужски разревелся. Родители невольно заулыбались.

— Ну и выдержка, — смеялась Наташа. — А мы тебя еще хвалили — никогда не плачет!

— Я тебе компоту дам, — пообещал отец. — Идем!

— Ма-ам... — плакал Ваня. — Н-ну ма-ма. .

Наташа торопливо закрыла за собой дверь

Жить ей у подруги или в своем доме? Она и сама не знала, как поступит. Да и стоит ли об этом думать? Какие она может дать показания, сколько времени это займет? Может, она вернется тем же вечером?

Следователь принял ее немедленно — она даже удивилась, как легко и просто к нему попала. Поставила сумку на пол, приготовилась отвечать на любые вопросы касательно Татьяны...

Но ее спросили о Дмитрии Дубинине, сыне соседей. Что она может о нем сказать?

— О Дмитрии? — удивилась Наташа. Ее сбили с толку, и она разом растеряла все заготовленные мысли. — Да я его и не помню. Я уехала в Москву, когда мне было восемнадцать, а он был еще младше... С тех пор не видела. Вот вы мне сейчас имя напомнили.

Об этом парне у нее были самые смутные воспоминания. Она была старше его на пару лет, и в ту пору такая разница в возрасте исключала всякое общение между подростками. Наташа рядом с ним выглядела бы перестарком. Она вообще мало интересовалась парнями, редко танцевала, не любила пустой треп, пиво, не курила, а если смеялась, то негромко, будто про себя. Все это не делало ее душой компаний. А Дмитрий, как ей смутно припоминалось, любил именно шумные компании, заседавшие обычно где-то в гаражах. Его старших сестер она знала куда лучше, хотя тоже мимоходом. По-настоящему она была близка только с Еленой Юрьевной.

— А может, сестра вам о нем говорила? — продолжал следователь. — Постарайтесь вспомнить.

— Сестра? — еще больше поразилась Наташа и вдруг откинулась на спинку стула. У нее захватило дух. Имя то же самое, только... — Она ничего не говорила, — выдавила Наташа. — Вы имеете в виду, что этот Дмитрий Дубинин ее знал?

— Они были в близких отношениях, — сухо уточнил следователь.

— Замятин! — Наташа не выдержала и вскочила. — Его фамилия Замятин, он сам мне сказал!

— Ага. — Тот заглянул в бумаги. — Только это не фамилия, а его литературный псевдоним. Он ведь у нас писатель, книги пишет. Да вы присядьте. Встречались с ним, значит?

И Наташа полчаса рассказывала все, что узнала от Дмитрия той долгой ночью, а потом еще диктовала и подписывала свои показания. Положила на стол часы Дмитрия. Она не знала, на каком находится свете. Этот проходимец — сын соседки! Так она знала его, она должна была вспомнить, понять! И в то же время женщина понимала, что ничего вспом-

нить не могла. То лицо, виденное очень давно, полностью стерлось из ее памяти, как и имя. Да и нынешний Дмитрий запомнился ей смутно, как нечто весьма посредственное. Разве только очки... И то, как он нервничал и все время вскакивал. И как боялся, что она его побьет.

«Боялся, потому что мамаша била, — мрачно усмехнулась Наташа. — Она-то это любила. По старинке детей воспитывала! А еще дрожал, что соседи, то есть родители, заявятся и накроют. Они ведь ничего не знали! Какая бы ни была у него мать, но такой подлости в ней нет! Она жадюга, деспот, но не преступница!»

— Так вы не узнали его, когда увидели?

— Мне казалось, я впервые его вижу.

— И по вашим словам, он боялся, что на крик придут соседи?

Она подтвердила:

— Он очень боялся, только я тогда всего не поняла. Мне казалось, он просто трус, а он, оказывается, боялся, чтобы мать не узнала...

— Во-вашему, родители ничего не знали?

Наташа развела руками:

— Думаю, что нет. Не такие это люди. Поймите, Елена Юрьевна была нам всем вместо матери. Нас осталось четверо детей, и она всех опекала. А это нелегко — старшему было всего десять, а сестре — шесть месяцев. И думаете, за деньги? Совершенно даром.

Это тоже было записано, и Наташа слегка перевела дух. Ей очень не хотелось повредить соседке, но она уже понимала, в каком сложном положении та оказалась.

— А о своих отношениях с библиотекаршей этот Замятин, — фамилия была произнесена с ироническим ударением, — ничего вам не говорил?

— Нет. Упомянул о ней мельком. Сказал, что сестра брала у нее хорошие книги, вот и все. Хотя потом... — Она замялась. — Потом одна женщина сказала мне кое-что еще. Что Димка — она его так называла — бывал у Татьяны в бараке и что она видела Анюту, которая вместе с ним выходила из комнаты. Я тогда была поражена. Татьяна ничего об этом не говорила. Она вообще не верила, что у Анюты мог быть какой-то парень.

— А вы спрашивали ее об этом?

— Да, неоднократно.

— А о чем еще?

Наташа вздохнула:

— Да о многом спрашивала. Обо всем, что касалось смерти моей сестры. Завели же дело о самоубийстве, но так ничего и не выяснили. Теперь, когда Татьяна умерла, вы спрашиваете. Неужели для этого кому-то нужно было умереть?

Ей не ответили. Наташа грустно усмехнулась и рассказала о своих отношениях с Татьяной.

— Значит, вы спрашивали, не знает ли она о пропавших деньгах?

— Она ничего не знала. По крайней мере, сказала так. Потом я спросила, что ей известно о Егоре, ну, это...

— Мы знаем.

— И еще о книгах. У сестры пропали книги, а оказалось, она их библиотеке подарила. Перед самой смертью. Готовилась...

На этот факт обратили особое внимание и детально записали все происшествие с книгами, и даже все названия, которые Наташа смогла вспомнить.

— А еще о кошке я спросила... У Анюты была кошка. И вот она принимает столько таблеток, а о кошке даже не вспоминает. Ни форточки открытой, ни еды на кухне — ничего. Зверь с ума сошел, бедный, удрал, когда открыли дом.

— И что?

Наташа удивленно подняла взгляд:

— Как что? Это жестоко! Моя сестра не поступила бы так...

— Но поступила же?

— Не понимаю. — Женщина сразу погасла. — Она всегда всех жалела, никому вреда не делала. Думаю, что в тот миг она была вне себя. Кто-то уж очень ее измучил.

— А кто это мог быть?

— Дмитрий. Я не сомневаюсь, что он.

Потом разговор принял другое направление. Она подробно рассказала о тайнике в часах, о впечатлениях от разгромленного дома. Особенно она поражалась тому, как безжалостно растерзали часы в последний раз.

— Не понимаю! Кто это сделал? Их прямо на части распотрошили.

— Думаете, искали там деньги?

— Да что же еще? Но тот, кто это натворил, не знал, что денег больше нет, до него там кто-то уже побывал. — Женщина нахмурилась. — Да и про коробку тоже не знал. Если бы знал, не стал бы ломать часы, коробку в деталях не спрячешь.

О коробке тоже пришлось рассказать в подробностях. Наташа начинала уставать. Прежде она сердилась, что дело ведется небрежно, но нынешняя тщательность была еще тягостнее.

— Я думаю, что деньги украли давно, а коробку выбросили, — сказала она. — Красивая такая коробка, из-под датского печенья, с башней и озером. Я ее сразу узнаю. А тот, кто пришел воровать во второй раз, просто неудачник.

— Вам бы самой на мое место сесть, — неожиданно пошутил следователь. Это был еще не старый человек, с простым симпатичным лицом того типа, который всегда нравился Наташе.

Она невольно улыбнулась:

— Куда мне! Мое дело — русский язык и литература. Просто я много думала об этом...

Ее поблагодарили, еще раз уточнили московский адрес и телефон, которые записали со слов Елены Юрьевны, и разрешили идти. Наташа встала и уже было совсем собралась в путь, как вдруг вспомнила о немаловажном деле.

— А дом я могу продать? — осведомилась она.

— Дом? Что? — удивился следователь. — А вы хотите продавать?

— Да, обстоятельства так сошлись...

На самом деле она за последние дни поняла, что у нее самой никаких поводов продавать дом не было. Было горячее желание Елены Юрьевны, настойчивость Людмилы, расчеты мужа... Но ей самой в продаже дома не было никакой нужды.

— Просят продать, я и продаю.

— А кто просит? — невнимательно спросил следователь, снова вглядываясь в бумаги.

Наташа так же мимоходом назвала имя, но тут же об этом пожалела. Услышав, что дом желает купить Елена Юрьевна Дубинина, следователь встал на дыбы.

— Ваша соседка?!

И посыпались вопросы: что, когда, почем? Наташа сбивалась, но отвечала, и с ужасом понимала, что не должна бы отвечать... Однако сделать уже ничего не могла.

— Когда она заговорила об этом?

— Вскоре после похорон. На третий день.

— А раньше были такие разговоры?

— Нет, конечно. Там ведь жила моя сестра.

— И в какой форме она это предложила?

Наташа задыхалась. Она и сама уже чувствовала что-то неладное, но не могла себе этого объяснить.

— Она сказала, что все равно я тут жить не буду. Что мне деньги будут нужнее... И что если захочу продать, то чтобы первой продала ей.

— И сколько предложила?

У многих людей этот вопрос вызвал бы естественную скрытность. Настоящей суммы, за которую покупается и продается недвижимость, никто называть не хочет. Но Наташа сразу выпалила про двадцать пять тысяч.

— Это вас устраивает?

— Нет! Я хотела больше, по справедливости. Дом стоит больше, так зачем же мне терять деньги!

— Почему же вы согласились на эту сумму?

Наташа рассказала о Людмиле и о ее претензиях. Говорила она кратко, неприязненно, но следователь не перебивал, не переспрашивал и, казалось, все сразу понял.

— Она вас напугала, что потребует половину, и вы решили провернуть сделку втайне от нее?

— Да, верно.

— А Елена Юрьевна знала об этом?

— Конечно да! — воскликнула Наташа.— Я сама ей сказала, и она сразу сообразила, что тут можно провернуть выгодное дело.

— А почему она решила, что вы не будете там жить?

— Ну... У меня в Москве все — работа, семья... Я не могу сюда переехать, значит, дом все равно будет стоять пустым.

— А что это она вдруг загорелась покупкой?

— Для сына, — поторопилась объяснить женщина. — Для... — И осеклась.

Сын Елены Юрьевны до сих пор оставался для нее величиной абстрактной. Сын-шалопай, скоро женится, невеста уже беременна, хорошо, если молодая пара будет на глазах у стариков... Все выходило гладко и просто, ничто не вызывало вопросов. Но если сын — Дмитрий, тогда...

— Для него, — упавшим голосом закончила она. — Но я не знала тогда...

— Спасибо, идите. И вот еще что. — Следователь поигрывал карандашом, глядя на Наташу с каким-то затаенным любопытством. — Пока ничего не продавайте.

Женщина вышла, с трудом отыскав дверь.

* * *

— Я не могу туда пойти одна, — твердила она, вертя в руках уродливую пепельницу. Тошнотворный запах перегорелого табака сводил ее с ума, но Наташа даже не морщилась. — А мне очень надо их увидеть и поговорить. Раньше могла, а теперь не могу. Я боюсь! Пожалуйста, помоги мне!

Подруга смотрела на нее с тяжелым недоумением, ничего не отвечая. Она присела на подоконник, настежь отворив раму, и пускала дым на улицу. Детей дома не было — старший занимался в школе, младший был в яслях. У Жени, их матери, как раз выдался обеденный перерыв.

— У меня тут больше никого нет, — убито продолжала Наташа, отодвигая пепельницу подальше. — Ты одна осталась.

— А ты же говорила, что девчонки-соседки тебе помогают?..

— Да что с них взять. Они совсем молодые, наивные. Им самим страшно.

— А мне — нет? — Женя спрыгнула с подоконника, и ее жестко очерченные губы показались еще тверже, чем были прежде. — У меня двое детей, мужа нет, и ты полагаешь, что мне все равно? Если я умру — на кого они останутся?

Наташа не думала об этом. Школьная подруга оказалась единственным человеком, к которому она могла броситься, узнав потрясающую новость о Дмитрии. Она не лицемерила, преувеличивая свое одиночество. У нее и в самом деле не осталось больше ни единого человека, к которому можно было обратиться за помощью. Елена Юрьевна? Смешно. Татьяна, которую она было посчитала подходящей кандидатурой? Преступница, скорее всего... И она мертва. Кто еще?

Муж напоследок велел ей остановиться у подруги, и она машинально последовала его приказу. Она даже не задумывалась о том, что может оказаться некстати, ведь Женя всегда была ей рада. Всегда. Только не теперь.

Ей открыли сразу, но, увидев старую приятельницу в казенном голубом халате, пережевывавшую какую-то еду, Наташа сразу поняла, что явилась не ко времени. Женя даже отшатнулась, увидев ее, потом сухо спросила, что ей нужно.

Будь это в Средние века, Наташа непременно воскликнула бы, склонившись в поклоне: «Пища и кров!» То была принятая формула, отворявшая ворота неприступных замков. Но времена были иные, и потому она просто спросила: не помешала ли чему?

— Заходи, — неприветливо ответила Женя. — У меня неприбрано, ну да ладно. Только в комнату не лезь, там бардак.

— Ничего, все свои, — отозвалась Наташа. Прием был странный. Конечно, подруги давно шли разными дорогами, но все же считали друг друга близкими людьми.

Она пыталась рассказать Жене о том, что произошло в кабинете следователя, взывала к ее чувствам, но ей казалось, что ее мало слушают. Подруга слонялась по кухне, с каким-то ожесточением поедая бутерброд, часто смотрела на часы, и Наташа все яснее понимала, что ей совсем не рады и она явилась докучной помехой.

— Ну и что тебе нужно? — спросила наконец Женя. Она вымыла руки, небрежно напудрила свое длинное лошадиное лицо и косо взглянула на гостью. — Чтобы я пошла с тобой к Елене Юрьевне?

— Да-да!

— А зачем?

— Разве ты не поняла? Они обманули меня! Я должна разобраться! Это такая наглость — угробить мою сестру, а потом требовать, чтобы я продала им

дом за бесценок, и для кого? Для их ненаглядного сыночка!

— Ты думаешь, она вообще знала, что ее сын ходит к Анюте?

— Конечно! Как это можно не знать! Все было подстроено, уверяю тебя! Это какие-то невероятные люди! — Наташа с трудом переводила дух. — Сколько они от меня скрыли! Елена Юрьевна мне сочувствовала, ее сынуля даже настоящей фамилии не назвал — псевдонимом отделался! Довели Анюту до смерти, попользовались, обокрали, а теперь хотят обокрасть меня, чтобы Димка блаженствовал в моем доме со своей беременной невестой!

— Меня тоже часто обманывали, — с затаенной ненавистью произнесла Женя. — Разве я бегала к тебе за помощью?

Наташа окончательно оторопела. Этот ответ был настолько не в духе подруги, с которой она прежде делилась самыми тайными горестями... Та всегда принимала ее переживания как свои, и наоборот. А тут — злоба.

— Если ты боишься за детей, тогда конечно, — с трудом выговорила Наташа. — Может, я бы на твоем месте тоже туда не пошла. Только они — не убийцы. Не настоящие убийцы, понимаешь? Им нужны только деньги, они воры...

— Но ты же сама говоришь, что библиотекаршу убили?

— Не знаю, — уныло произнесла Наташа. — Они ли это сделали? Слишком уж страшное дело.

— А почему бы не они? Дмитрий знал Татьяну и скрывал. Татьяна знала Дмитрия — и тоже тебе ни слова. Твой дом обыскивали — а Татьяна неизвестно почему сидела там.

— Но это абсурд! — обрадовалась зацепке Наташа. — Именно потому, что они были знакомы, это последнее ограбление становится невозможным!

— Как это?

Женщина объяснила. Если эта парочка давно действовала заодно, то Татьяна не могла не знать, что Дмитрий *уже* взял деньги из часов с кукушкой. Больше было некому! Так чего ради она оказалась в доме? Чего ради Дмитрий стал бы вторично обыскивать тайник, если когда-то уже обчистил его?

— Это сделали не они. Той ночью Татьяна была у меня дома одна, вот в чем дело. И этого я не понимаю. Зачем ей понадобилось идти на такой риск? Ведь воры даже свет включили в доме! Ведь милиция могла появиться каждую минуту!

— Ну ладно, — после паузы сказала Женя. — Я пойду туда с тобой. Сейчас? — В ее голосе появилась странная решимость. До сей поры она только посмеивалась.

— Если можно, — умоляюще протянула Наташа.

— Я отпрошусь с работы. — Женя сняла халат и бросила его на спинку стула. — Жди меня у станции.

«Почему не дома? Она не желает, чтобы я тут оставалась? Господи, что происходит? Она мне не доверяет?»

— Так иди. — Хозяйка почти вытолкала ее за дверь. — Я буду через сорок минут.

* * *

Однако Наташа простояла на станции почти час. За это время солнце, падавшее за железнодорожные пути, успело порозоветь. Время от времени его при-

крывали легкие облака, но дождя в воздухе не ощущалось. Наступил классический, теплый июнь — такой нежный и мягкий, какой бывает только в Подмосковье. Девочки, обещавшие в скором будущем стать красивыми девушками, разгуливали вокруг Наташи почти голыми. Маленькие шорты, коротенькие маечки... Расплывшиеся торговки шумно продавали семечки, пирожки, садовые цветы. Жужжал привязавшийся к уху шмель, но Наташа его не прогоняла. Она с надеждой высматривала подходы, откуда можно было ожидать подругу, а когда в самом деле увидела ее, то не сразу узнала. Дело было в том, что Женя шла не одна — она волокла за руку пухленького парнишку лет трех-четырех.

— Вот и мы, — запыхавшись, заявила она. — Бежим туда.

— Бежим?

Наташа не понимала, к чему такая спешка и зачем на этом свидании, которое может оказаться весьма неприятным, должен присутствовать ребенок, но все же прибавила шагу. А Женя — та точно почти бежала. Сына она волокла за собой, а мальчишка, еле успевая перебирать ножонками, время от времени начинал реветь. Но мать не обращала на это ни малейшего внимания.

— Послушай, — задыхалась Наташа, перескакивая в подземном переходе через две ступеньки. Она никак не могла угнаться за подругой. — Зачем ты так... торопишься... Пожалей ребенка!

— Много чести, — бросила та, даже не обернувшись. — У меня времени нет.

— Опять на работу?

— Ни черта! Слишком долго я ждала!

Наташа ничего не понимала, но бежала за ней. Она всегда считала, что от станции до ее дома — двадцать пять минут ходьбы, но на этот раз они добрались за пятнадцать. Мальчик выдохся, Наташа едва переводила дух, зато Женя держалась спокойно. Казалось, она вовсе не устала от бешеной гонки.

— Господи, — задыхалась Наташа.— Куда ты так спешишь?

— Ты же сама меня торопила. — И с этими словами Женя невозмутимо вошла в дом.

Дверь, по обыкновению, была незаперта. Но в кухне, которую Наташа привыкла считать образцом порядка, чувствовалось что-то неладное.

Опрокинутый стул. Отдернутые занавески. Забытая и опрокинутая кружка на столе. Лужица коричневого чая на клеенке. Тишина.

— Что случилось? — оглядывалась Наташа.

— Перебили их тут всех, — мрачно ответила подружка, усаживая сына за стол. — Посиди-ка, отдохни. А ты, Наташ, позови хозяев.

Но дома оказалась одна Елена Юрьевна. Несомненно, она слышала, что кто-то заговорил на кухне, но так и не вышла из дальней комнаты. Это само по себе уже было удивительно. Наташа остановилась на пороге, с недоумением глядя на спину Елены Юрьевны. Хозяйка и не думала оборачиваться.

Она сидела у окна и, судя по всему, наблюдала, как на грядках растет капуста. Ее бездействие в эту пору дня тоже было чем-то необыкновенным. Когда наступал вечер, женщина обыкновенно занималась приготовлением ужина или шитьем — мало ли что

нужно внучатам! — или прополкой огорода, да чем угодно — дел у нее хватало. Но сидеть и бесцельно смотреть в окно было не в ее характере.

— Вы здоровы? — осторожно осведомилась Наташа.

Елена Юрьевна вздрогнула, как будто действительно не слышала прихода гостей, но почему-то не обернулась.

— А... ты приехала, — глухо сказала она. — У следователя была?

— Была. — Наташа медлила. — А вы?

— И мы были. — Та шумно вздохнула. — С мужем. Зачем ты пришла?

— А вы не догадываетесь?

Наташа собрала последние силы. Да, она всегда повиновалась этой женщине. Да, та сделала ее семье, особенно детям, немало добра. Но на этот раз подчиняться было невозможно, да и благодарить не за что.

— Вы скрыли от меня, что ваш сын ходил к Анюте, — сдавленно произнесла она. — А я по всему городу выясняла, кто этот парень... Вы молчали.

— Я сама не знала, — все так же не оборачиваясь, ответила та.

— Кто вам поверит?

— Не веришь, значит?

Елена Юрьевна обернулась, и Наташа тихо охнула. Воздуха ей не хватало — под левым глазом многоуважаемой солидной дамы багровел кровоподтек, который обещал назавтра созреть в полноценный синий фингал.

— О! — только и сказала она.

— Не обращай внимания. — Елена Юрьевна, наконец, встала. Нашарив на полке картонную коробку с допотопной пудрой, неизвестно как уцелевшую с советских времен, она щедро, наобум припудрила щеку. В зеркало Елена Юрьевна при этом не гляделась. — Кто там с тобой явился? — горько спросила она, закончив нанесение макияжа. — Кого привела? Зачем?

— Я...

— Явилась на мое горе полюбоваться, да? Хватило у тебя наглости, нечего сказать. Еще нужно разобраться, кто кого соблазнил — Дима Анютку или она его! — Она постепенно распалялась, прежнее напускное смирение и горечь исчезли. — Говорят — видели его, свидетели есть! Да эти свидетели мне — тьфу! Пусть он сам скажет, что с ней спал, тогда поверю!

— А он уже сказал, — со сдержанным гневом возразила Наташа. — Он мне рассказал, я — следователю, так что давайте не будем трогать память моей сестры.

Елена Юрьевна заморгала припорошенными розовой пудрой ресницами. Выглядела она нелепо и жалко. Пудра, купленная в ту пору, когда цвет ее лица был наверняка ярче и свежее, теперь оставила странные разводы на увядшей коже, не слившись с ее фоном. Елена Юрьевна походила на постаревшего клоуна, вздумавшего нанести грим, но, конечно, не сознавала этого. Наташа вообще не замечала, чтобы та когда-нибудь красилась. Вполне возможно, что пудра принадлежала не ей самой, а досталась по наследству от матери и относилась к эпохе пятидесятых годов.

— Что ты болтаешь? — выдавила она. — Он сказал сам... Кому? Тебе?!

— Да, это он ждал меня у дома, когда я к вам прибежала звонить в Москву! И мы проговорили

всю ночь! Так что хватит, хватит! — Наташа почти кричала. — Если бы вы не знали, что он там, вы бы давно ко мне явились! Нет, вы ждали, выжидали! Вы на дом нацелились, а я вам была безразлична! И моя сестра тоже! Ненавижу вас, ненавижу! Вы...

Она не смогла подобрать слова и резко замолчала. Елена Юрьевна не останавливала ее. Она неловко вытирала испачканную пудрой щеку. На кухне, где оставались Женя с ребенком, тоже было тихо. Там слышали каждое слово, но не вмешивались. Наташа еще раз порадовалась тому, что подруга пришла вместе с ней. Ей было очень не по себе.

— Вы воры, — закончила она наконец. — Вы деньги украли у Анюты, а у меня захотели за бесценок получить дом. Отдайте документы, которые мы собрали. Вы мой дом не получите.

Елена Юрьевна безропотно подчинилась. Тонкая папка с матерчатыми завязками легла на стол, и Наташа тут же ее схватила:

— Теперь признайтесь, что это вы все подстроили! Это вы довели мою сестру до смерти, чтобы потом заняться мной! Я-то все поняла!

— Деточка, — с трудом выговорила Елена Юрьевна, — ты ошибаешься...

Это была совсем не та женщина, которая когда-то властно правила и своей семьей, и ближайшими соседями. В ней как будто что-то сломалось, какой-то основной стержень, несущий прежде тяжесть всей этой власти и помогавший ей не сгибаться в самых пиковых ситуациях.

— Я не знала ничего... — почти шептала Елена Юрьевна. — Я и сына-то давно не видела... Что ты, милая! Я тут ни при чем.

— Это вы сына давно не видели? — с неприятной усмешкой возразила Наташа. Она уже успела проверить документы в папке и убедилась — те самые. — Кто бы мог подумать... Да вы детей в ежовых рукавицах держите!

— Дочек — да, стараюсь. С девчонками нужен глаз да глаз, — так же убито шептала та. — А с ним — не получалось. Да ты пойми — единственный сын. Девки — что, они уйдут, выйдут замуж, и ты для них уже никто. Ты сама мать, пойми меня... Я избаловала его.

И старуха — а Елена Юрьевна страшно постарела за минувший день — вдруг заплакала. Плакала она молча, трудно, как будто каждая слеза давалась ей с величайшей болью. О чем она горевала — трудно было сказать. Сказывалась ли это усталость, или обида на мужа, или страх за сына — она бы и сама не смогла объяснить. Знала одно — эти слезы отнимали у нее несколько лет жизни, сводили на нет все, к чему она стремилась, что ценила, — семью, дом, свою власть...

Наташа отвела глаза. Сломленная плачущая старуха не вызывала в ней жалости, но смотреть на нее было неприятно. И все же она решила не отступать.

— Как же вы говорите, что не виделись с сыном, если покупали для него дом? — язвительно спросила она.

— Детка, он сам так велел. Несколько месяцев назад. Сказал, что женится...

Истории с предыдущей и нынешней невестой Дмитрия были приняты Наташей с какой-то молчаливой брезгливостью. Она в них не поверила и в то же время задумалась. Мог этот парень шантажировать родите-

лей, у которых водились деньги, таким невероятным образом? Да или нет? Он произвел на нее неприятнейшее впечатление, конечно, был вором, довел до смерти ее сестру, но такой шантаж...

— Да вы все это выдумали, чтобы от него отмежеваться, — наконец сказала она. — За кого вы меня принимаете? Думаете, поверю? И следователь тоже?

На кухне раздались тихие голоса. Похоже, подруга успокаивала заскучавшего ребенка. Елена Юрьевна снова подняла голову:

— Кто там с тобой? Милиция?

— Хорошо бы, — процедила Наташа, и тут за ее спиной раздался голос Жени. Вместе с ней появился и дым сигареты, с которой та почти никогда не расставалась.

— Можно?

— Кто это? — Елена Юрьевна нахмурилась, оценивая внешность вошедшей. — Вроде бы я... Мы... когда-то...

— Виделись когда-то, — согласилась та, бесцеремонно стряхивая пепел на деревянный пол.

Это было настоящим преступлением — Елена Юрьевна страшно боялась пожара и потому выгоняла мужа курить на улицу в самые жестокие морозы. Но сейчас никаких запретов не последовало.

— Вроде бы с Наташкой я тебя встречала? — продолжала любопытствовать старуха. — Знакомое лицо.

— Мы вместе учились в школе, — перебила ее Наташа. — Все равно не вспомните.

— Ага, — нехорошо заулыбалась Женя, снова сбрасывая пепел и уже нашаривая в кармане новую сигарету. — Значит, не помните меня? А давно бы пора познакомиться. — И с той же кривой, непередаваемо издевательской улыбкой объявила всем присутствующим, что это из-за нее разгорелся весь сыр-бор несколько лет назад и что это она была невестой Дмитрия, а ее сын — это не кто иной, как внук Елены Юрьевны.

Глава 17

Стояла такая тишина, что казалось — в доме никого нет: ни в комнате, ни на кухне. Даже трехлетний Дима, явно не понимающий важности момента, затих, как будто его и не было.

Первой очнулась Наташа. Она дикими глазами обвела лица женщин, стоявших во враждебных позах, будто готовые к драке коты.

— Вы с ума сошли? — неуверенно проговорила она. — Женька? Ты что творишь?

Но та даже глазом не повела. Елена Юрьевна посмотрела на нее, как на зачумленную, и внезапно расхохоталась. Этот смех очень не понравился Наташе — женщина смеялась так, как не смеются нормальные, здравомыслящие люди, способные оценить шутку. В этом смехе слышалось отчаяние.

— Ты все слышала! — воскликнула она. — Ты подслушивала на кухне и теперь хочешь...

— Да бросьте, — с той же улыбкой ответила Женя. — Все это правда.

— Ты — это и есть она?!

Елену Юрьевну задушил новый приступ смеха. Наташа подумала, что без стакана воды тут не обойтись. То была настоящая истерика.

— Да ты в зеркало смотрелась когда-нибудь? — почти прорыдала пожилая женщина. — Видела себя, кривая рожа?

Но Женя держалась поразительно спокойно. Она рассматривала облупившийся лак на ногтях и сосредоточенно хмурила брови, как будто дожидаясь, когда поток оскорблений иссякнет и начнется конструктивный диалог. И Елена Юрьевна в самом деле понемногу приходила в себя. Она уже не смеялась так нехорошо, не дрожала, и смотрела на гостей взглядом очнувшегося от кошмара человека.

— Видела, — сказала Женя, полностью погрузившись в наблюдение за своими ногтями. — Может, я и не красавица, но мужчинам нравлюсь.

— Да мой Дима...

— Ваш Дима бегал за мной полгода, прежде чем я легла с ним в постель.

— Когда это было?!

Женя вздохнула — несколько делано, с маской победительницы, знающей, что сила и правда — на ее стороне. Наташа сжалась. Она все еще не могла поверить в эту чушь, но уже чувствовала, что происходит что-то серьезное. Нечто посерьезней обыкновенного шантажа. Да и чем могла шантажировать Елену Юрьевну ее подруга? И зачем?

— Числа я вам не назову, а было это четыре года назад с лишним, — с улыбкой сказала Женя. — Познакомились в больнице, он туда кровь пришел сдавать, не помню уже, для чего именно.

— У него было подозрение на диабет, — прошептала Елена Юрьевна, с точностью помнившая биографии своих чад.

— Точно, — обрадовалась вдруг Женя. Деланая улыбка слетела, и под ней обнажилось ее обыкновенное доброе лицо. Она отдалась воспоминаниям и теперь казалась не озлобленной мегерой, как минуту назад, а прежней милой женщиной. — Анализ был хороший.

— Да...

— А потом я шла домой с работы, он следом, и была ужасная слякоть. Осень наступила. А на обочине, чуть не в луже, мужик избивал женщину. Ужасная картина — у нее одна сумка справа, другая слева, сама кричит, вся испачкана, он на нее навалился, потный такой, в телогрейке, и вопит: «Убью гадину!» — Женя закурила новую сигарету. — А мимо идут люди, и все делают вид, что ничего не происходит. Хотя они и правы были — те-то оба пьяные, разбираются между собой у всех на глазах... Значит, есть из-за чего. Только женщина уж очень кричала. Все повторяла: «Помогите, люди! Люди, помогите!» — Она покачала головой. — Ну я, дура, и помогла. Взяла этого придурка за плечо и откинула в сторону. Он хоть и здоровый был, но слабый, с похмелья наверное. Отлетел прямо на дорогу. А она вылезла из лужи и бежать. А мужик на меня накинулся. Дима помог мне отбиться... Так и познакомились.

«Еще один рыцарский поступок, — с дрожью подумала Наташа. — Это он!»

— А потом проводил меня домой, по дороге я в магазин зашла, купить продукты, так что он запросто мог попрощаться. — Теперь Женя как будто оправдывалась перед несостоявшейся свекровью. — А он пошел за мной и еще сумки помог донести. Короче, зашел ко мне, чай попил... Сына моего видел, я ничего не скрывала.

— И ты с ним только через полгода переспала? — замороженным голосом поинтересовалась Елена Юрьевна.

— А вы думаете — перед ним трудно устоять? — Женя рассмеялась. — Да я и через год не стала бы с ним связываться, только он меня разжалобил. Жить ему, бедному, негде, никто его не понимает — ни мать, ни отец, ни издатели. Он тогда уже первую книгу опубликовал. Я прочитала — ерунда. Неудивительно, что никто не понимает.

— Неправда! — взвилась мать. — Это была хорошая книга!

— Бросьте вы, — властно заявила Женя. — Книга — дрянь, я что, книг хороших не читала? Это вы сидите тут в своей дыре, копаетесь в огороде, ничего не понимаете. Для вас кто грамотный — тот и писатель.

— Что ты себе позволяешь?

— Что хочу, то и позволяю, — с вызовом ответила Женя. — А почему бы не позволить? Что я вам должна? Это вы мне должны — квартиру!

Елена Юрьевна растерянно взглянула на Наташу, будто ожидая поддержки, потом ощупью нашарила продавленный диванчик и присела. Женя швырнула сигарету на пол и растерла ее подошвой.

— Только не думайте, что мне самой эта квартира нужна. У меня уже есть. Я думаю о Димке.

— О ком?

— О сыне, о вашем внуке. Ему-то за что страдать? Я воспитываю детей одна, зарабатываю только на хлеб, ничего себе позволить не могу. А если паренек будет умненький? Он уже буквы знает, — умилилась Женя. — Значит, надо учить, а сейчас все за деньги. А в то, что наступит коммунизм, когда он вырастет, — в это я не верю. Мне всегда жилось трудно — и при Брежневе, и при Горбачеве... Живу как дышу, будет день, будет хлеб... На большее не рассчитываю. Но квартиру моему сыну вы все-таки купить должны.

Елена Юрьевна была вне себя. На ее припухшем избитом лице читалась странная смесь ярости и восторга.

— Вот так просто является и требует квартиру! — Она снова обратилась за поддержкой к Наташе. — Все в порядке вещей! Ну и наглость!

— Это с вашей стороны было бы наглостью ничем не помочь внуку, — парировала выпад Женя.

— Да я и не знала о нем!

— Знали. — Она указала на подругу, которая стояла ни жива ни мертва. — Хватит вам отпираться, это уже смешно.

Елена Юрьевна переводила взгляд с одной гостьи на другую и ничего не говорила. Она была совершенно раздавлена последними новостями и, казалось, не понимала, как действовать дальше. «В прежнее время она попросту вышвырнула бы нас из дома за такое обращение, — подумала Наташа. — Да, сильно сдала... Совсем как старуха. И почему она никогда не казалась мне старой? Откуда у нее этот жуткий синяк? Ударилась? Ударили?»

— Мама, я хочу пить! — раздался из кухни жалобный голос, и старуха мигом встрепенулась. Она не решилась ни о чем спросить, но смотрела так выразительно, что Женя даже начала улыбаться.

— Да, это он, — сказала женщина. — Желаете взглянуть?

— Я... да. — И Елена Юрьевна поспешила за ней в кухню.

Наташа за ними не пошла. Она присела к окну, прислушиваясь к сдержанным восклицаниям, которые доносились до нее через приоткрытую дверь. «Ну все, Елена Юрьевна растаяла, увидев внука. Неужели это правда? Но каков сыночек, если он шантажировал родителей внуком! Только ничего в результате не добился, не добьется и на этот раз. Как же так — делать детей, чтобы выманить у родителей квартиру, а потом их бросать! Эту тварь задавить мало! И где он прячется? У невесты? Вот уж точно — «невеста». Ведь это древнее славянское слово означает «неизвестная», происходит от основы «не ведать». То есть это та, которую никто не знает. Прежде подразумевался сексуальный смысл: невеста — это девушка, которую еще никто не познал. А тут смысл уже прямой. Неужели он может устроить такое представление во второй раз?»

— Варенья хочешь? — заискивала на кухне Елена Юрьевна. — Есть абрикосовое!

Наташа невольно улыбнулась. Абрикосовое — значит, из покупного продукта, поскольку абрикосы на Акуловой горе не произрастали. Такие припасы скупая хозяйка делала крайне редко и предлагала не каждому. Дорогой гость пришел!

— Не хочу, — капризно отвечал мальчик, мигом сообразивший, кто здесь диктует условия. — Я люблю шоколад.

— Это точно, — отвечала его мать. — Шоколад и леденцы на палочках.

— Этого у меня нет. — Елена Юрьевна как будто даже испугалась. — Есть карамель, кажется. Да ты садись, садись, что стоишь!

И сама усадила Женю к столу, торопливо налила чаю, совсем позабыв о том, что он холодный, достала из буфета вазочку с конфетами. Ребенок брезгливо отверг угощение и надулся. Женя с язвительной улыбкой отпила глоток и отставила чашку в сторону.

— Да вы не суетитесь, — сказала она, глядя, как Елена Юрьевна бестолково тычется во все углы, не зная, к чему приложить руки. — Мы ведь не за угощением пришли, а познакомиться.

— Что ты раньше-то молчала! — вдруг закричала на нее хозяйка. — Знала ведь меня, а молчала?!

Крик не произвел на Женю никакого впечатления. Она только слегка нахмурила брови:

— Значит, были причины молчать.

— Какие еще причины? Почему ты сразу ко мне не пришла, еще когда была беременна? Неужели думала, что я тебя выгоню?

— Он мне не велел.

— А у тебя своей головы нет? — Елена Юрьевна говорила громко и выразительно, как прежде, но все-таки не сурово, а скорее истерично. Ее сдерживало присутствие мальчика, который с большим вниманием рассматривал интересную бабушку с фингалом. — Если мы будем мужиков слушаться, то далеко зайдем!

— Это верно, — снова улыбнулась Женя. — Только напрасно вы думаете, что я не возражала. Когда я забеременела, он сразу сказал, что будет добиваться квартиры. Конечно, я обрадовалась. Он, знаете, не очень-то зарабатывал, я его за свой счет кормила.

Елена Юрьевна всплеснула руками:

— Ну уж это... Дальше идти некуда! Ты сама виновата, что так получилось!

— Это вы его избаловали, — огрызнулась Женя. — Он мне уже таким достался, и ни в чем я не виновата. Ну, может, только в том, что в дом его впустила. Не стоило связываться. Что я получила? Вот! — И указала на сына сигаретой.

Мальчик обиделся и приготовился зареветь, но все-таки сдержался. Он чувствовал, что происходит что-то важное и рев может испортить дело.

— Я сперва думала, что он просто хочет попросить у вас помощи, — продолжала женщина, глядя в угол, где стояла корзина с картошкой. Теперь она как будто не хотела встречаться взглядом с хозяйкой дома. — Так все делают, когда собираются жениться. Про женитьбу он, правда, не говорил, но...

— Не говорил? — изумилась Елена Юрьевна. — А нам говорил, что женится...

— Он может, и женился бы, если бы вы дали квартиру. А может, — неожиданно возразила себе Женя, — и тогда бы не женился. Откуда я знаю, что было у него на уме? Он ведь у вас умный... — Последние слова она выговорила с иронией. — А потом он сказал, что вы упираетесь, не хотите помочь, и чтобы я к вам — ни ногой, потому что могу все дело испортить. Мол, он все равно своего добьется.

— Не слушала бы ты его, — простонала убитая горем Елена Юрьевна. — Пошла бы к нам, и мы бы мигом договорились. Мы не верили ему тогда! Думали, он все выдумал, чтобы с нас что-то получить!

Женя горько усмехнулась:

— Да, перестарался Димочка! Не ты, не ты! — прикрикнула она на сына, который, услышав свое имя, немедленно скривился. Мальчишка любил озорничать, идя на поводу у старшего брата, часто получал нагоняи и всегда был готов дать отпор единственным способом, который был ему доступен, — слезами. — Сиди тихо, не ори!

Ребенок испуганно пригнул голову, будто получил подзатыльник. Елена Юрьевна бесшумно присела рядом с ним, сунула конфетку, и на этот раз потрясенный мальчик ее взял.

— Слишком он все усложнял, — пожаловалась Женя все той же корзине с картошкой. — Всегда усложнял. Я ему говорила — почему ты не пойдешь работать, зачем копошишься со своими дурацкими книжками, все равно ничего хорошего не напишешь. Он не слушал. Так и тут — все могло кончиться хорошо, а кончилось... черт знает чем.

Она рассказала о своей тяжелой беременности («ведь я уже не девочка»), о том, что даже в эту пору Дмитрий не жил у нее постоянно, а бывал набегами. Впрочем, после рождения ребенка он зачастил, помогал по дому и, казалось, искренне привязался к сыну.

— А с квартирой не получилось, — вздохнула она. — Так и кончилось ничем. Ну, я махнула рукой, смирилась. Такая уж я невезучая. А потом он вообще меня бросил. Из-за денег.

— О господи, — прошептала Елена Юрьевна, украдкой гладя внука по голове. — Сколько мне горя из-за него... Разве я этому его учила — жить на чужие деньги?

— Не знаю, чему вы его учили, а только он жил. А когда я упрекнула — сразу исчез.

— И больше не бывал?

— Никогда.

У Жени кончились сигареты. Она с раздражением обследовала пустую пачку и скомкала ее в кулаке.

— А теперь скажите, о какой такой второй невесте вы говорили Наташке? Он женится?

— Кажется, — в смятении отвечала Елена Юрьевна. — Опять то же самое — не знакомит, не показывает, имени не говорит... А может, я ее даже знаю! Ну вот как тебя знала... Все-таки жили неподалеку.

— Рассказала бы я этой несчастной, с кем она связалась, — с тихой ненавистью промолвила Женя. — Зареклась бы замуж выходить!

Елена Юрьевна встала. Ее лицо было мокрым от слез, от пудры не осталось и следа.

— Его нужно найти, — твердо сказала она. — Так продолжаться не может. И милиция им интересуется, да еще как! Говорят — он еще и Анютку подцепил, ту, что умерла... Ты знаешь?

— Да я все знаю, — мрачно ответила Женя. — Но невеста — не она. Она не была беременна.

Дверь, ведущая в комнату, открылась настежь. Наташа стояла, оглядывая кухню, притихших женщин, мальчика, сосущего карамель.

— Ты что это? — Женя даже испугалась, увидев ее искаженное, какое-то незнакомое лицо. — Что с тобой, Наташка?

— Я кое-что поняла, — с трудом ответила Наташа. — Вот сейчас, когда вы говорили, я кое-что поняла. Я знаю, кто эта невеста.

Те всполошились.

— Кто? Откуда? — посыпались вопросы, но Наташа продолжала смотреть в пустоту.

— Ты знаешь ее? — бросилась к ней Елена Юрьевна. — Скажи кто! Ведь он, стервец, у нее сейчас прячется, а мы за него отдуваемся! Ну, кто?

— Татьяна.

Ребенок неожиданно нарушил повисшую тишину, отчаянно заревев. Плакал он от стыда — заслушавшись интересным, но совершенно непонятным разговором, он забылся и обмочил штанишки, чего за ним давно не водилось. Мать принялась его ругать, новоявленная бабушка всполошилась, будто впервые сталкивалась с таким явлением, как мокрые штаны... А Наташа все так же стояла на пороге кухни, опершись о косяк и глядя на щели в рассохшемся дереве.

Когда суета улеглась и лишенный штанов ребенок был водворен на прежнее место с конфетой во рту, женщины снова обернулись к Наташе. Елена Юрьевна была вне себя — у нее даже руки тряслись, чего с ней раньше никогда не случалось.

— С чего ты взяла, — проговорила она. — Татьяна, скажешь тоже! Да она его старше лет на двадцать!

— Была старше, — уточнила Женя с какой-то запоздалой ревностью. Она тоже возмутилась услышанным, но, казалось, была готова выслушать и такую версию. В ней заговорило оскорбленное женское самолюбие, так долго дремавшее после того, как любовник ее покинул. Но тогда он ушел не к другой — просто исчез. Узнав же имя соперницы, она как будто вернулась к своим прошлым обидам.

— Ну да, была, — замороченно уточнила Елена Юрьевна. — Умерла... Наташа, с чего ты это взяла? Разве такое может быть?

— Это она, — твердо повторила Наташа. — Вы вот говорили, что, может, это кто-то из знакомых, а я подумала — кто? И поняла...

И действительно, у нее неожиданно сложилась стройная версия случившегося. Дмитрий часто бы-

вает у библиотекарши — так говорит соседка. Зачем он к ней ходил? Если ему нужны книги, он может просто посетить библиотеку. Но нет, ему нужно побыть с женщиной наедине.

Что их связывает? Наташа предположила, что знакомство вполне могло начаться в библиотеке, куда Дмитрий пришел за книгой. Но дело не кончилось заполнением абонементной карточки, оно продолжалось и приняло довольно странный оборот. Если верить Ларисе, молодой человек засиживался в гостях допоздна, и Татьяна не выгоняла его, несмотря на то что ребенок должен был спать. Почему?

Дмитрий считал себя писателем, и в самом деле написал несколько книг. Татьяна интересовалась литературой по роду профессии. У них вполне могли найтись общие темы для разговора — так же, как у Дмитрия с Анютой.

Что дальше? Наташа могла только догадываться, был ли Дмитрий разборчив в своих увлечениях? Вряд ли. Женя, которую он сделал матерью и, возможно, хотел сделать женой, была некрасива, хотя и бросалась в глаза своим необычным угловатым лицом. Анюту никто красавицей не считал, но все соглашались, что у нее были хорошие глаза и мягкий характер. Татьяна, пожалуй, была миловиднее их обеих, но зато намного старше.

Мог ли Дмитрий увлечься сам и увлечь библиотекаршу — женщину довольно странную, уже успевшую похоронить первого мужа, умершего при загадочных обстоятельствах?

«Мог, — ответила себе Наташа. — У меня какие-то подростковые представления о том, как сходятся люди. Это в юности считаешь, что разница в возрасте имеет значение. Но когда переваливает за тридцать, то десяток-другой лет разницы уже не важны. Почти не важны, если есть чувство. А если он просто воспользовался случаем?»

Дмитрий вызывал у нее отвращение, хотя она так и не успела его как следует узнать. Но женщина инстинктивно чувствовала в нем охотника за легкой добычей. Такой тип не имел ничего общего с романтиком Дон Жуаном, коллекционером Казановой, интеллектуальным извергом де Садом и прочими знаменитыми любовниками. Это был падальщик, не желающий прилагать усилий, чтобы насытить свои желания. В самом деле, кого он выбирал? Мать-одиночка. Старая дева. Вдова, забывшая о личной жизни...

Встретил ли Дмитрий ее сестру случайно, в подземном переходе, как говорил сам? Или познакомился с нею у библиотекарши? А если последнее, то почему утаил этот незначительный факт? Зачем соврал? Почему вообще молчал о том, что был близко знаком с Татьяной?

«Да потому, что они были любовниками, — поняла Наташа. — Дмитрий инстинктивно сторонился этой темы и выдумал подземный переход, сознательно передвинул даты. Говорил, что сошлись перед Восьмым марта, а Анюта еще за месяц до того перестала ходить на исповедь. И Лариса говорила, что видела их в феврале, когда оба шли от Татьяны. Они уже тогда были любовниками? А Татьяна? Тоже?..»

— Скажешь ты что-нибудь или нет? — возмущалась Елена Юрьевна, потряхивая детскими штанишками над зажженной газовой конфоркой. — Вот так сказанула — Татьяна, а где доказательства?

— Они у меня есть, — решительно сказала Наташа. — Долго объяснять, но я в этом уверена.

— Скажи, почему? — настаивала подруга. Ее терзала ревность, и она от этого на себя злилась.

— Есть факты. Я и следователю об этом сказала, только тогда еще не все понимала. Зато теперь...

Елена Юрьевна сама надела подсушенные штаны на внука и энергично поцеловала его в темя. Мальчик испуганно таращился на бабушку с фингалом, которая вдруг его полюбила.

— Говоришь — сама не знаешь что, — бросила Елена Юрьевна Наташе. К ней вернулось самообладание — возможно, помогло присутствие внука, сбывшаяся мечта. — Вы все на него наговариваете, утопить хотите парня. А что он сделал-то? Ну, с тобой, Женечка, конечно... поступил нехорошо.

— Нехорошо! — фыркнула та.

— Ну, как подлец, — поправилась хозяйка. — Ну и что такого? Со всеми бывает. Главное, что все уже уладилось. Ты не сомневайся, я тебе помогу. А вот Анюта... — Ее голос слегка упал. — Такое дитя тронуть — грех. Хотя... Ей уже пора было с кем-то сойтись. Грязно все это, некрасиво, а что поделаешь? Это жизнь.

— Легко прикрываться такими словами, — перебила ее Наташа. — Это — жизнь! И войны — это жизнь, и убийства — жизнь, и подлость — тоже жизнь! Да на черта мне сдалась такая жизнь!

— А ты помолчи, — в свою очередь остановила ее Елена Юрьевна. — Я все-таки постарше тебя раза в два. И уж поверь — все так и есть, все — жизнь. Жаловаться нечего, надо жить. Твою сестру мне жалко, до слез жалко, разве я на руках ее не носила? Но он ее не принуждал...

— Так он у вас хороший? — иронически догадалась Наташа. — А мы-то, дрянные бабы, сдаем его милиции с потрохами! Женька, ты ведь тоже на него стукнешь, разве нет?

Та отвела взгляд.

— Может, сын у меня плохой, — не сдавалась Елена Юрьевна. — Но пока он ничего такого жуткого не сделал. А вы что хотите доказать? Что он — убийца, так? Что Анюта из-за него с собой покончила, что Татьяну он в гаражах порешил? И только потому, что он с обеими спал?!

Наташа хотела ответить, но сдержалась.

— Найти бы его, — закончила свой монолог Елена Юрьевна. — Я бы из него все вытрясла. Где он может быть?

— Прячется у какой-нибудь еще, — резко ответила Женя. — Мало ли дур на свете — на всех хватит!

— Что ты плетешь, — уже совсем по-свойски обрушилась на нее новоявленная свекровь. — Парень просто испугался, вот и все! Потому и не появляется!

— Чего испугался?

— А убийства! Думаешь, он еще не слышал про Татьяну?

— Думаю, что не только слышал, но и видел, — промолвила наконец Наташа. — Я вас понимаю. Вы — мать, вы до последнего будете защищать своего сына. Это простительно. Но я верю только очевидному и думаю, что ваш сын причастен к смерти Татьяны.

Она вышла из дому, не дожидаясь новых вспышек гнева. Ей в спину полетели бессвязные неразборчивые слова, но она уже их не слышала.

Разоренный дом встретил ее уныло. Она вошла в кухню и остановилась, не решаясь идти дальше. Все перевернуто, все обыскано... Все мертво. Наташа оглядывала стены, которые помнила с тех пор, как вообще начала что-то помнить, и не узнавала их.

«Сколько горя, сколько смертей... И вот — новая смерть, и она тоже связана с моим домом. Проклятое место... Но оно не было таким, мне было здесь хорошо... Пока не появились честолюбивые мечты».

Она снова вспомнила свой отъезд в Москву. Слезы сестры, которая не хотела с ней расставаться. Поцелуй Ивана, сильно отдававший перегаром. Небрежное «пока» Ильи. Трясущиеся руки отца и его равнодушный взгляд — он был уверен, что дочь вернется, а может, ему и впрямь было все равно, что она покидает родное гнездо.

«Как это забыть? Как бросить, как продать? Следователь говорит — не продавайте дом. Он тоже понял, что меня надувают, только доказательств у него пока нет. Трудно не понять, что все было подстроено, чтобы дом был продан за бесценок... Сын украл деньги, довел Анюту до помешательства, зная о ее чувствительности... Предполагал, что она может что-то сделать с собой, а там уж и со мной можно будет сделать все, что угодно. Нажмут хорошенько — и я сдамся. Хотя, может быть, Елена Юрьевна не лжет. Она могла ничего не знать, просто действовала по наводке сына».

Женщина подняла с пола осколки разбитой чашки и отбросила в угол. Доставать мусорное ведро не хотелось — все стало неважным, необязательным.

«Но есть момент, которого я не могу понять. Как они — мать и сын — могли знать, что меня станет шантажировать Людмила? Как они могли это предвидеть? Ведь если бы не она, не ее дикие требования о разделе денег, я бы никогда не отдала дом за такую мизерную цену, которую мне предложили! Тогда зачем все это было затевать? На что они рассчитывали?

Она сказала мне — ты еще убедишься, что библиотекарша не так проста. Сказала — тебя обманывают. Что она имела в виду? Почему так ненавидела Татьяну? Ведь это была глубоко обоснованная ненависть, а не простая неприязнь. Сама Татьяна говорила, что Людмила с удовольствием убьет ее, если представится такая возможность. И вот она убита... И никто о ее словах, кроме меня, не знает...»

Наташа прошла в родительскую спальню и бессильно прилегла на кровать. Ноги, голова — все было будто налито свинцом. Она почувствовала наслаждение — как славно лежать не шевелясь, не действуя, пусть даже в этом разоренном доме.

«Я хочу жить прежней жизнью, — думала она. — Я хочу работать в школе, хочу воспитывать сына, хочу любить мужа, хочу смотреть телевизор, когда приходят его родители. Все это так обычно, так, как у всех, как и полагается. И другого мне не нужно. А что здесь? Смерть, загадки, ложь...

Людмила. Я должна увидеть Людмилу, но как не хочется, — почти равнодушно размышляла она. — Дело зашло в тупик. Дмитрий — непонятно где; конечно, смылся после убийства. Его могут никогда и не найти. Следователь спрашивал о моей сестре только потому, что произошло убийство. Самоубийство никого не расшевелило, а ведь это тоже убийство, особенно если человека довели... Все нити ведут к Дмитрию, а его нет.

Зачем ему было это нужно? Вот какой вопрос следует задавать. Ему были нужны деньги — это безусловно. Деньги у сестры были, он ее и ограбил. Все просто и понятно. Это все равно что отнять у ребенка конфетку. Но что дальше? Дальше что-то очень странное...

Дмитрию мало денег, он хочет получить и дом, причем за бесценок. Конечно, платить будет его мать, но все-таки он понимает, что мамаша упряма, как осел, и лишнюю деньгу выкладывать не станет. А вот на дешевку позарится. Нынешняя история с беременными невестами тому показатель — он прирожденный шантажист.

Итак, он нацелился на дом. Возможно, уже после смерти Анюты — все-таки она покончила с собой неожиданно, с точностью этого предвидеть было нельзя. Его действия? Подослать ко мне мать. Впрочем, она и сама могла прийти, ведь он предупредил ее заранее, что нужно жилье... Значит, просто совпадение?»

Женщина перевернулась на спину и теперь лежала с открытыми глазами, глядя в потолок. Почти стемнело, за окном с пронзительными криками носились стрижи. В приоткрытую форточку дул мягкий ветер с реки.

«За несколько дней до самоубийства сестра относит книги в библиотеку. Татьяна, возможно, рассказывает об этом своему любовнику. Тот настораживается. Анюта умирает. Дмитрий хочет получить дом. Хотя... Хочет ли?»

Женщина задумалась. Характер у Елены Юрьевны нелегкий. Женщина она суровая, любит вмешиваться в дела своих детей. А сын, судя по всему, с юности отличался определенной независимостью. Захотел ли он жить под боком у матери, да еще с женой старше его на двадцать лет? Каждый день давать повод к попрекам? Подчиняться и дрожать?

«Нет, никогда, — поняла она. — Версию с домом откидываю. Думаю, если бы Дмитрий знал, на какой объект нацелилась мамаша, он бы возразил. Стало быть, он просто — вор? Украл пять тысяч, и все? И потом, кто мог предугадать самоубийство моей сестры? Она до последнего часа улыбалась — даже когда отнесла в библиотеку книги. А появление Людмилы? А то, что я так легко поддамся на уговоры?

Никто. Но что случилось с Татьяной? Почему она оказалась у меня в доме в свою последнюю ночь? Что они искали — ведь она была не одна? С кем? С ним? Я уверена, что с ним.

Но почему, зачем? Ведь Дмитрий уже украл деньги. Он знал, что их нет, что же он искал? Его присутствие тут совершенно невозможно. Это глупость, да еще и большой риск, ведь я уже обвинила его в краже, и, значит, он понимал, что и теперь первым делом обвиню его».

Крики стрижей становился все более громкими. Наташа снова закрыла глаза — веки горели и были такими тяжелыми, будто на каждое положили по камню.

«Будет дождь. В воздухе что-то такое чувствуется. Хорошо сейчас на реке, свежо. Мальчишки ловят рыбу, скоро начнут купаться. Будут жечь костры, просто так, чтобы поглядеть на огонь. Почему дети так любят огонь? Наверное, первобытные инстинкты в них сильнее, чем у взрослых».

Но эта обыденная мысль тут же исчезла, будто затянулась дымкой.

«Не понимаю, зачем Дмитрий сюда пришел. Значит, была одна Татьяна? А Елена Юрьевна думает, что людей в доме было несколько. Хотя она могла ошибаться — разве можно что-то понять по теням на занавесках. Если Татьяна металась по дому, а она именно металась — ведь так все раскидано... Тогда Елена Юрьевна могла принять одну тень за множество. Но что она искала? Почему так нагло, так открыто?

Деньги? Разве любовник ей не сказал, что денег в доме уже нет? Почему она набросилась на часы? Разобрала их на детали... Это странно. Ведь часы уже обыскивали. Оттого они и пошли, а потом опять были сломаны. Кто это сделал? Один и тот же человек или два разных?

Первый обыск. Нужно думать о первом обыске, о том, кто побывал у меня тут ночью. Из-за чего я чуть с ума не сошла! Ключ — тут. Кто-то специально рылся в часах, зная, что там тайник. Кто это мог знать? Анюта уверяла, что не говорила и не скажет никому на свете. Знала я, она и Паша. И тем не менее, знал еще кто-то. Мог знать Дмитрий. Поскольку он тянул с нее деньги, то мог приметить, что за ними Анюта всякий раз лезет на чердак. За ней легко было проследить — у бедняжки и мысли бы не возникло, что за ней наблюдают с целью ограбления.

Стоп, стоп. Но деньги исчезли еще до первого обыска. Их уже не было в часах. Так кто был в доме? Кто?!»

У нее мучительно задергалось левое веко, и она прижала к нему ладонь. Теперь женщина точно знала, что будет дождь — эта примета ее никогда не обманывала.

«Кто?! Я не могу вычислить. Что-то не сходится, но почему? Знаю одно — до первого обыска деньги мог взять только Дмитрий. Значит, в первую ночь в доме был не он? Татьяна? Мельком слышала от него о деньгах в часах и решила попытать счастья? Мог он от нее скрыть, что украл? Мог?»

Она подумала и ответила себе — да. Дмитрий наверняка унаследовал от матери скупость и природную хитрость. Елена Юрьевна не выносила разговоров о деньгах, и никто на самом деле не знал, богата она или бедна. Во всяком случае, женщина прикидывалась бедной, хотя никто в это и не верил.

«Значит, украл, уж не знаю когда, а любовнице не сказал, особенно потому, что Анюта из-за этого покончила с собой. Но ненароком обмолвился... Татьяна поняла и решила обогатиться. У нее были на это причины — жизнь в бараке ужасна, дочь растет взаперти, библиотекарша боялась соседей, мечтала об отдельной квартире, а купить было не на что. Дмитрий вымолвил, что у Анюты в часах тайничок с деньгами, а Татьяна решила попользоваться. Так и вышло...

Но тот, кто явился после нее, уже во второй раз, разобрал часы на детали. Значит, был и кто-то третий? Или кто-то из них явился вторично? Не понимаю, почему они так долго ждали? Ведь я — сестра Анюты — могла давно забрать деньги?»

И вдруг Наташа улыбнулась — покорно и устало.

«Да они же думали, что я ничего об этом не знаю. Когда я впервые пошла в библиотеку и сказала, что пропали деньги, то не упоминала о месте, где они хранились. Помню, сказала о коробке, но о часах

умолчала. Это психологический тормоз — хотя и пустой тайник, а все-таки лучше о нем с посторонними не говорить. Татьяна решила, что я просто не сумела найти денег...»

Глава 18

Елена Юрьевна добилась своего — новоявленная невестка осталась у нее ночевать вместе с сыном. Старший сын, четырнадцатилетний, не очень обрадовался перспективе провести всю ночь в одиночестве. Мать долго отчитывала его по телефону и наконец швырнула трубку. Елена Юрьевна очень удивилась:

— Странный у тебя парень! Другой бы на его месте порадовался!

— Чему это?

— Да устроил бы вечеринку!

Женя только усмехалась — криво и загадочно. Свекровь, все еще не привыкшая к ее мимике, терялась и не знала, как реагировать.

— А где же ваш муж? — спросила Женя, укладываясь в постель вместе с сыном.

— Шляется где-то, — неохотно ответила Елена Юрьевна.

— Ого? А я слышала, что он у вас всегда был домоседом.

— Был, да сплыл. — Хозяйка невольно приложила ладонь к опухшей щеке. — Спи, не думай ни о чем. Знаешь, я рада, что ты объявилась. Давно было пора. Сколько я думала о внуке... Я была уверена, что у меня внук!

Женя не ответила — она уже спала, крепко обняв ребенка.

На другой день, ближе к полудню, заспавшихся женщин потревожил телефонный звонок. Елена Юрьевна подошла первой и услышала голос следователя, которого по телефону не узнала.

— Нужны фотографии вашего сына.

— Чего? — спросонья ответила она.

— Дмитрия, вашего сына, — уже раздраженно повторил следователь. — Желательно — последние. И еще — вы не знаете, куда делась девочка?

Елена Юрьевна энергично протерла глаза.

— Девочка? Это вы о ком?

— О дочери библиотекарши. Мы уже связались с соседями, но те знают место только приблизительно. Говорят, что именно вы отвели ее к какой-то тетке.

— Послушайте. — Женщина окончательно проснулась. — Девочка в безопасности. Я сдала ее с рук на руки. Она знала человека, которому я ее передала, сама назвала его «дядя».

— Теперь уже «дядя»! Вы же говорили — отвели к тетке!

Елена Юрьевна начинала закипать:

— К кому просили, к тому и отвела. Она узнала этого мужчину, а тот — ее. Ну, я и оставила там девочку.

— У незнакомых людей?

Ты вспылила:

— Да я и девчонку-то не знала! Что вы ко мне привязались! Вот и делай людям добро! Сто раз зарекалась, и все еще попадаюсь, старая дура!

Женя, проснувшаяся от резких криков, уже стояла рядом — босая, в растянутой майке, переминаясь с ноги на ногу.

— Что случилось-то? — вяло спрашивала она, но свекровь отмахивалась, продолжая кричать в трубку:

— А если с ней что-то случится, вы тоже меня обвините? Нашли козлов отпущения! Мой сын вам просто под руку попался, вот и вцепились в него! Думаете — он убил Таньку? Да он и плюнуть бы на нее побрезговал — вот так! — И, в самом деле плюнув, она швырнула трубку.

— Ничего себе, — заметила Женя. — Это был следователь? Лихо вы его разделали!

— А пусть, — махнула рукой та. Но Елена Юрьевна только притворялась беззаботной. На душе у нее было тяжело, и она очень опасалась неприятных последствий.

— А о какой девчонке вы говорили?

— Не твоего ума дело, — все еще сердито ответила та, но Женя вовсе не обиделась. Она принялась хозяйничать, будто у себя дома — деловито поставила чайник, нарезала хлеб, вареную колбасу, поставила на стол уцелевшие конфеты. Елена Юрьевна не вмешивалась в хлопоты невестки. Она сидела, мрачно глядя на телефон, ожидая очередного звонка, и не ошиблась.

На этот раз следователь вел себя куда агрессивней, а она — куда спокойней.

— Я принесу вам фотографии, — угрюмо сказала женщина. — У меня есть. А с девочкой что делать? Привести ее к вам?

— Лучше будет, если мы сами туда придем. Когда вы отвели ее к тетке? Позавчера?

— Да сразу, как узнала про Татьяну.

— Будем надеяться, что с ней ничего плохого не случилось.

— Будем, — с той же неприветливой покорностью ответила Елена Юрьевна.

— Вы пойдете со мной. Собирайтесь, я скоро подъеду.

Женя с аппетитом завтракала, изредка посматривая на свекровь с какой-то загадочной ухмылкой. Возможно, ее забавляло нынешнее двусмысленное положение. Из нежеланной гостьи, «какой-то», как любила выражаться Елена Юрьевна, она вдруг разом превратилась в значительную фигуру.

— Димочка спит? — Елена Юрьевна торопливо причесывалась, с неудовольствием разглядывая заплывшую от удара щеку.

— Спит. Ему дай волю — будет спать круглые сутки. Такой сурок!

— В отца пошел, — разом просветлела бабушка. — Он тоже все дрых, дрых... И попробуй растолкай! В школу всегда попадал только ко второму уроку!

Женя рассмеялась:

— Когда Димка был маленький, я его всегда подкладывала к нему в постель. Так и спали в обнимку — как медведь с медвежонком на зимовке. А вы собрались куда-то?

— Нужно ехать, — вздохнула Елена Юрьевна. — И еще снимки кое-какие найти. Дай-ка альбом. Вон там, на шкафу.

Снимки нашлись быстро. Женя все так же усмехалась, разглядывая фотографии любовника.

— Не похож на себя.

— Это сняли год назад. Сейчас он поправился.

— Точно, даже слишком поправился. Я ведь медик, говорю ему — проверься, сдай анализы, хотя бы на сахар, а он — ни в какую.

— Он всегда такой упрямый, — грустно подтвердила Елена Юрьевна. — Ни в какую не желал лечиться.

В этот миг на кухне появился мальчик и заявил, что хочет есть. Бабушка набросилась на него и мигом накормила до такой степени, что ребенок после этого мог только тупо сидеть и глядеть в пространство выпученными глазами.

— Кушай, поправляйся, — пичкала его Елена Юрьевна, обыкновенно весьма скупая на угощения. — Ты что-то такой бледненький...

— Ничего себе бледненький, скоро лопнет, — возражала мать, размашисто накладывая на лицо косметику. — Все сожрет, если дать волю.

— А ты бы больше следила за тем, что он ест, — огрызнулась бабушка. — Конечно, я понимаю — ты одна, присмотреть за детьми некому, няньку взять не можешь. Но почему тебе родители не помогут? Я бы на месте твоей матери...

— Не хочу, чтобы мне помогали. — Женя придирчиво осматривала в зеркальце накрашенный глаз. — Сама справляюсь. Вы бы лучше подумали о квартире.

— Но... — Елена Юрьевна запнулась. — Зачем теперь-то?

— Значит, правду он говорил, — сказала зеркальцу Женя. — Вы скупая.

— Жень, ты пойми, что я сейчас в таком положении... И Дима пропал, и невеста у него там какая-то завелась... Не пойми кто! И опять ему нужна квартира. Да и сделка сорвалась. — Она невольно взглянула в окно, откуда был виден участок Лычковых. — Наташка теперь ни за что дом не продаст.

Женя только пожала плечами:

— Плевала я на невесту, я хочу получить свое. Иначе — учтите это — внука вы больше никогда не увидите!

Елена Юрьевна оторопела, и в этот миг за оградой раздался гудок подъехавшей машины.

* * *

— Вам что нужно? — бросил открывший дверь мужчина. Он был одет по-домашнему — майка, спортивные штаны, тапочки на босу ногу. От хозяина сильно пахло пивом. Его явно застали в тот блаженный момент, когда он отрешился от всего земного и проводил время одухотворенно.

— Оля у вас? — осведомился следователь.

— Оля? — удивился тот. — У нас. А... здрасте! — Он узнал Елену Юрьевну, скромно державшуюся на заднем плане, и немного смягчился. — Заходите, ладно, — пригласил он парочку, и гости не заставили себя просить дважды. — С Танькой-то что? — спрашивал хозяин уже из кухни. Там слышалось позвякивание и характерное шипение — это разливали по стаканам пиво. — Никого не арестовали?

— Еще рановато, — отвечал следователь, обводя взглядом стены, оклеенные аляповатыми обоями в крупных цветочных узорах.

— И не арестуют, — убежденно прозвучал голос с кухни. — У нас менты — те еще! Им бы только взятки брать, а вот работать они, козлы, не желают!

— Да это и есть милиция, — не выдержала Елена Юрьевна.

Наступила неловкая пауза, во время которой гости прошли на кухню. Она была обставлена с дешевой,

бьющей в глаза роскошью. Везде сверкала мишурная позолота. На полочках стояла гжель, на крючках висели вышитые полотенца, которыми явно никогда не пользовались. На самом видном месте красовались раскрашенные гипсовые часы в венке из бесчисленных розочек. Они показывали ровно час.

— Пивка, — предложил хозяин, смущенный своей промашкой. — А то со вчерашнего голова болит.

— Что же ты пьешь? — заметила Елена Юрьевна, брезгливо принюхиваясь к пиву. — День не выходной.

— А мы с женой Таню поминали.

— Ясно. — И следователь с неожиданной лихостью опустошил стакан.

Хозяин только крякнул и немедленно потянулся за другой бутылкой.

— Жаль ее. А девчонку еще больше жаль. Всего четыре года — и уже сирота.

— А где же девочка? — осведомился следователь, поднимая вновь наполненный стакан.

— Во дворе играет.

— Бедный ребенок, — вздохнула Елена Юрьевна. — Что она может понимать...

— Все понимает, — разгорячился хозяин. — Умница — не поверите! Явилась к нам, я дома был один, ничего не понял, но впустил. Сперва молчала как рыба. А потом жена вернулась, и Оля вдруг ей говорит: маму убили, я теперь буду у вас жить.

— А можно с ней пообщаться? — Второй стакан следователь пил уже медленнее. — Позовите-ка ее.

— Нет проблем. — Хозяин по пояс высунулся в окно и, высмотрев что-то внизу, заорал: — А ну, домой! Домой, тебе говорят!

Приглашение было неприветливое, и Елена Юрьевна вздохнула. О сиротах она, благодаря знакомству с Лычковыми, знала все. И в том числе отлично знала, что осиротевшие дети совершенно беззащитны перед взрослыми.

— Вы бы с ней помягче, — сказала она. — Все-таки ребенок...

— У меня свой ребенок есть, — так же резко отозвался тот. — Думаете, мне все это очень нужно? Конечно, я ее на улицу не выгоню, но мне такие проблемы не нужны. Мы с женой работаем, ребенок в яслях, теперь еще эта... Жена говорит — ей нужно дома посидеть, только что осиротела. А я говорю — чепуха все это! Пусть ходит в свой садик, как ходила!

За входной дверью послышались поскребывание и легкий стук — девочка еще не могла дотянуться до звонка. Елена Юрьевна невольно встала.

— Здравствуй, малышка, — приветливо обратилась она к девочке. — Узнаешь меня?

Оля хмуро на нее взглянула, потом перевела взгляд на пивные бутылки и еще больше помрачнела.

— Алкаш, — сказала она дяде.

— Я тебя! — замахнулся тот, и ребенок мигом сжался, продолжая глядеть на него озлобленными горящими глазами. — Ну, волчонок! Чего сюда приперлась, если я тебе не нравлюсь!

— Я к тете пришла, не к тебе! — твердо заявила та. — Не лезь!

— Прекратите, — оборвал хозяина следователь. — Деточка, иди сюда.

— Не пойду.

— Почему?

— Ты тоже пьяный.

Тот комично развел руками:

— Разве я пьяный? Только стакан пива выпил...

— Все равно.

— Ты погляди на нее, — уже совсем по-свойски обратился к нему хозяин. — Прямо как жена! При ней не выпей — сразу наедет.

— Оля. — Следователь не обращал на него внимания. — Я пришел, чтобы тебе помочь. Я хочу спросить кое-что о маме. Ты со мной поговоришь?

— Нет, — бросила та, посматривая на незнакомца с некоторым интересом.

— Но мне очень нужно.

— Маму убили.

— Знаю. Я потому и пришел. Ты ведь хочешь, чтобы того, кто это сделал, нашли и наказали?

Девочка на миг задумалась и вдруг горячо ответила:

— Хочу! Надо его тоже убить!

— Ну дает. — Хозяин снова налил себе пива. — У нас, крошка, мораторий на смертную казнь.

Оля его не поняла, но посмотрела так выразительно, что Елена Юрьевна даже поежилась. Она видела, сколько в этом ребенке ненависти, и уже представляла, какой будет ее жизнь в этом доме. Если только девочка в нем задержится.

— Я хочу это сделать, — бессовестно врал ребенку следователь. — Наказать этого типа, понимаешь? Мне только нужна твоя помощь. Его сперва нужно найти.

Оля слушала не по-детски серьезно. Ее лицо приобрело застывшее, сосредоточенное выражение.

— Я буду тебе задавать вопросы, а ты отвечай, ладно?

Никакой реакции. Но взгляд девочки явно выражал согласие. Елена Юрьевна притянула к себе ребенка и попыталась усадить на колени, но Оля немедленно слезла. Казалось, ей хотелось быть независимой даже в таких мелочах.

— Помнишь тот вечер, когда мама оставила тебя одну?

— Помню, — мрачно ответила Оля.

— Ты умеешь определять время?

Ребенок не понял вопроса. Произвели небольшой опыт с кухонными часами, и обнаружилось, что Оля в самом деле еще не понимает, что показывают стрелки. Следователь иного и не ожидал. Он уже не раз имел дело с маленькими свидетелями и убедился — они одновременно и самые старательные, и самые бестолковые...

— Ну ладно. Скажи мне: когда твоя мама ушла и заперла тебя, было уже темно?

Оля с готовностью ответила, что было темно. Мама одевалась и зажгла свет.

— А раньше она уходила из дому так поздно?

— Нет.

— А что она тебе сказала, когда уходила? Ведь она тебе сказала что-нибудь?

Оля опустила глаза. Ее нижняя губа слегка подрагивала.

— Она сказала — спи.

— А больше ничего?

Девочка помотала головой и тихо заплакала.

— Я не спала, — вытирая слезы обеими руками, сообщила она. — Мне было страшно. Мама тоже боялась...

— Почему? — встрепенулся следователь. — Почему ты так решила?

— Она не хотела идти...

Все переглянулись. Даже хозяин как-то притих и внимательно слушал ребенка.

— Почему ты думаешь, что не хотела? — допытывался следователь. Он отлично понимал, что показания четырехлетнего ребенка нельзя приобщить к делу, но, тем не менее, опыт научил его не пренебрегать даже такими мелочами. — Почему?

— Она боялась. — Оля продолжала размазывать слезы по щекам. — Говорит — спи, а сама боится.

— Оленька. — Следователь присел перед нею на корточки и ласково взял ее мокрые от слез, крохотные руки. — Давай-ка подумаем — может, к вам кто-то вечером приходил? Перед тем, как мама ушла?

Оля сипло вздохнула и отрицательно помотала головой.

— А тот дядя, который к вам часто ходил? Я тебе фотографию покажу. Узнаешь его?

Елена Юрьевна подскочила, но не успела вымолвить ни слова. В коридоре послышалось щелканье ключей, а потом — резкий, раздраженный звонок. Дверь была закрыта на задвижку. Хозяин отправился открывать — и через мгновение уже вводил в кухню жену. Та вошла, с неприятным изумлением оглядела собравшихся... И вдруг остолбенела.

Елена Юрьевна потеряла дар речи. На пороге стояла Людмила.

Пауза затянулась настолько, что следователь встревожился. Он не понимал, почему эти женщины смотрят друг на друга такими бессмысленными глазами. Оля, ничего не понимавшая, тоже молчала. Даже муж

Людмилы, секунду назад бывший таким деятельным, умолк.

— Это — ты? — в конце концов спросила Елена Юрьевна.

— Я. — Людмила тоже ожила. Она сняла сумку с плеча, положила ее на стул и небрежно приласкала девочку. — Ты ела? Почему такая грязная?

— Она гуляла, — пояснил муж. — А эти вот пришли и хотят знать, почему она живет у нас.

— Потому, что я ее тетка. — Людмила с вызовом посмотрела на гостью. — А Татьяна — моя сестра.

Елена Юрьевна ничего не сумела ответить. Людмила продолжала хлопотать по хозяйству. Она поставила чайник на огонь, умыла девочку. При этом неторопливо говорила, обращаясь как будто к пустоте, но явно имея в виду визитеров.

— Ну да, мы сестры, и что с того? Разве это запрещено? Оля, сядь, не мешайся под ногами. — Она приподняла девочку и легко усадила ее за стол. — Сейчас разогрею суп.

— А я не буду, — со слезами в голосе возразила та.

— Будешь, зараза! — Но эти слова прозвучали ласково, так что никому не показались угрозой. — Сожрешь и еще спасибо скажешь. — Людмила продолжала хлопотать у плиты, не глядя на гостей. — Вы уж извините, но у меня короткий перерыв. Только-только чтобы ребенка покормить. Разве этот урод что-нибудь сделает?! — Она обернулась к мужу и презрительно взглянула на пустые пивные бутылки.

Тот усмехнулся:

— Сама же вчера разрешила.

— То было вчера, а сегодня... Если пить каждый день, то неизвестно, до чего мы дойдем. В доме де-

нег не бывает, еще девчонка на шею навязалась, должен думать, как жить дальше!

— Сама и думай.

— Чтоб тебя! — Женщина энергично перемешала закипающий в кастрюле суп. — Короче, так. Оля живет у меня потому, что больше ей деваться некуда. Тут ей будет неплохо. Райской жизни не обещаю, но что сами будем есть — то и ей дадим. Есть еще вопросы?

— Постой, — очнулась от оцепенения Елена Юрьевна. — Почему я ничего не знала?

— О чем?

— О том, что вы — сестры?!

Та помахала суповой ложкой:

— А я что — докладываться вам обязана? Много на себя берете. Да, сестры, родные, но мы всегда не ладили. Чего это я должна всем отчитываться, как общаюсь с родной сестрой? Она вся такая умная, я для нее — дура. Ну и пусть буду дура, ну и пусть стерва — она меня по-другому не называла. Олька, жри!

И перед девочкой оказалась полная тарелка. Вторая с грохотом опустилась перед присмиревшим супругом. Тот посмотрел на жену, тяжело вздохнул и потянулся за пивом.

— Выпьешь — получишь!

Людмила, опять вставшая к плите, казалось, видела спиной.

— Да я немножко...

— Чтоб тебя. — Хозяйка все не оборачивалась и обращалась уже ко всем: — Ну, чего ради вы сюда явились? Что вы в душу лезете? У меня сестру убили, хотела бы я знать, кто этот гад! У меня тут сирота живет, думаете — мы богачи, чтобы ее содержать? Жри, дрянь! — Она резко обернулась к девочке: — Жри, пока дают!

Оля больше не плакала. Она положила ложку и с ненавистью посмотрела на тетку.

— Вот зараза — вся в мать! — ярилась Людмила. — Ну что вы расселись — катитесь отсюда!

— Да ты понимаешь, что это из милиции, — встала Елена Юрьевна. — Он хочет...

— А мне плевать, — хладнокровно ответила та. — У меня других дел полно. Мне детей надо воспитывать, и еще работать, и еще хозяйство вести. Думаете — легко?!

— Вот именно, — поддержал супруг, под шумок наливший себе пива.

— Да ты не строй из себя святую мученицу!.. — задохнулась Елена Юрьевна. — Ты, дрянь, подлезла к Наташке, чтобы она с тобой деньгами поделилась, сама сказала, что твой ребенок от Ильи, а теперь — ни при чем?!

Ответом была мертвая тишина. Людмила медленно положила ложку и выпрямилась над плитой. Ее лицо утратило всякое выражение. Еще более удивительной была реакция мужа. Тот будто окаменел.

— Что тут творится? — поинтересовался следователь. Но ему никто не ответил.

Елена Юрьевна прижала к себе девочку. Оля смотрела на взрослых невидящими глазами.

— Это неправда, — каким-то мертвым голосом выговорила Людмила, очнувшись от транса. — Саша, не верь, это неправда.

— Значит, так и есть. — Тот медленно поднялся из-за стола. Его массивная фигура разом заполнила

крохотную кухню, как будто вытеснив оттуда свет и воздух. — Я всегда это знал. Ну, Люда...

Он говорил очень тихо и спокойно, но это производило куда более угрожающее впечатление, чем если бы он кричал. Жена отшатнулась.

— Не верь, это вранье, — уже совсем тихо выговорила она.

— Как — вранье? — возмутилась Елена Юрьевна. — Разве не ты говорила Наташе, что родила ребенка от Ильи? Разве не говорила, что твой муж обо всем знает? Разве...

— Ну все, — тем же страшным голосом выговорил супруг Людмилы. — Сейчас я буду тебя убивать. — И попытался сдержать обещание, невзирая на присутствие посторонних, но ему помешали.

Следователь перехватил нож, который внезапно оказался у того в руке, и выбил на пол. Людмила монотонно визжала, прижавшись к стене. Елена Юрьевна отступала в коридор, заслоняя собой ребенка.

— Не верь им! — плакала женщина. — Они все выдумали!

— Так я и знал! — кричал мужчина, которому в этот момент выкручивали руки. — А ты мне врала, что сын — мой! Ты же с ним жила, стерва! Он же — от него!

Елена Юрьевна не выдержала и выбежала на улицу. Только там она обнаружила, что девочка все еще крепко держит ее за руку. Женщина окончательно растерялась. Она не знала, что с нею делать.

— У тебя есть еще родня?

— Нету, — серьезно ответила Оля.

— А где же ты будешь жить?

— У тебя. — И девочка решительно потянула ее за собой. — Я есть хочу.

И ошеломленная воительница покорно пошла за ребенком, который отлично знал дорогу. По пути она обдумывала, как объяснит это явление Жене, но беспокоилась напрасно. И Женя, и ее сын исчезли бесследно. Дверь стояла отворенной настежь, на столе лежали недоеденные бутерброды, и в кухне все еще оглушительно пахло табаком. Этот запах Женя оставляла после себя повсюду.

* * *

— Убирайся! — с ненавистью кричала женщина.— Ненавижу тебя, ненавижу!

Дети жались за ее спиной. Старший сын с серьезным видом держал за плечо младшего, который плакал и не понимал, почему обижают папу.

— Явился, осчастливил! — со слезами кричала Женя, раскрывая шкаф и швыряя на пол одежду. — Забирай свое рванье! Я-то думала, опомнился, будем жить, как люди, купим квартиру, устроимся... А ты другую завел? Просто прятался у меня!

— Погоди, — растерянно говорил мужчина, уворачиваясь от тряпок, летевших ему в лицо. — Ты выдумываешь...

— Познакомилась я с твоей мамашей — спасибо! — Женя швырнула очередную партию одежды. — Не нужно мне такой свекрови! Никакой не нужно! Чтобы мне диктовали, как я должна жить, с кем, да пошли вы все! — И, упав ничком на кровать, разрыдалась.

Ее старший сын молча собрал с пола вещи, запихал их в объемистую сумку и с непроницаемым лицом протянул Дмитрию.

— Уходите.

— Женя, — умоляюще обратился к нему тот, — я же всегда хорошо к тебе относился!

— Идите отсюда.

— Да, пусть уходит к своей беременной невесте! — прокричала мать, не поднимая головы. — Не понимаю, как я все это вынесла, почему ночевала там, как я могла сына оставить с тобой, подонок! Хотела посмотреть, что вы за люди — посмотрела! Спасибо!

— Женечка, — мягко проговорил Дмитрий. Он все еще не мог поверить, что разрыв окончателен. — Мы с тобой столько ссорились, столько мирились. Зачем ты все усложняешь? Нет у меня никакой невесты.

— Твоя мать говорит, что есть!

— Моя мать... — Он с улыбкой присел на край постели. Дети посторонились. — Я ей все наврал, чтобы она сподвиглась купить квартиру. Для нас с тобой.

Женщина подняла опухшее от слез лицо:

— Для нас? Ври больше! Что ж ты раньше об этом не подумал? Куда пропал? У кого жил?

— Женечка, я все это сделал ради тебя. Мне хочется нормальной жизни, семьи.

— Тогда зачем спал с Анькой? — Ее лицо исказилось, и она снова уткнулась в подушку. — А с библиотекаршей? Молчишь? Думал, никто ничего не знает?

Дмитрий взглянул на детей и сделал им знак выйти. Но младший не понял жеста, а старший даже не подумал двинуться с места. Дети стояли как свидетели обвинения, и оба смотрели на сожителя матери с одинаковой неприязнью. Даже младший.

— Убирайся туда, где жил все это время, — твердила Женя. — Иди к своей невесте! Только не думай, что тебе удастся выйти сухим из воды! Тебя уже ищут! Твои фотографии требуют! Теперь я понимаю, почему ты ко мне явился! Негде было спрятаться?!

— Женя, ты сходишь с ума, — твердо ответил он. — Мне незачем прятаться.

— А кто убил библиотекаршу?

Дмитрий нахмурился:

— Если ты всерьез так думаешь, то мне действительно нужно уходить. С сумасшедшими мне не по пути.

— Это я-то — сумасшедшая? — закричала та, резко поднявшись на постели и швырнув в любовника подушкой.— Сумасшедшая?! Можно сойти с ума после всего, что я перенесла с тобой!

— Хочешь убедиться, что не права? — Дмитрий, очень бледный, отложил подушку в сторону, встал и отпихнул сумку ногой. — Пойдем.

— Куда это? — Женя растерянно пригладила встрепанные черные волосы.

— В милицию.

— Зачем? — Та вдруг притихла. Она впервые заметила, что в комнате находятся дети и слышат каждое слово. — Идите на кухню, нечего тут ошиваться. Готовь уроки, Женька, — обратилась она к старшему. — А ты, Дима, чтобы немедленно помыл рожу — смотреть противно.

— Идем, — тянул ее любовник. — Ты сама услышишь, что я ни в чем не виноват.

Женщина теряла уверенность с каждым его словом. Она смотрела на него беспомощно — совсем как в прежние времена, когда верила ему безоговорочно и не пыталась обсуждать его поступки.

— Да я не знаю, куда идти. — Она пугалась все больше. Сейчас ей уже совсем не хотелось идти к следователю. Женя почему-то боялась милиции, хотя во время работы в городском морге не боялась ничего. Она привыкла к мысли, что бояться мертвых нелепо — опасаться нужно только живых.

— Раз мать стали допрашивать, то она знает, куда идти.

— Ты к ней пойдешь?

— Мы пойдем вместе, — ответил он, надевая ветровку. — Давно пора с ней увидеться.

* * *

— Я слышал, что вы меня ищете, потому и пришел. Я хочу рассказать об Анне Лычковой.

— Почему о ней?

— Почему? — на миг запнулся Дмитрий. — Но я же ее знал. Я думал, что вы хотите спросить именно о ней. Ведь она умерла...

— Вообще-то мы хотели бы что-то услышать о ваших отношениях с погибшей библиотекаршей.

Дмитрий внезапно улыбнулся. Улыбка казалась неуместной и вместе с тем выглядела совершенно естественной.

— Таня... — сентиментально протянул он. — Это была очень интересная женщина. Знаете, я никак не мог ее понять. Но так или иначе, мы дружили.

— Дружили?

— Ну да. И еще сотрудничали. Она частным образом выполняла работу для издательства, где печатали мои книги, и вычитывала мой текст. Так и познакомились.

— Вы часто у нее бывали?

— Иногда часто, по долгу работы. Там я встретился с Аней.

— Вы знаете, что сестра Анны Ильиничны предъявляет к вам претензии?

— Насчет денег? — всполошился тот. — Денег не видел, даже о них не знал!

— А она уверена, что вы их взяли.

— Как это — взял? Украл то есть? Я никогда ничего не крал!

— Ну хорошо. А каковы были ваши отношения с покойной Татьяной? Такие же интимные, как с Лычковой?

Дмитрий сжался и без спроса закурил. Он казался осунувшимся, постаревшим. Если бы любовница, ожидавшая его на улице, видела его, она с трудом узнала бы прежнего кумира.

— Значит, вы все знаете, — промолвил он. — Нет, не такие. Мы говорили на литературные темы, больше ни о чем речи не было. Я уже сказал, что она производила странное впечатление... Но вы сами себе представьте — как бы мы могли... Одна комната, и там всегда ребенок...

— Когда вы видели ее в последний раз?

— Давно.

— Вы уверены?

— Абсолютно уверен. — Дмитрий курил с каким-то ожесточением. — Я давно не пишу, у меня творческая пауза. А отношения у нас были на уровне творчества...

— А почему вы не вернулись к Наталье Лычковой, чтобы обменять часы на кольца?

Дмитрий вздрогнул и выпустил из пальцев сигарету. Та упала на пол, рассыпая искры.

— Простите, — всполошился он, поднимая окурок и затаптывая пепел. — Я... я не смог вернуться.

— Не смогли?

— Дело в том, — Дмитрий старательно прятал взгляд, — что колец у меня больше не было.

— Куда вы их дели?

— Продал. Не на что было жить.

— Как продали? А ваша невеста?

Дмитрий кусал губы.

— Так что же с вашей невестой?

— Я выдумал ее, — наконец признался мужчина. — Мне показалось, что Аня меня полюбила... Нужно было что-то придумать, чтобы она не забивала себе голову пустыми фантазиями. И потом еще... Ну, короче, выдумал.

— А вы понимаете, что, возможно, убили ее этой выдумкой?

Дмитрий смотрел в сторону. После долгой паузы он сказал, что не верит, чтобы взрослая женщина, вполне разумная и самостоятельная, могла покончить с собой из-за такой глупости.

Затем Дмитрию задали еще несколько формальных вопросов, и он полагал, что после дачи показаний его немедленно отпустят. Но Дмитрия отвели в другой кабинет и попросили немного подождать. Там он и сидел, слушая наводящий головную боль треск пищущей машинки. Люди входили и выходили, курили, смеялись, пили чай. И если кто-нибудь изредка на него поглядывал, то не проявлял при этом никакого интереса.

Через час начался дождь. Дмитрий слышал, как первые капли гулко ударили в жестяной подоконник. Пожилая женщина, печатавшая на машинке, встала, высунулась в окно и с наслаждением вдохнула свежий влажный воздух. Она вовсе не замечала посетителя, стояла к нему спиной, и он мог тихонько встать и выйти... Но продолжал сидеть.

Наконец его позвали к следователю. Дмитрий уже собрался было возмутиться, зачем его задержали так надолго, но дело обернулось совершенно неожиданным образом.

В кабинете, кроме следователя, был еще один мужчина — пожилой, небрежно одетый и явно чем-то напуганный. Он уставился на Дмитрия, прищурился и вдруг заявил:

— Он самый и есть! Точно!

— А вы уверены?

— Да что я — слепой, что ли? — обиделся сторож при гаражах. — Он прошел через мой пост, я его хорошо разглядел под фонарем. Вот того, кто шел за ним, плохо, а его...

— Что происходит? — удивленно выговорил Дмитрий. — Кто этот человек?

И когда ему кратко объяснили кто, что и почему, он с трудом нашел стул.

— Вы посмотрите на него, — бормотал Дмитрий. — Это же алкоголик! Да и темно уже было...

— А вы откуда знаете, что было темно? — тут же вцепился следователь. — Разве я вам это говорил?

— Нет... — все больше терялся тот. — Но я ведь слышал, что Татьяну убили ночью...

— Вот как? Знаете, я вас отпустить пока не могу.

Дмитрий пытался сказать еще что-то, но не мог.

Глава 19

Обида была велика и прозрение ужасно... Но Наташа все-таки не смогла с собой справиться и зашла к Елене Юрьевне. Она уже собиралась уезжать в Москву, когда узнала о том, что сын соседки арестован по подозрению в убийстве Татьяны.

Елена Юрьевна казалась тенью самой себя. На этот раз дома был и ее муж. Женщина сидела за столом, сцепив руки в замок, и как будто ждала чего-то — упорно и безнадежно. Сергей Аристархович держался на заднем плане, как всегда, но и он выглядел иначе. В его движениях появилась какая-то властная желчная уверенность.

— Я слышала, — тихо произнесла Наташа, подходя к женщине, которая когда-то заменила ей умершую мать. — Я с трудом могла в это поверить.

— Это ложь, — неожиданно резким механическим голосом выговорила Елена Юрьевна. — Он тут ни при чем.

— Может быть, — мягко согласилась Наташа. — Мне бы тоже хотелось, чтобы ваш сын оказался непричастен. Будет следствие, разберутся.

— Ну уж нет. Если они кого схватили, то так просто уже не отпустят, — вещала Елена Юрьевна. Голос у нее был тоже какой-то незнакомый — надтреснутый, дребезжащий. — Не смогут найти убийцу, и посадят Димку.

— Я уверена, что...

Но Сергей Аристархович не дал ей договорить. Он сразу начал с упреков в адрес жены, которая когда-то избаловала сына и в результате сделала из него уголовника.

— Нужны ему были деньги — ты давала, нужны были шмотки — покупала, делал долги — платила! Теперь радуйся!

— Зачем вы так, — обернулась к нему Наташа, потрясенная уже тем, что этот забитый супруг осмелился заговорить в подобном тоне. — Ведь еще ничего не доказано. Он не признался?

— Признается, — раздраженно бросил Сергей Аристархович.

Но жена подняла усталые, покрасневшие от бессонницы глаза:

— Не в чем ему признаваться. Он не убивал. Он не мог убить.

Сергей Аристархович хлопнул дверью. Наташа проводила его ошеломленным взглядом:

— Как он изменился!

— Мы все изменились, — ответила та. — Слышала про Людмилу?

Наташа вздрогнула. Само это имя вызывало у нее нечто вроде аллергии.

— Они с Танькой оказались родными сестрами, — так же невыразительно продолжала Елена Юрьевна. — Кто же это знал... Я — и то не знала... А сын у нее, думаю, от мужа. Не от Ильи, я уверена. Она хотела обмануть Илью, когда шла за него, он был богаче. А когда умер, переметнулась на другую сторону. Она просто решила шантажировать тебя, и сама попалась. Уверена, что ее тоже избили. — Она машинально приложила руку к синяку.

Наташа оперлась на спинку стула — иначе ноги не удержали бы ее.

— Что вы говорите? — пробормотала она. — Они — сестры? Да ведь они друг друга терпеть не могли! Они говорили друг про друга такие гадости...

— Сразу надо было понять, что родственницы, — отрезала Елена Юрьевна. — Чужие так не ненавидят.

Она говорила еще что-то, жаловалась на мужа, сокрушалась о сыне, но Наташа почти не слышала. У нее в голове вращалась какая-то безумная карусель. Дмитрий, Людмила, Татьяна. И в обратную сторону — Татьяна, библиотекарша, Дмитрий...

«Так Людмила... Людмила знала их обоих. Я все не могла понять, почему она оказалась причастна к делу, почему кружит вокруг да около, чего ждет... Людмила. Она...

Она некоторое время жила у нас в доме. Еще при жизни Ильи. Она могла понять, что деньги, когда они нужны, появляются с чердака. А может, точно знала о часах, только тогда у нее были связаны руки. Как она могла украсть — ведь ее тут же бы обвинили! Но потом умирает Илья, ей приходится уйти. О, она знала о часах, не могла не знать! Когда мы говорили у барака, она обмолвилась о том, что пропали деньги. Я еще тогда удивилась: откуда ей это известно? Да она все знала с самого начала.

Но Татьяна? Она узнала об этом только от меня. Если сестры друг друга ненавидели, они не стали бы делиться секретами. Но о часах она не знала. Откуда она могла об этом догадаться? А ведь именно часы все время и обыскивались...

Ей сказала сестра. Что-то свело их вместе, насильно объединило. Деньги. Обеим нужны были деньги. А Дмитрию?

Ему тоже. Он знал, что со смертью моей сестры источник долларов не иссяк, их еще можно было добыть. Возможно, он и впрямь не брал денег при жизни Анюты? По той же причине, по какой Людмила побоялась воровать при жизни Ильи? Но вот после смерти сестры — дело другое. Тогда появилась я — неразумная дурочка, и только я сама виновата в том, что они задумали ограбление. Ведь я чуть не на всех углах кричала, что меня ограбили! И открыто обвинила его. А если он не брал денег при жизни Анюты, тогда...

Тогда он должен был взять их после ее смерти. И только так. И только в том случае, если узнал от Татьяны, что пропали деньги. Я же сама ей сказала. А от ее сестры узнал, где они были. А поскольку он сам про себя знал, что не грабил, то был убежден — они все еще в доме. В часах. Отсюда и первый обыск, и второй. Да только оба были сделаны напрасно! Оба ограбления были фальшивыми, а первое, настоящее, осталось неизвестным!»

— О чем ты думаешь? — донесся до ее слуха отдаленный голос, но Наташа даже не моргнула. Она все еще стояла, опершись на стул, но теперь ей не нужна была опора. Она ощущала странную силу, наполнявшую все тело, какой-то ток, разрядами пронзавший кровь.

«Стоп, стоп. Первый обыск. К тому времени Людмила, конечно, уже знает, что тайник пуст. В тот самый день я встречаюсь с библиотекаршей и говорю, что пропали деньги. Татьяна видится с сестрой? Звонит и спрашивает? Скорее — звонит, потому что у нее слишком мало времени, ведь когда я прихожу домой, там уже кто-то роется. Моя уборка помеша-

ла этому человеку сбежать, а радио — услышать его на чердаке. Когда я увидела идущие часы, он прятался где-то на чердаке. Он или она. Дмитрий или Татьяна.

Но первый обыск кончился ничем. Возможно, вор просто боялся пошевелиться, зная, что я — внизу. Пришлось сделать еще одну попытку, и на этот раз часы буквально разобрали на части.

Однако второй обыск тоже был сделан зря. Денег не было еще до первого! А ведь в первый раз искали тщательно — тогда-то и поломали часы, и именно ночью, когда я уже легла, думая, что вор ушел. Иначе часы не могли бы пойти.

В час ночи. Именно в час, — вдруг поняла Наташа. — Стрелки остановились на часе. И если бы деньги были там, они были бы обязательно найдены. Значит, в первый и во второй раз в доме были разные люди. Кто из этих троих и когда именно? Людмила — в первый раз? Она одна из всех знала место. Но ей незачем было туда идти, разве что для отвода глаз. Стало быть, Дмитрий. Татьяна никак там быть не могла, она не знала, где искать. Она была во второй раз. Но кто был с нею? И был ли кто-то? Значит, ей не выдали тайны, что деньги уже взяты? Вполне вероятно. Но и Дмитрий мог быть с нею. Он тоже был уверен, что деньги остались в доме, и мог ничего не знать о результатах первого обыска. Людмила, взявшая деньги, могла сказать остальным, что искала, но не нашла. Специально, чтобы отвести от себя подозрения. На самом же деле она ограбила тайник еще раньше — до смерти Анюты или сразу после нее. Но в таком случае ей вовсе незачем было снова возвращаться в дом, когда там была я, и так рисковать».

— Что с тобой? — Встревоженная Елена Юрьевна стояла рядом и легонько трясла Наташу за плечо. — Ты куда смотришь?

«Значит, Людмила. Это была Людмила. Стервятница! Взяла деньги, а узнав от сестры, что пропажа обнаружена и я ищу вора, мигом выставила меня дурой, не знавшей тайника, и натравила этих двоих на дом. Великолепный способ всех обмануть. Несравненная наглость — именно в ее духе. И в первый день там был Дмитрий, Татьяна бы не успела меня опередить — ведь мы вместе были у ее брата. Да и девочка на руках помешала бы. Но Дмитрий ничего не нашел, был вынужден бежать. Людмила продолжала настаивать, что деньги в часах, и предпринимается вторая попытка. На этот раз — более наглый и детальный обыск. Дмитрий успевает сбежать в темноте, Татьяна остается — она не успела. Но они снова ничего не получили. А Людмила, которая так ловко отвела всем глаза, пользуется моими деньгами и наслаждается жизнью».

— Ты что — заболела?

Детский голос привел ее в себя. Наташа опустила глаза и увидел рядом Олю. Та стояла, зажав под мышкой какую-то древнюю истрепанную куклу, с которой явно играла еще сама Елена Юрьевна.

— Что она у вас делает? — опомнившись, спросила Наташа.

— А куда ей деться? У тетки муж — пьяница, и вообще... — Елена Юрьевна вздохнула, сострадательно глядя на ребенка. — Я забрала ее оттуда. Всегда себе говорю — не помогай людям, все равно благодарности не дождешься. Но ничего не могу с собой поделать.

— Да, к тетке ей лучше не идти, — словно со стороны услышала свой голос Наташа. — Кстати, вы ведь у нее были? Дайте адрес.

— Зачем тебе?

— Я знаю зачем.

В другое время такая просьба вызвала бы лавину расспросов, но сейчас хозяйка была слишком утомлена и раздавлена последними происшествиями. Она безропотно назвала адрес, где жила Людмила. Это оказалось совсем близко. Наташа не раз проходила мимо этого желтого дома сталинской постройки.

* * *

Ей долго не отпирали, но наконец за дверью послышался женский голос. Почти неузнаваемый, приглушенный.

— Кто там? Я милицию вызову!

Наташа представилась. Ее долго разглядывали в глазок, в конце концов Людмила отворила дверь. Однако Наташа не сразу ее узнала.

Растерзанный халат, на груди которого была вырвана полоса материи. Красная царапина на плече. Осунувшееся, разом похудевшее лицо. Горящий взгляд.

— Чего явилась?

— Есть разговор. — Наташа буквально втолкнула ее в прихожую.

Людмила попятилась, потеряла тапку и в конце концов прижалась к стене. Где-то в глубине квартиры слышались детские всхлипывания.

— Заработала на орехи? — Наташа бегло оглядела прихожую. — Достукалась? Думала всех обмануть, а обманула себя?

Хозяйка очнулась от шока и торопливо заперла дверь.

— Если этот изверг вернется, я точно вызову милицию.

— Так сын у тебя не от Ильи?

Та скривилась:

— Пошли вы все! Я одна знаю от кого.

— Что ж ты говорила, будто муж все понял и простил?

Людмила не ответила. Она продолжала стоять у двери, держа руку на замке, и, казалось, слушала, что происходит на лестнице. Но там было тихо.

— Где деньги?

— Какие деньги? — Та слегка повернула голову. — Ты не думай, что он меня просто так отделал. Я его тоже приложила по голове. Будет помнить, урод!

— Деньги, которые ты у меня украла. Пять тысяч долларов.

— Ты сдурела? — мигом обернулась хозяйка. — Никаких денег я не видела!

— Это сделала ты, больше некому.

— Спрашивай у Димки! Я не брала!

— Если ты знаешь его имя, значит, все знаешь. — Наташа старалась не обращать внимания на плач ребенка. — Послушай, я все вычислила. И милиция тобой очень скоро заинтересуется. Скажи, где деньги? Если вернешь, я еще подумаю, сдавать тебя или нет. Или захотела в тюрьму?

Людмила внезапно расплакалась.

— Я не брала, ни копейки не видела! — клялась она. — Ну, знала, что есть...

— А где — знала? О часах знала?

— И о часах, — всхлипывала Людмила. — Да пропади вы все пропадом, у меня семья рушится, а вы...

Ее рассказ был столь же бессвязным, сколь и коротким. Елена Юрьевна угадала — нынешний муж Людмилы был настоящим отцом ее сына. Она сошлась с ним в то самое время, когда жила с Ильей. Но никак не могла сделать выбор. Один был богаче, другой больше пришелся по душе. Со смертью Ильи все сомнения отпали. Остался один вариант, и его-то Людмила приняла как должное.

— Несчастная я, — плакалась она. — Хотела, как лучше... Зачем тебе были эти деньги, ведь ты получала дом...

— Но половину ты пыталась отхапать!

— Ничего бы я не получила, — заливалась слезами Людмила. — Я хотела...

— Запугать меня?

— Ну и пусть. — Она с ненавистью смотрела на гостью. — И о деньгах я знала, знала, да! Илья все время гонял твою сестричку, а та, если было нужно сделать покупки, лазила на чердак. Я подсмотрела как-то, откуда она берет деньги.

Но дальше, если верить Людмиле, события развивались иначе, чем думала Наташа. После похорон Ильи она надолго забыла о деньгах. Были более важные события: роды, кормление, обустройство на новом месте, новая работа...

— А когда я узнала, что Аня умерла, то подумала: чего деньгам пропадать? Ведь я тоже была вам не чужая. А ты бы свое получила — дом...

Но попасть в дом она так и не сумела. После суматохи, когда обнаружили тело, и визита милиции он стоял запертым наглухо. А потом приехала Наташа с мужем...

— Ты хочешь сказать, что деньги исчезли еще раньше? — криво улыбнулась Наташа. — Да кто тебе поверит? Это ты их прикарманила!

— Не я, правда, — слезно уверяла женщина, пытаясь приладить на место обрывок халата. — Я во всем сознаюсь, честно!

Выяснив, что попасть в дом затруднительно, она решила на все махнуть рукой. Но ее сбила с толку сестра. Она среди бела дня примчалась к ней в магазин и шепотом поведала дикую историю — деньги украдены, их ищет наследница!

— А я подумала: кто же украл? Может, просто тайник не нашли? Ну и сказала сестре о часах с кукушкой, на чердаке. Просто так сказала — вырвалось. Сама я туда больше не собиралась — вот тебе крест! И не была там больше, только вот раз, когда с тобой говорила! — И действительно, широко перекрестилась.

— Я не верю тебе!

— И не верь! — Теперь Людмила говорила с жарким сознанием собственной правоты. — Кто меня заставлял признаваться, что я вообще хотела деньги взять? Я бы соврала, что не знала о тайнике, и ты бы меня не поймала! А я все честно сказала! Но наговаривать на себя лишнее не желаю!

Наташа пожала плечами:

— То, что ты знала о тайнике, мне было известно и без твоих признаний. И чтобы тебя посадить за кражу, твои признания тоже не нужны. Но предположим, я готова поверить, что воровала не ты и мой дом два раза обыскивала тоже не ты. А кто тогда? Твоя сестра с любовником?

Людмила понизила голос и почему-то оглянулась, хотя в квартире, кроме двух женщин и плачущего ребенка, никого не было.

— Она, — поведала Людмила, дохнув гостье в лицо запахом валерьянки. — Она его в первый раз туда отправила, а во второй раз — сама пошла. Я ей еще после первого раза сказала: не суйся, дура, плохо кончишь! Но она не послушалась, упрямая была!

— Почему она пошла во второй раз, если сразу убедилась, что в часах ничего нет?

— Она решила, что этот идиот просто искать не умеет!

Наташа невольно улыбнулась:

— И это он просидел у меня на чердаке всю ночь?

Людмила кивнула:

— Он. Да ты не думай о нем плохо, он парень безобидный. Дурак только и занимается черт-те чем. Но он безвреден, он бы никогда тебе ничего не сделал.

— Так кто же ее убил?

— А маньяк!

О маньяке знали уже все. Сестрам не удалось во второй раз утаить правды, и на обеих смотрели с сочувствием, хотя, по сути дела, пострадавшей являлась только одна из них. В результате люди, живущие по соседству, перестали пускать детей на дискотеки и вечеринки. Наступившее лето для многих обещало стать самым скучным в жизни...

— Разве что маньяк, — нахмурилась Наташа. — Так ты утверждаешь, что я первая заглянула в тайник, еще до воров?

— Стало быть, так.

— А если они все-таки побывали там до моего приезда?

Людмила отрицала такую возможность — тогда никто не знал о часах, кроме нее.

— Мог знать Дмитрий, — возразила гостья. — Если кто и украл, то — он, а вас, дур, обманул. Только делал вид, что ищет деньги, чтобы никто на него не подумал.

Наташа сказала это и тут же пожалела о сказанном — реакция избитой, взвинченной до предела женщины была ужасна. Казалось бы, ей стоило навсегда забыть о деньгах, оказавшись в нынешнем положении, но она так и взвилась. Это окончательно убедило Наташу в ее искренности. Будь деньги у нее, Людмила бы так не возмутилась. Внезапно разыграть подобную сцену было ей не под силу.

— Ах он, сволочь! — кричала она. — А я и не подумала на него!

Она все еще ругалась, а Наташа с трудом сдерживала нервный смех.

— Ты возмущаешься, как будто это тебя обокрали, а не меня, — наконец сказала она. — Постыдилась бы! — И с этими словами вышла.

* * *

— Деньги? Не брал я никаких денег, снова вы за свое!

Дмитрий очень изменился за последние сутки. Он казался помятым, его щеки поросли легкой светлой щетиной, делавшей его похожим на поросенка. Но только на очень несчастного поросенка, приготовленного на убой.

— Это вам Наталья рассказала? Она все хотела доказать, что я ограбил ее сестру, из-за чего она и

умерла. Но я не брал денег. Только в долг — девять тысяч рублей и еще кольца. А она говорит о каких-то долларах.

— Но вы же вместе ходили к валютчику?

— Ну и что? Откуда мне было знать, где она берет деньги! Что я, по-вашему, вор?

— Придется доказать, что это не так.

— О господи. — Он спрятал лицо в ладонях и тут же отнял их. Его взгляд приобрел мученическое выражение. — Как я докажу?

— У меня тут, — следователь похлопал по папке, — ее заявление. И Наталья Ильинична утверждает, что о деньгах вы знали, есть свидетель, который это подтвердит.

— О, чтоб ее, — сморщился он. — Я понял. Людмила? Эта всех оговорит. Я ничего не знал о деньгах.

— Значит, любовница вам ничего не сказала?

— Какая? — смешался он.

— То есть которая, хотите вы сказать. Я говорю о библиотекарше. Разве не она попросила вас обыскать часы на чердаке? Разве не вы провели в доме ночь?

Дмитрий помотал головой. Вид у него был затравленный.

— Эти чертовы бабы сами все задумали и провернули. Без меня. А теперь нашли крайнего! И все потому, что алкоголик сторож говорит, будто узнал меня! Да он себя в зеркале не узнает, если увидит! Вы ему верите...

— То есть в гаражах были не вы?

— Не я, то есть... — Дмитрий даже начал заикаться. — Я был неподалеку, гулял. Что мне врать — вы же все равно спросите об алиби.

— Гуляли? Вы упомянули, что жили в другом районе города. Почему вас понесло на гору?

— Хотел с Татьяной встретиться, — неохотно признался он.

— И встретились?

— О чем вы говорите? — Он метнул косой, злобный взгляд. — Ловите меня на слове, да? Я не видел ее в тот вечер.

— Вы были там один?

— Конечно.

— Почему — конечно? Сторож уверяет, что за вами шел кто-то еще.

— Никто за мной не шел, — брякнул Дмитрий и вдруг замолк.

Следователь смотрел на него задумчиво и, казалось, без малейшей неприязни.

— Послушайте, Дубинин, хватит играть в невинность. Вы постоянно проговариваетесь. На вашем мобильном телефоне — множественные отпечатки пальцев покойной. Свидетели говорят, что в ту ночь у нее был мобильный телефон. Эта роскошь была ей не по карману, так что она явно взяла его у кого-то на время. Но когда нашли тело, телефона в сумке уже не было. Уже одной этой улики мне хватит, чтобы сгноить вас в тюрьме. Лучше бы вы сами все рассказали.

Тот затрясся. Вскочил, сел, снова встал. Его лицо исказилось, взгляд приобрел стеклянное выражение.

— Пускай, — хрипло сказал он. — Я скажу все, чтобы вы еще чего на меня не наговорили. Я не убивал ее. Честно. Это был несчастный случай. Неужели вы верите, что я — убийца?

Его рассказ был столь же бессвязным, как его романы, — это после оценили люди, ради любопытства прочитавшие книги «гаражного убийцы», как вскоре

окрестили Дмитрия. Судя по его словам, он действительно узнал о большом куше, спрятанном в часах, от Татьяны. Об исчезнувших деньгах та узнала от родственницы Анюты, о часах — от сестры, которая сразу отказалась участвовать в этом деле. Татьяна страшно возбудилась.

— Я не мог поверить, что она всерьез посылает меня на такое, но она стояла на своем. Я как раз был неподалеку. Таня позвонила мне на мобильник и велела туда бежать, ну я и кинулся. Только в доме уже кто-то был.

Он услышал громкую музыку, затем — новости по радио. Заглянул в дверь, которая оказалась незаперта, и увидел, что в кухне никого нет. Со слов любовницы он знал, что в доме — женщина, бояться нечего. Он даже слышал, как она где-то в глубине дома моет окно — поскрипывало протираемое газетой стекло. Его появления Наташа даже не заметила. Дмитрий быстро поднялся на чердак, сразу бросился к часам и обнаружил их пустыми. Пока рылся в механизме, что-то толкнул, и часы неожиданно пошли. Эффект, поразивший Наташу, — что вечером они показывали точное время — Дмитрий объяснил по-своему.

— На самом деле они шли неточно. Когда я их пустил, стрелки стояли на часе, но это было не в час, а позже. Но они страшно спешили, так что постепенно совпали с точным временем.

Спуститься вниз он уже не смог — внизу в это время возилась Наташа. Он слышал все через открытый люк чердака, который и не подумал за собой прикрыть, когда вошел. Ведь Дмитрий рассчитывал, что дело займет не больше минуты... А потом он услышал, как женщина запирает входную дверь, и понял, что попал в ловушку.

— Мне пришлось спрятаться. Я боялся, что она станет убирать чердак... Но она не убирала. Вошла туда уже вечером, уставилась на часы и страшно испугалась... Я видел ее из-за шкафа — там в углу стоит такой разломанный шкаф, я туда и залез. Если бы она посмотрела внимательней... Потом она убежала, а через некоторое время я убедился, что внизу тихо, и слез. Перед этим еще раз проверил часы, хотелось убедиться, что денег все-таки нет. И сломал. Там все двигалось внутри и было такое старое... Еще руку поранил! — Он показал давно зажившую царапину на тыльной стороне ладони.

— Во сколько это было?

— Эти чертовы часы опять показывали час. Но они спешили, так что, думаю, было двенадцать, не больше.

Любовницу отчет не удовлетворил. Она заявила, что он плохо искал, и потом, только полный дурак мог полезть в дом, где кто-то есть. Она говорила, что непременно нужно предпринять еще одну попытку.

— И вы ее предприняли?

Он покачал головой:

— Нет. С меня хватило первого раза, да и не было там ничего. Наташа уверяла, что деньги пропали, стало быть, их просто спрятали в другом месте. Но эти женщины... Упрямы как ослицы, никому не верят. Татьяна решила искать сама и сделала это.

— Вы были с ней?

— Нет! Я даже пытался ее отговорить, но у меня не вышло. Тогда я побежал туда, чтобы остановить ее. У меня и на уме ничего не было... Я даже ее сес-

тре позвонил, попросил мне помочь, чтобы та не натворила глупостей.

— И она помогла?

— Она сказала, что скоро придет.

— Куда?

— В дом на горе. — У Дмитрия приметно тряслись руки. — Татьяна забрала у меня мобильник, чтобы срочно связаться со мной, если будет нужно... Она говорила как одержимая и была зла на весь мир. Она вообще была странная, считала, что ее все обижают, не понимают... Но иногда, когда она переставала обвинять всех в своих несчастьях, становилась интересной.

— Не отвлекайтесь. Вы встретили Татьяну той ночью?

— Я опоздал, — трясущимися губами выговорил тот. — Когда я прибежал к дому, он был освещен, и я понял, что внутри находятся люди. Пришлось вернуться. Я шел через гаражи уже не торопясь. Теперь я понимаю, что мы разминулись на какие-то минуты. Не будь этого, ничего бы не случилось. Я думаю, она уже шла обратно, когда я бежал туда... Но в гаражах, если свернуть в другой проход, никого не заметишь...

Он говорил, что, проходя мимо темного туннеля, заметил какое-то слабое шевеление внутри и резко остановился. Чем дольше он туда смотрел, тем яснее понимал — внутри кто-то или что-то есть.

— Жуткое место. Я всегда его не любил. Я подумал — там собака, бомж, мало ли что. Хотел бежать. А потом вспомнил, что у меня в кармане фонарик. Я всегда его с собой ношу, сами знаете, как у нас мало фонарей на улицах...

Свет фонаря осветил фигуру, которую он немедленно узнал. Дмитрий подошел, не веря своим глазам, осмотрел уже мертвое, как он утверждал, тело, попытался вернуть любовницу к жизни — и не смог.

— Я был в ужасе, не знал, что делать. Ничего не понимал — за что? Кто это сделал? Хотел бежать, вызвать милицию... Вспомнил про мобильник. Тот оказался в сумке.

— И не вызвали?

— Не вызвал, — чуть слышно ответил Дмитрий.

— Почему?

— Не знаю. Испугался, что на меня подумают. Свалял дурака. Но я не убивал ее, не убивал! Спрашивайте Людмилу! Она должна была идти за мной по пятам, ведь жила рядом, она до последнего верила, что деньги есть, и не выдержала, когда я сказал, что нужно остановить Таню! Это она, она!

С ним началась истерика.

Людмила держалась спокойно и даже надменно. Говорила скупо — только когда спрашивали. Она нарядилась на допрос, как на парад, — яркое платье, огромные дутые серьги, пышная прическа. От нее исходил сладкий запах дешевых духов.

— Вы были той ночью на горе?

— Нет, — бросила она. — Я была дома, как и полагается.

— И кто это может подтвердить?

— Муж.

Следователь сделал пометку.

— Дмитрий Дубинин вам звонил? Просил прийти на Акулову гору, чтобы удержать вашу сестру?

— Звонил и просил. Я сперва сказала, что приду, потом передумала. Что я буду шляться по гаражам?

— А он высказал версию, что вы все-таки встретили сестру в гаражах и подрались с ней из-за денег. Причем так серьезно, что разорвали ей одежду, ударили головой о стену, а увидев, что натворили, скрылись, не оказав помощи.

Людмила разглядывала деревья за окном и, казалось, почти не слушала. Наконец слегка пожала полными плечами:

— Кто тут начальник — вы или он? Он может говорить, что хочет. А я говорю — была дома.

— Деньги у нее в сумке были?

Она быстро повернулась, и на ее лице расползлась невыразимо язвительная улыбка.

— Это нужно спросить у того, кто там был. А я была дома. Могу сказать, что смотрела по телевизору и во сколько легла спать.

Сторож ее не узнал. Муж подтвердил все показания. Он заявил, что царапины и синяки, которыми Людмила сразу поразила следователя, являются его авторской работой и никак не связаны с преступлением в гаражах. И еще — пусть не наговаривают на людей, которые взяли на воспитание сироту, а лучше помогут вернуть девочку домой. Нечего ей жить в семье убийцы.

Последней явилась Инна. Правда, не одна, а в сопровождении матери и сестры. Девушки, как маленькие, держались за руки и старались никому не смотреть в глаза. Дмитрий тоже на них не смотрел. В последние дни им овладела полная апатия. Он говорил все, что от него хотели услышать, все подписывал, со всем соглашался и только время от времени устраивал показательную истерику, всегда кончавшуюся криками: «Я не убивал, это Людмила!»

— Вы говорили, что не можете узнать человека, который на вас напал, — начал следователь, обращаясь к Инне. Впрочем, он с большим трудом мог определить, кто из близняшек Инна, а кто Ирина. — Но все-таки взгляните на этого человека.

Инна и Ирина одновременно подняли глаза и стали рассматривать Дмитрия. Потом Инна обратилась к сестре:

— Я же тебе говорила, что никогда не сумею узнать. Я и лица не видела...

— Ты говорила, что он сильный...

— Я не могу его узнать. Может быть — он, а может быть — нет.

Следователь в растерянности переводил взгляд с одной на другую. Вмешалась мать.

— Они так объясняются, — грустно сказала она, глядя на дочек. — Говорят только друг с другом. Вы не обращайте внимания, слушайте.

— Но почему? — Следователь не мог справиться с изумлением. — Что случилось?

— Они не говорят с чужими, только между собой. — Женщина слабо улыбнулась. — Не знаю почему, они такие были всегда. Но ведь это никому не мешает, правда? — И однако, вздохнула. — Только все наладилось — и вот опять. На них это дело повлияло... Инна вспомнила о маньяке и стала говорить только с сестрой, а за ней — и та тоже... У нас теперь только о маньяке говорят, ну они и перепугались. Заговорили с людьми от испуга и разгова-

ривать перестали тоже от испуга. Но они ведь не немые!

— Это не он, — сказала Инна Ирине. — Я не верю, что это он.

— Почему? — спросила сестра.

— Он не похож на маньяка.

Дмитрий тихо заплакал, и его увели.

* * *

Дом был продан. Отопление отключили, и казалось, что по комнатам гуляет ледяной ветер, хотя окна были наглухо закрыты. Только что ушел в Москву грузовик с последней партией мебели, которую Павел счел достаточно ценной, чтобы продать в антикварные магазины.

Наташа не вмешивалась. Она вообще почти не принимала участия ни в процессе поиска покупателя, ни в отборе вещей, которые стоит взять с собой, оставить или просто выбросить. Всем занимался ее муж. Она не оживилась даже тогда, когда он прибежал к ней, показывая жестяную коробку, и спросил: не та ли это коробка, где хранились пропавшие деньги? Он нашел ее в погребе, среди сгнившего хлама и невыносимо воняющей картошки. Коробка была пуста. Наташа глянула на нее мельком, ответила, что «та», и как будто потеряла к ней всякий интерес.

Наступил ноябрь. Дом купила не Елена Юрьевна — у нее больше не было в этом необходимости. Ее сын, которому было предъявлено обвинение в убийстве, в данный момент находился на психиатрической экспертизе, поскольку были все основания полагать, что молодой человек находится в состоянии, которое исключает возможность отправки его в колонию. Женя, совсем переставшая навещать «свекровь», тоже ни на что не претендовала. А соседи, которые проходили мимо дома на Акуловой горе, переглядывались и указывали на него пальцами. Раздавался шепот: «Тот самый дом! Тот самый!»

Купили дом москвичи, которые понятия не имели о драме, разыгравшейся тут поздней весной, и о всех смертях, которыми прославилось это место. Наташа молча показала им все — от погреба до чердака — и совершенно равнодушно выслушивала их замечания по поводу того, что они переделают, сломают, изменят. Ей было все равно. Она снова была беременна, и врач сказал, что чем меньше она будет волноваться, тем лучше будет для ребенка.

Со двора вернулся Павел. Он отряхнул с куртки мокрый снег и, стуча зубами, уселся за стол.

— Мерзкая погода!

— Зима... — откликнулась женщина.

— Ты расстроена? — с беспокойством поинтересовался он. — Скажи, наконец, хоть что-нибудь! Ты ведь хотела продать дом, сама собирала документы вместе с Еленой Юрьевной!

— Да, сама.

— И мы получили неплохие деньги.

— Даже очень хорошие, — так же безучастно откликнулась супруга.

— Теперь ты сможешь бросить школу и заняться детьми. Ну, Ташка. — Он приподнялся и ласково обнял жену за плечи. — Не будь такой угрюмой!

— Я просто задумалась. Все время появляется ощущение, будто я что-то забыла, выпустила из головы, а вспомнить нужно... Но я не могу.

— Забыла? — Он оглядел разоренную кухню, из которой исчезла почти вся мебель. — Мы все вывезли.

— Да. Только...

— Тебе просто жаль отсюда уезжать? — догадался муж. — Знаешь, мне тоже жаль.

Павел кривил душой, но только для того, чтобы немного утешить жену. Его пугал подавленный вид Наташи, ее бессонница, круги под глазами. Он никак не мог понять, почему она так близко к сердцу приняла смерть библиотекарши, арест Дмитрия, шантаж Людмилы. Она почти не говорила об этом, но иногда, поймав ее застывший и какой-то очень несчастный взгляд, он понимал, что жена все время думает об этом. Сам же он, узнав о душевном состоянии Дмитрия, сделал окончательный вывод — все это было неизбежно. Дмитрий сошел с ума, Анюта тоже была не вполне нормальна. Ее самоубийство, тайна которого так долго мучила жену, было предопределено. И все остальное тоже — гибель Татьяны, ложь Людмилы, продажа дома — все, все! Ему хотелось одного: чтобы это проклятое место навсегда исчезло из памяти Наташи... И из его собственной памяти тоже.

— Куча денег, — ласково повторил он. — Целая куча.

— Слушай. — Она вдруг встала. — Я вспомнила. Часы. Часы на чердаке. Я хочу их забрать.

Ваня все еще играл с уродливой деревянной кукушкой. Его оставили в городе на попечении бабушки, и кукушка была единственным средством его успокоить. Ребенок тоже стал нервным, видимо переняв настроение матери. Птичку выдавали ему в качестве приза —

чтобы поел, поспал, не плакал. И это очень не понравилось отцу.

— Часы? — переспросил он. — Да от них одна труха осталась.

— Значит, я хочу забрать труху.

Муж не стал возражать. Он знал, что спорить с беременной женщиной не только бессмысленно, но и опасно для ее здоровья, и потому покорно поднялся на чердак. После долгих стараний ему удалось более или менее восстановить в прежнем виде каркас часов, который он и спустил вниз.

— Вот тебе. — Он положил собранные обломки на стол. — Даже стрелки есть.

— Час. — Она смотрела на циферблат остановившимся взглядом. — В час они встали, когда их разбил отец. В час они встали, когда их сломал Дмитрий. Бедняга. Он никого не убивал.

Павел окончательно испугался. Жена никогда не упоминала имя убийцы, и сейчас ему это очень не понравилось.

— Я уверена, что все сделала Людмила, но доказать невозможно... Он говорит — из-за денег, но этого мотива у нее не было. А он все подписал. Бедный... Бедный... Еще одна несчастная судьба тут, на горе. Ты прав, отсюда нужно уезжать.

— Ташка...

— Тут слишком мало народу, — продолжала она, вовсе не слушая. — Тут любое происшествие — событие. И всегда слишком много глаз и ушей. Тут все становится странным, слишком значительным.

— Наташа! — Он принялся целовать ее заледеневшие губы и попытался поднять со стула. — Идем. Простудишься! Сейчас придет машина. Не забудь

оставить дверь открытой. Они сами сказали, что им все равно, — они сменят и дверь, и окна, все... И барахло им тоже не нужно. Кстати, который час?

Он машинально взглянул на кухонные часы и улыбнулся. Они показывали час — дня или ночи, неизвестно, — с тех самых пор, как умерла Анюта. Наташа проследила за взглядом мужа и улыбнулась, но чему-то своему.

— Можно я их тоже возьму? — спросила она, вставая и подходя к стене. — На память.

— Мы столько барахла забрали... Жить будет негде!

— А я хочу.

Прихоть беременной женщины — дело священное, и потому муж сам помог ей снять со стены дешевые пластиковые часы, изготовленные в семидесятых годах. Это была копеечная поделка, работавшая от большой батарейки, которая села с тех пор, как Анюта перестала за этим следить.

— Вот тебе, — сказал он, тряхнул часы, и на пол выкатился круглый сверток — точно размером с батарейку.

Супруги смотрели на него, ни о чем не думая и ничего не понимая. У Наташи явилась мысль, что сверток взялся из ниоткуда, просто из воздуха, потому что в часах ему места не было. А потом она выхватила часы из рук мужа и взглянула на их обратную сторону.

Ниша для батарейки была пуста. А то, что ее занимало, лежало теперь на полу, у носка ее зимнего сапога. Женщина хотела нагнуться, но Павел ее опередил.

— Что это? — бормотал он, снимая тугую резинку, которой был перетянут цилиндрический сверточек. — Это... Да это же... Ташка!

Но она уже и сама видела, что это. В свертке оказались скрученные, слежавшиеся, принявшие форму батарейки долларовые купюры. Наташа смотрела на них без всякой радости.

А вот Павел дрожал от возбуждения. Он попытался пересчитать деньги, но не сумел, попытку пришлось повторить. Наконец он помахал деньгами перед лицом жены:

— Больше пяти тысяч! Я еще не уверен, но...

— Говорила же я тебе, — ровным голосом произнесла Наташа, — моя сестра никогда бы не сменила тайника.

— Что?

— Она собиралась умереть, потому что не могла жить без этого сумасшедшего. Кольца — это был последний подарок. Не грабил он ее. Просто она помнила о деньгах, о нашем сыне, которого любила, и решила оставить нам наследство. И еще боялась, что деньги пропадут — о тайнике могли знать другие. Может быть, она даже подозревала Людмилу... И потому Анюта снова спрятала деньги в часах. Только в других. А час... Час на циферблате — это указание для меня. Ведь деньги и прежде лежали в часах, которые показывали час. Она сделала это, чтобы я поняла, где нужно искать, да только я все не понимала...

— Подумать только, мы могли оставить их кому попало! — Павел снова и снова мял купюры, с наслаждением ощущая их тугую шероховатость. — Вот это удача!

— Да, — замороженно ответила жена. — Ее никто не грабил. Она умерла потому, что его любила. А другая умерла потому, что слишком любила день-

ги. И убила ее сестра. Теперь я понимаю, что у нее была на то причина. Людмила все еще думала, что деньги находятся где-то в доме...

— Но где же записка? — Павел перебирал купюры.

— Посмотри, может, на полу? Или в часах?

Он был вне себя, и тем разительнее был контраст со спокойствием жены.

— Записки нет, — сообщила она, оглядывая пустую кухню.

— Откуда ты знаешь?

— Ей нечего было написать. Она все сказала своей жизнью и своей смертью.

До их слуха донесся звук автомобильного гудка. Пришло такси, чтобы отвезти супругов в Москву — обычно расчетливый Павел мог теперь позволить себе такой расход.

— Едем, — заторопился он, пряча деньги во внутренний карман куртки. — Ты простудишься.

— Сейчас. — Она все еще не могла расстаться с этими стенами, с остатками мебели, с заснеженным садом за окном, который щедро осыпала крупой мокрая метель. — Сейчас.

— Еще что-то забыла?

— Забыла. — Она беспомощно встретила его суетливый взгляд. — Только не могу вспомнить что.

И всю дорогу, кутаясь в меховую куртку, слушая новости по радио, глядя на мелькающие в снежной тьме машины, она пыталась понять, что так ее мучило, что не давало сразу уйти из дому, где не было уже ничего и никого из дома, которого не стоило жалеть, потому что это было нехорошее место, как сказали бы все. И вспомнила уже на подъезде к Москве, когда машина попала в пробку, а шофер тихо ругался и хотел закурить, а Павел попросил не делать этого (жена нездорова), а она равнодушно сказала, что ей все равно, пусть курит...

Это было солнце, падавшее каждый вечер за Акулову гору. Сосновый запах и быстрый ручей, рассекавший надвое болото, где когда-то погиб Иван. Это была дивная улыбка сестры, ворчанье Ильи, кашель отца. Лицо женщины, которую она не помнила, но звала матерью. Это были сестры-красавицы, которые так боялись мира, что ни с кем не желали говорить и потому были обречены вечно оставаться на Акуловой горе. И это был Великий Лягух, вечный и «ненаходимый», который будет кричать для кого-нибудь другого до тех пор, пока не кончится детство...

Литературно-художественное издание

Анна Малышева

ЗЕРКАЛО СМЕРТИ

Роман

Ответственный редактор *М.С. Сергеева*

Художественный редактор *И.А. Озеров*

Технический редактор *Л.И. Витушкина*

Корректор *И.А. Филатова*

Подписано в печать с готовых диапозитивов 15.12.2002.
Формат 84×108 1/32. Бумага газетная. Гарнитура «Таймс».
Печать офсетная. Усл. печ. л. 22,68. Уч.-изд. л. 18,81.
Тираж 35 000 экз. Заказ № 4303001

ЗАО «Центрполиграф»
125047, Москва, Оружейный пер., д. 15, стр. 1,
пом. ТАРП ЦАО

Для писем:
111024, Москва, 1-я ул. Энтузиастов, 15
E-MAIL: CNPOL@DOL.RU

Отпечатано в ФГУИПП «Нижполиграф»
603006, Нижний Новгород, Варварская ул., 32